Zu diesem Buch

Intimität wird von den Psychologen G. R. Bach und R. M. Deutsch als das Wesentliche einer wie immer auch gearteten Partnerschaft verstanden. Intimität, charakterisiert als eine Beziehung der Offenheit und direkten Interaktion zwischen den Partnern, kann, muß aber nicht, das Ergebnis eines langen Zusammenlebens sein. Sie kann sich auch spontan entwickeln, dann nämlich, wenn man gelernt hat, konventionelle Floskeln und stereotype Liebenswürdigkeiten ohne Aussage zu vermeiden und statt dessen jede neue Beziehung in ihrer Einmaligkeit zu begreifen. Aufrichtigkeit und unmißverständliches Äußern der eigenen Bedürfnisse, Wünsche und Ängste machen dem Partner Mut, seinerseits schützendes Imponiergehabe abzulegen und sich als der zu zeigen, der er ist.

Die Welt ist voll von potentiellen Partnern, die auf das große Ereignis Liebe warten und die ersehnte Intimität doch nie erleben. Sie richten ihr Verhalten aus nach den vermeintlichen Wünschen des Partners, nach tradierten Rollenbildern und gesellschaftlichen Erwartungen. Und sie sind verzweifelt, wenn trotz dieser Bemühungen die unvermeidbare Konfrontation mit der Alltagsrealität die Beziehung scheitern läßt.

Das Pairing-System, das uns George R. Bach hier theoretisch und mit vielen Fallbeispielen aus seiner eigenen Praxis plastisch darstellt, geht von den Erkenntnissen der Gruppendynamik aus. Mit seinen einfachen und erlernbaren Grundregeln menschlicher Kommunikation erleichtert es Männern und Frauen, realistische individuelle Möglichkeiten zu finden, um intime Beziehungen zu schaffen und aufrechtzuerhalten.

Prof. G. R. Bach ist Leiter des Instituts für Gruppenpsychotherapie in Beverly Hills / USA.

Als rororo lieferbar: «Ich liebe mich – ich hasse mich. Fairness und Offenheit im Umgang mit sich selbst» (rororo sachbuch 7891).

George R. Bach
Ronald M. Deutsch

Pairing

Intimität und Offenheit
in der Partnerschaft

Aus dem Amerikanischen
von Helga und Horst Jürgensen

Rowohlt

40.–43. Tausend Oktober 1985

Veröffentlicht im Rowohlt Taschenbuch Verlag GmbH,
Reinbek bei Hamburg, Juli 1979
Umschlagentwurf Jan Buchholz und Reni Hinsch
Titel der Originalausgabe: «Pairing. How to Achieve
Genuine Intimacy»

Gesamtherstellung Clausen & Bosse, Leck
Printed in Germany
880-ISBN 3 499 17263 1

Inhalt

Vorwort zur deutschen Ausgabe

Als Deutschamerikaner bin ich besonders glücklich, daß *Pairing* jetzt auch in deutscher Sprache vorliegt. Mein schon früher in Deutschland erschienenes Buch *The intimate enemy* wendet sich hauptsächlich an Ehepaare. *Pairing* wendet sich an alle, die in ihren persönlichen Beziehungen nach neuen Wegen der Partnerschaft suchen, also vor allem auch an solche, die den geeigneten Partner noch nicht gefunden haben.

Schon seit vielen Jahren setzte in der westlichen Welt eine Revolution gegen bisherige Formen des menschlichen Zusammenlebens ein. Es wuchs das Bedürfnis, es von den Schlacken überlebter Konventionen zu befreien und es humaner zu gestalten. Besonders an der Westküste Amerikas setzte in einer Abkehr von Materialismus und Machtdenken ein neues Lebensgefühl ein, der Wunsch, sich von Ängsten zu befreien und sich gegenseitig mehr Daseinsfreude zu geben. Das heißt Bejahung der Liebe, Bejahung auch der Sexualität, ohne die Wege zu gehen, die die Gesellschaft seit vielen Jahrhunderten vorschreibt. Dies ist der Wunsch nach echter persönlicher Beziehung, nach Intimität.

Diesem Wunsch stehen mancherlei Schwierigkeiten im Wege.

1. Die Annahme, die Intimität sei erst die Folge längerer Gewöhnung aneinander. Wirkliche Intimität – und das versuche ich in diesem Buch zu zeigen – entsteht spontan, wenn man nur den richtigen Weg einschlägt. Es geht hier darum zu lernen, die eigenen Gefühle offen auszusprechen und auf die des Partners zu reagieren. Was schnell geht, muß nicht oberflächlich sein, Langsamkeit ist keine Garantie für Tiefe.

2. Die überkommenen Vorurteile über die Unterschiedlichkeit der Geschlechter. Der Mann ist nicht immer stark, die Frau nicht immer schwach, er der Herr, sie der Sklave, sie hilflos und er der

immer bereite Kavalier. Wer Intimität sucht, muß flexiblen Umgang lernen. Gerade das festgefahrene Rollenverhalten der Partner hindert sie an wirklicher Intimität.

3. Wir sind dahingekommen, im anderen nicht mehr den Menschen zu sehen, sondern nur seine Funktion, seine Brauchbarkeit. Wir glauben, daß das Akzeptieren des anderen in seiner Rolle, seiner Funktion Voraussetzung für den Umgang mit ihm ist. Das aber verhindert echte Begegnung, die den Partner in seiner Ganzheit erfaßt. Die Folge ist Einseitigkeit der Beziehung und wechselseitige Ausbeutung.

4. Wir meinen, daß wir eine äußere Situation brauchen, um einen Partner kennenzulernen, eine besondere Gelegenheit. Und wenn wir sie nicht finden, dann schaffen wir sie durch Manipulation, und wenn es gar nicht anders geht, durch Alkohol. Aber das ist kein Weg zu echter Intimität. Wir müssen lernen, aufrichtig zu sein; uns zeigen, wie wir sind; den anderen sehen, wie er ist.

Wir glauben und haben das in unseren Partnerschaftskursen zeigen können, daß unser Partner nicht vom Himmel fällt. Den für uns vorherbestimmten Partner gibt es nicht. Wir müssen ihn suchen und finden. Er sitzt überall neben uns. Jeder Mensch ist für uns ein potentieller Partner. Wir müssen nur lernen, ihn realistisch zu sehen. Und Intimität ist dann nur Folge davon, wieviel wir miteinander anfangen, erleben können. *Pairing* will helfen, den Weg zu zeigen und die Fähigkeiten hierfür zu lehren.

Dieses Buch ist kein Fachbuch für Psychologen und Therapeuten, sondern wendet sich an jeden aufgeschlossenen Laien. Wir haben uns bemüht, es möglichst frei von schwierigen Fachausdrücken zu halten und ein Vokabular zu benutzen, das, wie wir hoffen, allgemein verständlich ist.

Noch ein Wort an meine Kollegen. *Pairing* ist aus den Erfahrungen entstanden, die ich als Leiter am Institut für Gruppentherapie in Beverly Hills, Kalifornien, gewonnen habe. Es setzt einen Teil dieser Erfahrungen um in ein System, das wir Pairing-System nennen Es erhebt nicht den Anspruch, ein geschlossenes, fertiges System zu sein, sondern will einen Weg zu mehr Intimität zeigen. Unsere Forschungen sind noch keineswegs abgeschlossen, über weitere Ergebnisse werden wir berichten.

z. Z. Köln, im Juli 1972 George Bach

Die Gesellschaft und der Alleinstehende
Eine Einleitung

Dieses Buch behandelt das Bedürfnis nach intensiverem Kontakt und zeigt Wege, ihn zu erreichen. Darum wollen wir kurz die Gesellschaft skizzieren, die dieses Bedürfnis weckt, aber die Erfüllung zugleich konsequent verhindert. Denn diese Gesellschaft ist das größte Hindernis für die Verwirklichung der Bedürfnisse, die sie in so hohem Maße anstrebt.

Wir leben in einer Gesellschaft, die sich an der Familie orientiert. Und die Gesellschaft bewertet das Familienleben so hoch, daß sie nicht verheiratete Erwachsene bestenfalls für unfertige, unreife und noch nicht voll entwickelte Menschen hält, schlimmstenfalls für Versager oder bewußte Ignoranten, die eine verantwortliche und anerkannte Rolle in der Familie nicht übernehmen wollen oder können. Sogar im Geschäftsleben gilt dieses Vorurteil, so daß fast automatisch die Kreditwürdigkeit eines Ledigen geringer ist, dafür seine Versicherungsprämien um so höher sind.

Ledige sind sofort Fragen nach ihrem Verantwortungsbewußtsein und ihrer Verläßlichkeit als Mieter, Nachbar, Kunde, sogar als Freund ausgesetzt. Ja man argwöhnt, der Ledige warte nur auf eine Gelegenheit, den eigenen Ehepartner wegzunehmen und für sich zu gewinnen. Nach weitverbreitetem Vorurteil ist ein Junggeselle ein selbstsüchtiger Hedonist, eine unverheiratete Frau entweder nymphoman oder frigid. Über neun Millionen unverheiratete Männer und Frauen im üblichen Heiratsalter zwischen zwanzig und vierunddreißig bilden die größte und aus völlig irrationalen Gründen diskriminierte Minderheit in Amerika. Sie werden wie Bürger zweiter Klasse behandelt. Es ist nur natürlich, daß jeder, der einer Minderheit angehört, in einen besser angesehenen Status kommen möchte. Dieser moralische Druck wird von peinlich berührten Familien und besorgten Freunden nur noch verstärkt.

Die traurige Konsequenz ist, daß die große Mehrheit der Amerikaner – während sie Lippenbekenntnisse für die überragende Bedeutung der Liebe abgeben – sie tatsächlich aber die Ehe als eigentlich erstrebenswertes Ziel der Beziehung zwischen Mann und Frau ansehen. So zur Ehe manipuliert und gedrängt, neigt der Ledige dazu, jeden Kontakt mit dem anderen Geschlecht allein unter dem Blickwinkel einer möglichen Eheschließung zu sehen. Wir werden sehen, daß die Chance für eine wirkliche Liebesbeziehung dadurch verringert wird, daß Männer und Frauen versuchen, ihre Wahrnehmung vom anderen, von sich selbst und von der Partnerbeziehung zugunsten der gängigen Ehevorstellung zu verzerren. Niemand wagt von den eigenen Wünschen und Vorstellungen auszugehen, aus Angst, es könnte der schöne Traum zerspringen, aus der blamablen Lage eines Ledigen herauszukommen.
Eine Folge dieses übernommenen Rollenverhaltens ist, daß es nur in relativ wenigen Ehen wirklich Intimität gibt. Die übrigen sind letztlich unbefriedigende und zum Großteil eingeengte Verbindungen, mit der latenten Möglichkeit, daß die erste ernsthafte Krise zur Scheidung führt.
Der Druck, den gesellschaftlichen Normen genügen zu müssen, hat noch ein weiteres unerfreuliches Ergebnis. Für viele Alleinstehende ist jeder Kontakt mit dem anderen Geschlecht eine Bedrohung. Sie verhalten sich äußerst vorsichtig bei Gesten oder Bemerkungen, die als Bindungsabsicht gedeutet werden könnten. Sie befürchten, als potentielle Ehepartner ausgenutzt zu werden. Sie verhalten sich in ihren sexuellen Beziehungen kühl und distanziert und bringen sich so selbst um das Glück echter Intimität, nur aus Angst, Intimität würde automatisch zur Ehe führen.
Ein weiteres Ergebnis dieser Orientierung an gesellschaftlichen Normen ist der Mangel an wissenschaftlichem Interesse an allem, was man gewöhnlich für nicht erstrebenswert und darum für vorübergehend hält, wie z. B. den Status des Ledigen und das Aufbauen einer Beziehung. Die psychologische Literatur über die Liebe hat unendlich viele Untersuchungen und ganze Bücher über Ehe und Familie hervorgebracht, aber nur einige wenige über die Problematik und das Wohlergehen der Alleinstehenden.
Das Institut für Gruppenpsychotherapie in Beverly Hills, Californien, dessen Begründer und Leiter der Hauptautor dieses Buches ist, hat sich schon immer mit den Problemen der Unverheirateten

beschäftigt. Dieses Interesse verstärkte sich noch, als ernsthaft gefährdete Ehen mit wenig Hoffnung auf Fortbestand in einem letzten verzweifelten Versuch an unser Institut verwiesen wurden. Als die meisten dieser Ehen scheiterten, fühlten wir uns zu dem Versuch verpflichtet, erstens den psychischen Schock zu behandeln und die Konflikte zu bearbeiten, die sich aus der Überzeugung ergaben, man habe versagt, zweitens mit dem Gefühl des Alleingelassenseins und mit Schwierigkeiten, die sich aus der Rückkehr in eine Welt ergaben, in der man allein fertig werden mußte. Als es gelang, diesen Menschen zu helfen, ihr früheres falsches Verhalten in der Liebe zu vermeiden und unmittelbare Intimität mit neuen Partnern herzustellen, da wurde deutlich, wie früh bereits in einer Partnerbeziehung Intimität verhindert und damit die Ursache zum Scheitern gelegt wird. Die neuen Techniken, die am Institut entwickelt wurden, um Intimität zu ermöglichen und Verschleierungen, Illusionen und unbefriedigte Anpassung zu vermeiden,wurden bekannt, weiteten sich aus und erreichten schließlich andere Geschiedene und noch nie verheiratet gewesene, die in gleicher Isolation und Verwirrung steckten. Um diesen Männern und Frauen in ihrer unglücklichen Lage zu helfen, untersuchten wir ihren Lebensstil, ihre Wünsche und die Gründe für ihr Erfolgs- und Mißerfolgserleben im Kontaktbereich. Wir entwickelten Techniken, um den aufgedeckten Problemen entgegenzuwirken und diese Methoden in speziellen Partnerschaftsgruppen für alleinstehende Erwachsene zu vermitteln. In diesen Gruppen steht teils die Therapie, teils Aufklärung im Vordergrund.

Bei unserer Arbeit mit Alleinstehenden sind wir dazu gekommen, die gesellschaftlichen Normen abzulehnen, die eine gründlich erwogene Entscheidung für ein Leben ohne Ehe verdammen, die den Geschiedenen als Versager verachten, und denjenigen, der sich weigert, in eine Ehe zu schliddern, die auf illusionsbeladener Verklemmtheit beruht, als Außenseiter zu behandeln. Aber ganz besonders wehren wir uns gegen eine Gesellschaft, die Liebe in der Theorie verherrlicht, sie aber tatsächlich ganzen Generationen unmöglich macht, indem sie die Ehe an die erste Stelle setzt und diese Vorzugsstellung mit einem Gewebe unaufrichtiger Bräuche, Formen und Erwartungen unterstützt. Diese Absage, so werden wir sehen, wird eine Revolte gegen die alten Lebensformen und Arten der Kontaktsuche und -aufnahme bewirken.

1. Das Aufbegehren gegen die Pseudointimität

Millionen Männer und Frauen sehnen sich nach intensiveren Beziehungen ohne sie finden zu können, weil sie nicht wissen, wie einfach Intimität erfahrbar ist und wie wirkungsvoll das Gefühl innerer Leere behoben werden kann.

Viele Menschen sind einsam. Tag und Nacht steigen sie einander nach, Jäger und Gejagte zugleich. Sie ziehen durch Bars und Clubs und Hotels, buchen Kreuzfahrten und Weekend-Reisen, immer auf der Suche nach Anschluß. Man trifft sie ständig in Vereinen, auf Wohltätigkeitsbällen, auf Tagungen. Sie lungern in Schwimmbädern und auf Tennisplätzen, auf Skipisten und Badestränden und belegen Charterflüge nach Europa.

Immer richtig angezogen und entsprechend parfümiert, greifen die Beherzteren zu bei der Balz auf den Partner, während die Stilleren zuschauen und träumen und warten. Dann gehen sie alle nach Haus – und wer nicht alleingeblieben ist, fühlt sich zumindest allein. Und dann sind sie noch einsamer, noch mehr ohne Hoffnung, ernüchtert von dem Kontrast zwischen der Geborgenheit, die sie im Miteinander suchten und dem, was sie tatsächlich fanden.

Andere führen ein Leben, das reich an Kontakt ist, oder das sogar einem Menschen gewidmet ist, der einem viel bedeutet, mit dem man schläft und zusammenlebt. Und doch haben die meisten, die so leben, ebenfalls ein Gefühl der Isolation. Sie haben ein bohrendes aber unbefriedigtes Verlangen nach mehr echter Beziehung. Dieses Verlangen kann weder Verliebtheit noch der Zauber einer Romanze stillen, und erst recht nicht die Verlobungsanzeige in der Zeitung. Warum, fragen sie sich, fühle ich mich so allein? Warum habe ich immer noch die alte Ruhelosigkeit?

Für beide Gruppen ist die Enttäuschung ihrer Sehnsucht nach mehr Intimität verhängnisvoll. Sie läßt die Enttäuschten leer, verbittert, voller Selbstzweifel zurück. Viele füllen dann die Sprechzimmer der Psychotherapeuten. Die meisten von ihnen geben schließlich ihre Sehnsucht auf, wie einen naiven, pubertären Traum. Dabei ist diese Sehnsucht ein ausgereifter Anspruch, real und notwendig.

Diese Sehnsucht konnte umfassend durch die klinischen Forschungen des Hauptautors Prof. George R. Bach belegt werden, die er als beratender Psychologe in seiner Arbeit mit über zweitausend alleinstehenden Männern und Frauen aller Altersstufen und sozialen Schichten erstellt hat. Das Ergebnis wird durch die Versuche mit Tausenden anderen bestätigt, deren Liebe zwar zur Ehe führte, aber normalerweise nicht zu wirklicher Intimität.

Wir haben die Ergebnisse ausgewertet, zu denen wir bei dem Bemühen um ein Verstehen der Mißerfolge in der Liebe und der daraus folgenden Probleme gekommen sind und daraufhin ein System entwickelt, um Angst, Unwillen und falsche Anschauungen zu überwinden, die den Weg zu wirklicher Intimität versperren. Während der letzten drei Jahre haben unzählige Männer und Frauen durch dieses System gelernt, und es erwies sich fast immer als wirksam, oft völlig überraschend. Dieses System nennen wir *Pairing*

Warum halten moderne Psychologen Intimität in der Liebe für so wichtig? Weil das, was Männer und Frauen in der Liebe suchen, heutzutage kein romantischer Luxus mehr ist, sondern ein entscheidender Bestandteil der emotionalen Gesundheit. Immer weniger wollen nur die Jagd nach aufregenden Liebesabenteuern oder die zweifelhafte Sicherheit im Nest der Ehe. Aber immer mehr hoffen, in einer dichteren Liebesbeziehung etwas wie persönliche Wertigkeit, persönliche Geltung und eine Stärkung der eigenen Existenz zu finden.

Denn in der heutigen Welt, in der sich Männer und Frauen so ohne Gesicht fühlen müssen wie Nummern auf einer Liste, brauchen sie (irgendwo) Intimität, um das Gefühl von Identität und Eigenwert zu bewahren, ohne die es ein sinnvolles Leben nicht gibt. Sie brauchen einen Menschen, der sie anerkennt und annimmt, ein Herz, das versteht und sich verstehen läßt. Nur wirkliche Intimität kann dieses Bedürfnis befriedigen. Mißlingt die Suche nach Intimität, ist die Persönlichkeit gefährdet. Wer scheitert, neigt dazu, die Schuld bei sich selbst zu suchen, die eigene Wertigkeit als

Mann oder Frau zu bezweifeln. Er entwickelt ein Selbstbild, das ihn kalt, gefühllos und selbstsüchtig und womöglich gar unfähig zu reifer Liebe erscheinen läßt und ihn damit zu innerer Vereinsamung verdammt.

Vereinsamung ist die Hauptursache für Neurosen. Deshalb erleiden sie echte neurotische Symptome – Angst, Wahn und Depression. Diese Empfindungen lassen die Mauer der Vereinsamung nur immer höher werden, sie versperren den Zugang zu mehr Intimität und ziehen den Ring der Einsamkeit immer dichter.

Aber die Mauern und der Ring können aufgebrochen werden. Durch unsere klinischen Forschungen haben wir erkannt, daß die große Mehrheit aller Männer und Frauen – ganz im Gegensatz zu ihren geheimen Ängsten – durchaus in der Lage ist, Intimität zu erleben, nach der sie sich so sehnt. Sie können leicht neues Verhalten lernen, neue Einstellungen und einen neuen Stil in der Liebe. Fangen sie erst einmal damit an, dann durchschauen sie schnell die widersinnigen Konventionen und Tabus, durch die sie ausgenutzt werden und Angst haben und an wirklichen tiefen Beziehungen gehindert werden.

In erstaunlich kurzer Zeit sind sie dann fähig, echte Beziehungen selbst herzustellen – und das mit zahllosen anderen Menschen. Sie können die Aussicht einer Liebesbeziehung abschätzen, ihren Wert bestimmen, sie stärken, oder falls es notwendig ist, mit einem Minimum an Leid für beide Partner beenden.

In mancher Hinsicht sind die Erwartungen an die frisch gewonnenen Beziehungen so unterschiedlich wie die Menschen selbst, aus deren Schwierigkeiten wir unser Pairingsystem abgeleitet haben – Menschen, die in Colleges und Jugendgruppen ihre Erfahrungen sammelten, die von Scheidungsanwälten und Sühneterminen, von isolierten Erwachsenen wie sie selbst in Einzel- und Gruppentherapie beeinflußt wurden, oder in regelmäßigen Kontakten mit solchen Organisationen für Geschiedene wie »Eltern ohne Ehepartner« standen. Die Skala ihrer Wünsche reicht von dem Bedürfnis nach mehr Geselligkeit bis zu befriedigenderen sexuellen Verhaltensformen, von zärtlicher Freundschaft bis zu möglicher Ehe.

Andererseits haben fast alle Alleinstehenden einige Wünsche gemeinsam. Die meisten wollen neue Menschen kennenlernen und lernen, diejenigen mit der größten Bereitschaft zu wirklicher Intimität herauszufinden. Sie wollen ihre Angst vor Zurückweisung durch die anderen abbauen. Sie wollen sich vor Manipulationen und Ausgenütztwerden schützen und sich gegen immer die gleichen Fehler bei der Partnerwahl sichern. Wenn sie jemandem begegnen, der ein Partner werden könnte, wollen sie möglichst schnell herausfinden, was für ein Partner er oder sie sein würde, und wie sie diesem möglichen Partner ein Stück Ich anbieten können. Mit anderen Worten: Sie wollen lernen, wie man mit einem noch fremden Menschen eine wirkliche Liebesbeziehung aufbauen kann.

Hat sich dann eine Liebe entwickelt, wollen sie wissen, wie man sie intensiviert, und wie man es erreicht, daß beide Partner sich weder vom anderen vereinnahmt, noch in zu weiter Distanz gehalten fühlen. Sie wollen sich schützen lernen vor einem Partner, der es zwar gut meint, aber überangepaßt ist, und sie wollen wissen, wie man einander entgegenkommt und zusammenwirkt, ohne dadurch die eigenen wichtigen Wünsche und Gefühle so zu unterdrücken, daß man selbst im Innersten frustriert wird.

Das Pairing-System hat auf diese Fragen einige einfache Antworten, die alle darauf aufbauen, daß echte Gefühle anerkannt und ausgedrückt werden. Denn für die Taktiken, Spielereien, Manipulationen und durchsichtigen Tricks irgendwelcher romantischen Traditionen oder heute kursierenden Zeitschriften haben wir keinerlei Verständnis mehr. Wir haben erkannt, daß all diese Dinge für denjenigen, der sie anwendet, genauso schädlich sind wie für den, der damit konfrontiert wird. Sie sind die Hindernisse für echte Intimität. Sie entfremden und isolieren den, der sie anwendet.

Aus diesem Grund ist das Hauptanliegen des Pairing-Systems der Abbau von Illusionen zugunsten von Selbstverwirklichung, Vertrauen und Offenheit. Um den Menschen dabei in therapeutischen Gruppen wie unseren Pairing-Trainings zu helfen, bringen wir sie in wirklichen, dichten Kontakt mit tatsächlichen Partnern. Dabei wenden wir unsere eigenen Methoden an, die wir bei unserer therapeutischen Arbeit entwickelt haben.

Wir hoffen, daß der Leser es wagen wird, selbst einige dieser Erfahrungen zu machen, indem er unsere Methoden ausprobiert – als Alleinstehender vielleicht mit einer Freundin, als Verheirateter mit seinem Partner. Die notwendige Methode wird in den folgenden Kapiteln dieses Buches erklärt. Jedes einzelne ist dazu bestimmt, eine der folgenschweren Barrieren vor der Intimität fortzunehmen.

Es ist sicher, daß heute zahllose Männer und Frauen aus der Sehnsucht nach wirklich intimen Beziehungen die Geduld mit den herkömmlichen, eben nicht intimen Formen der Liebe verloren haben. Sie wollen mit der überkommenen Etikette, mit den Traditionen, Mystifikationen und Pseudo-Wissenschaften nichts mehr zu tun haben. Sie wagen Experimente mit neuen Lebensformen und neuen Lebensinhalten. Eine neue, aufgeweckte Generation fühlt, daß das alte System, das wir Courtoisie nennen, sie um Intimität betrügt. Diese Jugend rebelliert gegen dieses System und hat eine Revolte für mehr Intimität begonnen, um die alte Romantik endlich abzuschaffen.

Anzeichen für diese Revolution finden sich überall, wo die Rebellen Formen und Institutionen des überkommenen Partnerverhaltens angreifen. Doch trotz ehrlichen Bemühens schaffen es die meisten nur, die äußeren Formen zu verbessern. Die Dichte der Beziehung, die sie in Wirklichkeit suchen, die Möglichkeit sich selbst und den anderen zu erleben, Transparenz und uneingeschränkte Ausdrucksmöglichkeiten einer intimen Begegnung entgehen auch ihnen.

Stattdessen schaffen sie nur eine Ersatzintimität – mit Begeisterung für Nacktsein auch in der Öffentlichkeit, uneingeschränkten Geschlechtsverkehr, Partnertausch und ab und an eine Orgie. Ihre sogenannte Offenheit ist nur Fassade. Sie erschöpft sich im Gebrauch von four-letter-words, Bekenntnissen voller Selbstmitleid, amateurhafter Psychoanalyse und Gruppenarbeit mit sinnlosen Angriffen auf Andersdenkende unter dem Deckmantel der Ehrlichkeit.

Kommen sie dann zusammen, reicht es auch nur zu einem seichten, oberflächlichen Beieinandersein. Sie vermeiden zwar die stereotypen Geschlechterrollen, aber sie ernten dafür Impotenz und das Einerlei des immergleichen Sexualerlebens.

Die Revolution in den intimen Beziehungen hat bisher nur einen dürftigen Vorgeschmack auf die wirklich innige Wärme gegeben, die möglich ist; und der Preis, zumindest diesen zu erreichen, war hoch. Unterschwellig wirkt das alte System, das keine wirkliche Beziehung zuläßt, weiter. Zwar sieht es so aus, als hätten sich die Rollenerwartungen und starren Verhaltensvorschriften manchmal sogar radikal verändert, doch sie funktionieren genauso weiter und machen wirklich befriedigende Beziehungen unmöglich.

Auch wenn die Revolution in den intimen Beziehungen scheinbar glänzend dasteht und immer mächtiger anschwillt, so ist sie doch zum Scheitern verurteilt, solange sie nicht Methoden findet, die es den Menschen erlauben, Einschränkungen zu überwinden und sich freier zu entfalten. Eine solche brauchbare und erprobte Methode ist Pairing.

Mancher unserer Leser mag von unseren Konzepten und Methoden geschockt sein, denn sie lassen alle Tradition außer acht, sogar manche Berufskollegen sind irritiert durch unsere Ablehnung bislang geachteter Überzeugungen und Konventionen in Theorie und Praxis.

Tatsache ist, daß eine Revolution in den Partnerbeziehungen in Gang gekommen ist. Die alten Methoden, Spielregeln und Lebensanschauungen sind ins Kreuzfeuer derer geraten, die ihr brennendes Verlangen nach mehr Innigkeit nicht stillen konnten. Das Gebäude der alten Regeln stürzt ein. Wir zeigen hier eine neue freie und realistische Art, mit der Liebe umzugehen, eine, die denen, die sich danach sehnen, wirkliche Erfüllung geben kann.

2. Das Pairing-System

Pairing ist ein neuer Weg, sich auf die Liebe vorzubereiten. Um die Methode und ihre Anwendung auf dem Weg zu einer innigeren Beziehung zu verstehen, hilft es sicher weiter, sich die Art klarzumachen, in der die Erwachsenen von heute umeinander werben und die Formen, in denen sie ihre Zuneigung ausdrücken. Diese Formen wollen wir Courting, Courmachen nennen.

Courmachen nennt man die Art, in der man jemandem den Hof macht, um ihn wirbt, sich um Zuneigung bemüht, Beifall und Gunst zu gewinnen sucht, mit Reizen lockt. Versucht man nun, jemandem den Hof zu machen, dann setzt man sein liebenswürdigstes Gesicht auf, kehrt seine besten Seiten hervor, verbirgt seine Schwächen und versucht überhaupt dem anderen etwas vorzumachen. Wer wirbt, zeigt weder sich selbst, so wie er tatsächlich ist, noch versucht er herauszufinden, wie der andere wirklich ist. Vielmehr geht es ihm um eine Sonntagswelt ohne Konflikte; er versucht, andere für sich einzunehmen, indem er gefällt. Was immer Schwierigkeiten oder Mißtöne in die Beziehung bringen könnte, wird hinter Illusionen versteckt. Vor möglichen Dissonanzen weicht man aus, indem man einander gegenseitig nachgibt, sich aneinander anpaßt, soweit wie man es nur irgend ertragen kann, und faßt sich emotional nur mit Samthandschuhen an, ganz wie es die »Etikette« verlangt.

Wer jemandem den Hof macht, beginnt erst einmal, sich eine Fassade zu geben, die er für attraktiv hält. Hat er auf diese Weise die Aufmerksamkeit des möglichen Partners auf sich gezogen, steht er von nun an vor der schwierigen Aufgabe, die sich selbst zudiktierte Rolle ständig weiterzuspielen. Aus Angst, etwas von der Zuneigung des Partners einzubüßen, wird er es nicht wagen, von dieser Rolle abzuweichen.

Aufrichtig- und Echtsein ist in diesem System des Courmachens einfach zu gefährlich. Und hier beginnen die Schwierigkeiten. Denn Rollen sind schon ihrer Definition nach starr. Wer einmal eine annimmt, wird von ihr eingefangen und schließlich entmündigt. Unter der strahlenden Oberfläche wächst Verbitterung.

Und so ist es kein Wunder, daß Partner, die die »Cour« zulassen, auch im weiteren Verlauf ihrer Beziehung einander so fremd bleiben, wie sie es zu Beginn ihrer Liebe waren, und daß sie einander fremd bleiben, egal ob sie ein Verhältnis haben oder heiraten. Und darum ist es erst recht kein Wunder, daß Intimität zwischen ihnen unmöglich ist.

Geschiedene und reifer gewordene Alleinstehende sind mit solch oberflächlicher Liebe besonders unzufrieden. Sie haben das alles schon mitgemacht und wissen, es führt zu nichts. Aber auch sie haben keine andere Wahl. Sie sind frustriert von dem, was eine unausweichliche Folge menschlicher Unvollkommenheit zu sein scheint. Sie machen alle Möglichkeiten einer Beziehung durch, sie verlieben sich, sie reden bis in die frühen Morgenstunden, sie leben zusammen. Aber wirkliche Intimität scheint vor ihnen wegzulaufen. Sie werden ungeduldig, weil es so viel Zeit kostet, eine Beziehung wirklich zu gestalten und ihren Wert herauszufinden. Sie fühlen sich angeödet und verbittert von den Verstellungen, hinter denen wirkliche Gefühle versteckt werden, von den kindischen Spielereien, den neckischen Lockspielen und der glatten Keep-Smiling-Routine der Datings.

Sie fühlen, daß sie ihre Zeit und damit ihr Leben vergeuden. Und sie merken, daß irgendwo tief drinnen etwas nicht stimmt: Dieses, was da nicht stimmt, so glaubt jedenfalls die klassische Psychologie, ist wahrscheinlich eine Neurose. In der frühkindlichen Entwicklung, als das Kind anfing, Verhaltensmuster für den Umgang mit anderen zu entwickeln, ging irgend etwas schief. Beim Erwachsenen verhindert dann irgendeine Angst oder Furcht die Erfüllung der Sehnsucht nach Intimität. Die meisten Therapeuten glauben, daß jeder intime Beziehungen herstellen kann, wenn erst die Neurose geheilt ist.

Das klingt in der Theorie plausibel, in der Praxis aber funktioniert es nicht. Denn gerade das Unvermögen, eine Liebe zu finden, die Intimität ermöglicht, kann eine Neurose hervorrufen. Und was war dann zuerst da, die Neurose oder die Unfähigkeit zur Liebe?

Wenn also die herkömmliche Theorie stimmt, dann müßten neunzig Prozent oder mehr aller Menschen in therapeutische Behandlung. Denn nur die wenigsten aller Paare scheinen etwas zustandezubringen, was man intime Liebe nennen könnte. Es gäbe auch gar nicht genug Therapeuten, um auch nur einen kleinen Teil dieser Paare zu behandeln, und im übrigen wäre die Therapie nicht sehr erfolgreich. Ein einleuchtendes Beispiel für genau das Gegenteil ist vielmehr, daß auf Tagungen von Eheberatern und Therapeuten ein fast unvermeidbares Thema die Frage ist, warum ihre Behandlung nur bei einem kleinen Teil der Fälle wirklich erfolgreich ist.

Der Fall von Jan, einer geschiedenen Frau, die an einem unserer Pairingkurse teilnahm, zeigt anschaulich das Versagen der klassischen Therapie bei der Behandlung vieler Schwierigkeiten in zwischenmenschlichen Beziehungen. In der ersten Sitzung wurde Jan gefragt, warum sie in den Kurs gekommen ist.

»Nach einer sehr behüteten Kindheit habe ich mich gleich nach der Entlassung aus der Schule in die Ehe gestürzt«, sagte sie. »Ich habe mich meinem Mann gegenüber nie gleichwertig gefühlt. Ich will damit sagen, über viele persönliche Dinge habe ich mich nie richtig mit ihm unterhalten können. Und ich war frigide. Nach drei Jahren waren wir geschieden und ich ging zum Psychiater. Nach einem Jahr Analyse hatte ich eine Menge über mich selbst verstanden. Ich hatte irgendeine Abneigung gegen Männer gehabt, die hatte ich nun nicht mehr. Zum Beispiel konnte ich jetzt einen Orgasmus haben. Ich fühlte mich viel freier und fing an, viele Bekanntschaften zu machen, die oft im Bett endeten.«

»Aber warum bist Du hier«, fragte ein anderes Mädchen, »das hast Du noch nicht gesagt.«

»Weil . . .«, fing Jan an zu antworten, und sie bekam Tränen in die Augen, »weil, trotz all der Männer, ich mich immer noch allein fühle. Ich kann nicht richtig an sie herankommen. Ich fühle mich nicht richtig frei, ich bin nicht unbeschwert. Ich bin bloß irgendeins von diesen Betthäschen.«

Es hatten also weder Jans Befreiung von alten Konventionen – als Folge ihrer Auflehnung gegen ihre früheren intimen Bindungen – noch ihr Freiwerden von den Fesseln der Kindheit durch die Analyse bewirkt, daß sie fähig zu neuen festen Bindungen in einer Liebesbeziehung wurde. Aber mit diesem Problem steht Jan nicht allein, es ist weit verbreitet.

Das Ideal, das das alte System des Courmachens verwirklichen will, kann man auf die Kurzformel bringen: eins und eins gibt eins. Zwei Menschen sollen sein ein Fleisch, ein Herz und eine Seele, die neue Einheit »Wir«. Und die Individualität des einzelnen soll wahrscheinlich völlig verschwinden. Diese These ist emotional nicht weniger schwierig als mathematisch. Denn das würde bedeuten, daß die Antwort des einen Partners auf eine wichtige Frage die gleiche wäre wie die des anderen. Die Beobachtungen in den Pairingkursen haben uns bald gelehrt, was für eine haarsträubende Absurdität diese Vorstellung wirklich ist.
Julie stellt ihrem Studienfreund Nick die Fragen eines »Teste-dich-selbst«-Quiz, das sie gerade in einer Zeitschrift liest:

JULIE:
Gebrauchen wir im Bett unanständige Ausdrücke?

NICK:
(schaut vorsichtig auf, unsicher, was er anworten soll)
Ja, ich weiß nicht recht, manchmal schon. Das heißt, was für unanständige Worte?

JULIE:
Na ja, ich nehme an, Worte wie – (sie wird unsicher und beobachtet ihn) – solche wie für das was wir tun, und Körperstellen und so, glaub ich. Ich weiß auch nicht so recht. Was meinst Du, tun wir das?

NICK:
(Manchmal ist er schon recht deutlich. Aber er ist gefragt, was »Wir« gern tun, und darum taktiert er so, daß er Julies Mißfallen nicht erregt.) Du hast manchmal schon sowas gesagt, nicht?

JULIE:
Ja, aber ich glaube nur, wenn Du damit angefangen hast.

NICK:
Hmm.

Solche »Wir«-Gespräche sind Scheingefechte, die den Boden für die Verhaltensrollen testen sollen. Nick und Julie wagen es beide nicht, sich zu zeigen, wie sie wirklich sind, aus Angst, was der andere wohl denken könnte. So sind sie beide befangen und vorsichtig im Äußern irgendwelcher Vulgärausdrücke während des Geschlechtsaktes. Jeder glaubt vom anderen, er halte diese Sprache für unschicklich. Tatsächlich werden aber beide durch solche deutlichen Worte beim Sex erregt. Aber ihr Verhaltensschema hindert sie an einer, wenn auch kleinen, so doch immerhin gemeinsam befriedigenden Ausdrucksmöglichkeit.

Die modernen Rebellen gegen die intime Stagnation kennen im allgemeinen das »Wir«-Konzept nicht. Unfähig, Intimität herzustellen, versuchen sie häufig, sich selbst davon zu überzeugen, daß sie überhaupt jede wechselseitige Abhängigkeit ablehnen. Sie kultivieren die Autonomie – Unabhängigkeit ins Extrem getrieben.

»Du kümmerst Dich um Deine Angelegenheiten« lautet ihre Philosophie, »und ich mich um die meinen. Keine Fragen, keine Versprechungen. Sollten wir uns irgendwo glücklich ergänzen oder übereinstimmen, Spitze, wunderbar.« Dabei ist das in Wirklichkeit nicht wunderbar, es ist armselig. Es ist genauso fruchtbringend, wie darauf zu bestehen, daß eins und eins soviel ist wie eins und eins. Keiner beeinflußt und verändert den anderen.

Die klassische Psychologie erzielt oft einen ähnlichen Effekt, indem sie rät: »Niemand kann einen anderen glücklich oder unglücklich machen, und niemand kann die Verantwortung für die Emotionen eines anderen tragen. Es spielt also jeder nur das eigene Spiel, der Partner braucht nicht mitzumachen, wenn er nicht will. Nur er ist verantwortlich für das, was mit ihm geschieht. Jeder muß die Konflikte mit sich selbst austragen und dann die Folgen für die Beziehung, wie immer sie aussehen mögen, zu akzeptieren lernen.«

Wir vergleichen eine Beziehung gern mit dem Anzünden eines Feuers. Die klassische Psychologie sieht zwei Scheite und glaubt, je besser jeder Scheit, desto besser brennt das Feuer. Darum versucht sie, die Scheite zu verbessern und nimmt an, das Feuer werde schon von allein brennen.

Wir sind zu dem Ergebnis gekommen, daß diese Versuche an das Problem heranzukommen, nur begrenzten Erfolg bringen. Unser Verständnis von einer wirklich intimen Beziehung ist vielleicht am deutlichsten durch folgende Formel zu zeigen: eins und eins sind drei. Die drei Teile Mann, Frau, und ihre gemeinsame Beziehung.

Für uns ist das entscheidende Element das Feuer zwischen den Holzscheiten, die Spannung zwischen den Partnern. Während unsere Kursteilnehmer vielleicht Jahre brauchen, um sich selbst ein wenig zu verstehen, können sie erstaunlich schnell lernen, ihre Beziehung zu sehen und zu verstehen. Und wenn sie erst einmal motiviert sind für eine gute Beziehung, dann lösen sich die verschütteten Ängste und Komplexe tief im Innern des Menschen oft von allein. Eine Psychoanalyse erweist sich für die meisten, die mit Hilfe von Pairing fähig sind, eine intime Beziehung herzustellen, als überflüssig. Und die meisten sind fähig zu solchen Beziehungen.
Offensichtlich kann sich das alte Pseudo-Partnerschaftssystem so lange halten, weil es einige tatsächlich vorhandene emotionale Bedürfnisse befriedigt. Wir werden sehen, um welche es sich dabei handelt. Untersucht man die Verhaltensweisen im alten Partnersystem, dann fallen einem das endlose Rollenspielen, das komplexe Netz von Illusionen, das die Partner weben, die sorgfältigen Täuschungsmanöver auf, mit denen die Partner versuchen, diese Illusionen aufrechtzuerhalten. Dabei verschleiern das Rollenspielen und die Illusionen des Courmachens nur die Realität sowohl der beiden Partner selbst, wie die Beziehung, die sie zueinander haben. Man leugnet die Wahrheit, wenn man sich vor ihr fürchtet. Das alte System muß also weiterbestehen, weil es an irgendeine tiefliegende Angst gebunden ist.
An welche Angst? Wir haben festgestellt, daß die meisten Partnerillusionen immer den gleichen Kern haben: wir sind für einander bestimmt, wir passen zusammen und darum geben wir uns automatisch Befriedigung und Erfüllung. Konflikte müssen um jeden Preis vermieden werden, denn Konflikte würden bedeuten, daß wir letztlich nicht für einander bestimmt sind.
Deshalb schützt das alte System des Einander-etwas-Vormachens vor einer tiefen und mächtigen Angst, der Angst vor Zurückweisung und Liebesverweigerung und damit letztlich Einsamkeit. Außer der Angst vor dem Tod ist das wohl die stärkste Emotion, zu der Menschen fähig sind.
In jeder zwischenmenschlichen Beziehung spielt diese Angst vor Zurückweisung schon sehr früh eine erhebliche Rolle. Sobald man anfängt, Gefühle zu investieren, spürt man eine unterschwellige Spannung und ein Unbehagen. Dichter nennen dies Liebeskummer und feiern es noch als Beweis für die Liebe.

Der liebeskranke Partner empfindet etwa folgendes: »Ich fühle mich angespannt und unbehaglich, weil ich krampfhaft versuche herauszubekommen, wie Du mich haben willst, um mich lieben zu können. Sobald ich herausgefunden habe, was Du für liebenswert hältst, werde ich im Sechseck springen, um Deiner Vorstellung von Liebenswürdigkeit zu entsprechen, nur aus Angst, du könntest aufhören, mich zu lieben. Ich wage es einfach nicht, Dir mein wahres Ich zu zeigen, denn ich fühle mich Dir gegenüber unzulänglich, weil ich tief im Innersten weiß, daß ich Deinen Vorstellungen von dem, was liebenswert ist, nicht vollständig entspreche. Und genausowenig wage ich es, Dich ganz genau anzuschauen, denn Du könntest genauso nicht in meine Vorstellung von dem, was ich für liebenswert halte, passen.«

Solche Gefühle können nur zerstörerisch wirken. Meistens sieht man das nur als Folge eines irgendwie schwachentwickelten Ich- und Selbstwertgefühls an, als eine Art wehmütiges Verlassenheitsgefühl. Tiefer innen, und meist vor einem selbst verborgen, hegt der Liebende aber einen Groll und fühlt sich eingepfercht, weil er nicht ausdrücken kann, wie er wirklich ist.

Das Pairing-System beschäftigt sich mit genau diesen Ängsten, aber nicht indem sie weiter zugedeckt und verborgen, sondern indem sie aufgedeckt werden und der einzelne mit ihnen konfrontiert wird, um sie dann in Nichts aufzulösen. Setzt man sich mit diesen Ängsten erst einmal auseinander, sind die ersten Hindernisse für eine intimere Beziehung abgebaut. Hat man erst einmal gelernt, mit diesen Ängsten umzugehen, dann braucht man sich auch nicht mehr vor ihnen zu verstecken oder die Tatsachen zu leugnen, die solche Ängste hervorbringen. Und wer auf diese Weise gelernt hat, selbständig zu sein und von sich auszugehen, der gibt auch dem Partner diese Möglichkeit. Denn Selbständigkeit und Unabhängigkeit schaffen Vertrauen und Selbstvertrauen.

Der Partner im Pairing-System braucht nicht zu manipulieren oder den anderen auszubeuten, um das zu bekommen, was er von ihm will. Er hat die Möglichkeit, direkt um etwas zu bitten, ohne Schuldgefühle, und was ihm dann gegeben wird, das bekommt er freiwillig und ohne Bedingungen und Einschränkungen. Partnerschaftstraining im Sinn von Pairing hilft auch bei sexuellen Schwierigkeiten, denn wenn sie emotionaler Art sind, beruhen sie auf verdrängter Angst oder Feindseligkeit.

Beim Verweigern des Orgasmus seitens der Frau oder zu früher Ejakulation seitens des Mannes sind z. B. oft Abwehrhaltungen gegen den anderen die Ursache. Solche Partner signalisieren einander damit: »Ich gönne Dir die Erfüllung nicht, Dich als richtiger Mann oder richtige Frau zu fühlen.«

Weil Pairing nicht nur erlaubt, sondern geradezu fordert, Gefühle von Angst und Ärger offen auszudrücken, brauchen diese Emotionen nicht versteckt herauszukommen, sei es im Bett oder anderswo. Pairing beseitigt auch die alte Angst, Lieben bedeute, sich gänzlich fremder Kontrolle auszuliefern und damit sich selbst aufzugeben. Diese Ängste verhindern oft ein befriedigendes Sexualleben, denn sie machen es unmöglich, daß derjenige, der diese Angst erlebt, sich dem Sexualerleben voll hingibt. Pairing mindert diese Ängste, denn es stärkt das Selbstbewußtsein und Selbstwertgefühl.

Beruht eine innige Beziehung auf dem durch Pairing erworbenen Verhalten, dann sagt sich jeder Partner: »Ich bin viel mehr ich selbst als vorher, denn ich weiß, Du siehst mich so wie ich bin. Ich weiß, daß wirklich ich selbst der bin, den Du liebst. Deshalb kann ich auch völlig diese Person, die ich bin, sein, voller Stolz und Freude.«

Eine Liebe, die auf Pairing beruht, also eine innige Liebe, kann niemals Liebeskummer bewirken. Vielmehr gibt sie Freude und Wohlgefühl. Der Partner einer solchen Beziehung fühlt sich nicht eingeengt und statisch, sondern frei, sich und den anderen zu erleben und in seinen Gefühlen zu entwickeln. Sein Empfindungshorizont wird durch die Liebe nicht eingeengt, sondern erweitert.

Eine alte Liebesweisheit ist, daß Partner nicht versuchen sollten, sich gegenseitig zu ändern. Einer, der den Gesetzen der alten gesellschaftlichen Verhaltensregeln unterworfen ist, der wagt es natürlich nicht, etwas zu verändern. Er würde nur Angst beim Partner und bei sich selbst auslösen. Wer dagegen gelernt hat, sich entsprechend dem Pairingsystem zu verhalten, der kann angemessenen und spezifischen Wünschen nach Verhaltensänderung entsprechen. Er kann das sich daraus ergebende Risiko tragen, denn er fühlt sich wirklich geliebt, und darum ist sein Risiko klein.

Dieses Buch ist in der Hoffnung geschrieben – und unsere klinischen Erfahrungen lassen dies begründet erscheinen – daß demjenigen, z. B. dem Leser, der sich nach echter Liebe sehnt, der Weg zu dieser Liebe gewiesen werden kann, indem er Intimität verstehen lernt. Es geht dabei nicht nur um die Ehe. Das Interesse der Autoren gilt der Bildung und Formung wirklich inniger Beziehung zwischen Mann und Frau. Die Ehe ist nur eine Institution, in der solche Beziehungen bestehen können. Die Ehe selbst gewährt den Partnern nur so etwas wie Vertrautheit, nicht Innigkeit. Ja, gerade weil die Ehe immer ganz besondere Formen des Rollenverhaltens hervorbringt, wie z. B. Familienoberhaupt, Mutter, Geldverdiener usw., ist es in der Ehe um so schwerer, innige Liebe zu erringen und zu erhalten.

Auch Soziologen kommen zu dem Ergebnis, daß die Formen, in die eine Liebe zwangsläufig gerät, einer Wandlung unterliegen. Und daß viele der alten Formen untergehen oder in neue Formen des Zusammenlebens übergehen werden. Wir machen nicht den Versuch, vorauszusagen was geschehen wird. Aber wir sind der festen Überzeugung, daß – wie immer die Formen und Institutionen der Liebe aussehen mögen –, die entscheidenden Probleme einer innigen Liebe nur in Beziehungen gelöst werden können, die offen, frei, kritisch und echt sind, d.h. beiden Partnern die Möglichkeit geben, von sich selbst auszugehen, sich dem Partner anzubieten, ohne sich verstellen und dem Partner anpassen zu müssen.

3. Wie man Kontakt schafft

Der Kontaktsuchende, der sich in einer Welt von drei Milliarden Menschen bewegt, leidet ziemliche Qualen angesichts unzähliger potentieller Partner, die alle gerade außerhalb seiner Reichweite zu sein scheinen. Manchmal scheint es ihm, als trügen alle diese Partner kleine Schilder auf der Brust, auf denen steht: »Annäherung verboten. Übertretungen werden zurückgewiesen und bestraft!« Aufgrund gesellschaftlicher Tabus erleben Frauen dieses Verbot am stärksten, denn sie haben das Gefühl, sich selbst zu demütigen, wenn sie von sich aus die Initiative ergreifen.
Alleinstehende wenden sich also an Freunde und Verwandte, an Therapeuten oder an die Ratgeberspalte in den einschlägigen Zeitschriften und fragen: »Wo kann ich Menschen kennenlernen – nicht die nichtssagenden Leute, die ich überall treffe, die überall herumsitzen und triviales Zeug reden, auch nicht die tollen Typen, die in Bars und Ausflugslokalen ihre Geschichten erzählen, oder die oberflächlichen Schönlinge – nein, die richtigen Leute.«
Groteskerweise finden sich diese Leute, nach denen jeder so sucht, oft gerade in der nächsten Umgebung. Aber sie tragen die für ihre Situation erforderliche Maske. Und wahrscheinlich trägt auch derjenige, der Kontakt sucht, seine Maske, und daher einen Filter, der alle Eindrücke und Wahrnehmungen der Menschen in seiner Umgebung eliminiert und nur die oberflächlichsten Eindrücke zuläßt.
Denn die Menschen, denen man begegnet, versuchen ständig angepaßt zu sein und nicht aus der Reihe zu tanzen. Sie zeigen sich in vorgegebenen Verhaltensmustern. Sie sind primär daran interessiert, dem Rahmen zu entsprechen, in dem sie sich gerade bewegen. Am Strand stellen sie ihre Muskelpakete zur Schau. In einer Sitzung konzentrieren sie sich nur auf die anstehenden Probleme. Beim Tanzen sind sie ganz in ihren Tanzstil versunken. Aber unter

den Masken sind sie – da kann man sicher sein – interessante und zugleich einsame Menschen. Doch der Mensch auf der Suche nach Intimität ist voll damit beschäftigt, die eigene Erscheinung herzurichten, die eigene Fassade zu putzen, um seine Angst vor Abweisung zu verbergen. Er hat Angst, sein wahres Gesicht zu zeigen, und ist viel zu sehr damit beschäftigt, es zu verbergen, als daß er darüber hinaus noch andere so wahrnehmen könnte, wie sie wirklich sind. Und so wird jeder, der bei diesem Spiel mitmacht, ein Spiegelbild für den anderen. Er ist kein Partner, sondern ein austauschbares Ding mit wechselnder Funktion – mal Stimmvieh für einen Beschluß, mal dritter Mann beim Skat, mal ein Tanzpartner, mal nur da um Macht oder Schönheit zu verkörpern, oder halt ein Wärmekissen für das Doppelbett.

Wir haben für jeden, der uns um Rat fragt, wo er denn Intimität finden kann, eine lächerlich einfache Antwort: Wo immer Sie sind!

Das mag wie Gerede klingen, aber was wir damit meinen, ist dies: Das »Wo« ist nicht sehr wichtig, wenn es darum geht, neue Gelegenheiten für intime Kontakte zu finden. Worauf es ankommt, ist die innere Einstellung, das »Wie« bei der Suche. Bei unseren Pairing-Kursen haben wir festgestellt: Wenn unser Konzept »Blick für Intimität« und »innere Bereitschaft« erst einmal verstanden ist, beantwortet sich die Frage nach dem »Wo« der Gelegenheit von allein. Und die alten Anstands- und Verhaltensregeln fallen von selbst.

Die alte Ethik des Umwerbens und Hofmachens hat so manche bittere Folge gehabt, aber keine ist schlimmer als die am weitesten verbreitete und bekannte, nämlich daß sich einsame Menschen geknebelt fühlen, unfähig, ihrem Kummer Ausdruck zu geben und von unsichtbaren Fesseln gehindert, zueinander zu finden.

Kurios und geradezu absurd ist die Verhaltensregel für das Anknüpfen erster intimerer Kontakte. Eine z.B. ist die bekannte, daß ein besonderes Ereignis oder ein Unfall einen Annäherungsversuch erlaubt.

Schon monatelang haben sich Ken und Peg im Aufzug ihres Bürohauses gesehen. Sie schauen sich immer nur ganz kurz an, denn jeder schaut weg, sobald der andere den Lift betritt. Aber mit versteckten Blicken aus den Augenwinkeln hat jeder am anderen gesehen, was ihn interessierte. Später haben sie als Zeichen des Wiedererkennens ein kurzes Lächeln gewagt, aber nie mehr.

Ken würde Peg gern ansprechen. Aber er hat Angst, sie könnte ihn auslachen. Ja, sie könnte durchdrehen und schreien: »Polizei, dieser Mann hat seine Gefühle vor mir entblößt in einem öffentlichen Lift!«
Sie fühlt ziemlich genau das gleiche: Er könnte sich über sie lustig machen (»Schieß in Wind, Kleine«). Er könnte angewidert sein. (»Was heißt denn das, mein Fräulein. Eine direkte sexuelle Aufforderung? Das ist ja Prostitution.«)
Also bleiben sie beide still, jeder für sich allein. Und so gehört es sich auch. Und nur das ist ungefährlich. Aber plötzlich bleibt einmal der Aufzug stehen. Sie sind allein.

PEG:
(voller Angst)
Was ist los?

KEN:
(verwirrt)
Der ist wohl stehengeblieben. Da wird wohl ein Stromausfall sein, oder sowas.

PEG:
(nach einer halben Minute Pause)
Wir stürzen doch nicht ab?

KEN:
Oh, nein. Diese Dinger sind gegen Absturz gesichert. Ich hab den Alarmknopf schon dreimal gedrückt.

PEG:
Darauf wäre ich so schnell nicht gekommen.

KEN:
Sie arbeiten doch bei Thresher und Black?

PEG:
(nickt)
Und Sie bei Ballady und Company. Ich hab gemerkt, wo Sie immer einsteigen.

KEN:
Das haben Sie gemerkt? (Sie wird rot, und er lächelt). Sie schleppen immer ganze Berge von Akten, am liebsten würde ich Ihnen immer helfen.

Peg:
Von nun an dürfen Sie das gern. (Sie lächelt).

Ken:
(holt tief Luft)
Mir ist noch mehr aufgefallen: Sie tragen immer solche flauschigen Pullover, das läßt Sie irgendwie zerbrechlich wirken.

Peg:
Ich bin kräftiger, als es aussieht. Sie sollten meinen Aufschlag beim Tennis sehen, der ist eine Wucht!

Ken:
Ihr langes Haar war Ihnen dabei wohl im Weg. Haben Sie es deshalb im letzten Monat abgeschnitten? Ich fand das sehr gut.

Peg:
Sie haben Ihre auch kürzer geschnitten. Gar nicht schlecht. Diese langen Koteletten waren nichts für Sie. Sie sehen so viel besser aus.

Ken:
Meine Freundin mochte sie lieber lang.

Peg:
(ein bißchen niedergeschlagen)
Ach so.

Ken:
Vielleicht hab ich sie deshalb gleich abgeschnitten, als wir Schluß machten.

Peg:
(erleichtert)
Ah so. Na, ich habe niemanden, der mir sagt, wie ich mein Haar tragen soll.

Ken:
Nehmen Sie Bewerbungen entgegen?

Peg:
(gerade heraus)
Aber nur von Leuten, die mich zum Essen einladen.

Ken:
Oh, ich bin gerade auf dem Weg zum Essen – und der Aufzug geht ja auch wieder!

Das Eis ist gebrochen. Aber gegen alle Erwartung. Denn als anständiger Mensch wartet man auf eine zufällig zustandegekommene Begegnung, bevor man miteinander in Kontakt kommt. Es gehört sich einfach nicht, vorsätzlich in den Schutzwall eines anderen einzubrechen. Man hat zu warten, bis Fortuna höchstselbst die Sache in die Hand nimmt. Also wartet man in ständiger Ungeduld: Wer wird wohl im Flugzeug neben mir sitzen? Wer ist noch in der gleichen Kirchengemeinde, wer tritt in den gleichen Club ein, wer hat die gleichen Bekannten, wohnt in der Wohnung nebenan?

Dabei mindern diese Zufallsgemeinsamkeiten weder die Gefahr abgewiesen zu werden, noch bieten sie Schutz vor zweifelhaften Absichten. Denn der Mann auf dem Nebensitz in der Kirche könnte ein gemeiner Mörder sein, und vor Zurückweisung ist man nirgendwo sicher.

Jeder, der einen Kontakt anbahnt, kann als nicht attraktiv oder gut genug zurückgewiesen werden. Außerdem büßt er Verhandlungsspielraum ein. Denn auf die Botschaft: »Ich bin an Dir interessiert«, ist die erste Reaktion: Abwehr. Wer immer ein solches Signal gibt, überträgt dem Empfänger damit große Macht.

Aber auch im Akzeptiertwerden kann eine große Gefahr liegen. Denn möglicherweise ist der »Interessent« ein komischer Kerl, oder er hat schlechte Zähne. Dann wäre man selbst in der peinlichen Position, den anderen zurückweisen zu müssen. Infolgedessen neigen Menschen dazu, den Annäherungsversuchen anderer gegenüber vorsichtig zu sein, einfach aus dem Gefühl, schon ein kleines Eingehen darauf könnte eine Kette unangenehmer Folgen haben.

Der entscheidende Punkt ist, daß diese Furcht häufig groß genug ist, den Wunsch nach Kontakt völlig zu unterdrücken. Nur der Zufall verschiebt das Gleichgewicht zugunsten einer Begegnung. Hier einige Beispiele, wie Paare zueinander fanden:

»Unsere Nachnamen fingen beide mit A an. Darum saßen wir in der Oberschule jahrelang nebeneinander.«

»Ich war ganz allein, als ich drei Meilen vor dem Lager hinstürzte, und wenn Henry nicht zufällig da vorbeigekommen wäre . . .«

»Ich stieg aufs Dreimeterbrett, und plötzlich verlor ich mein Oberteil und unter mir war Irv, und . . . .«

Außerhalb unserer Pairingkurse hören die Leute dauernd solche Geschichten, und warten auf die Gelegenheit, durch einen ähnlichen Zufall ihren Partner kennenzulernen. Sie warten darauf, daß endlich jemand in den sicheren Kreis der Liebe eindringt, den wir Pairing-Village nennen.

Der Umfang von Pairing-Village wächst rapide, von Jugend an. Die ersten Eindrücke von Liebe werden automatisch aufgenommen, allein durch die Gegenwart der Mutter, ihre Stimme und die Nähe ihrer Brust. Ein Baby wird von seiner Mutter immer geliebt, ganz von selbst. Und genauso auch vom Vater. Das lernt das Baby schon nach wenigen Monaten. Und nach und nach erwartet Baby Liebe von all denen, die es nur irgendwie zur Familie rechnet.

Die Erfüllung dieser Liebe wird sofort verlangt, als Anspruch. Sie ist ein Teil des unmittelbaren Befriedigungssystems der frühen Kindheit. Wenn Baby die Brust will, dann will es sie *jetzt!* Es hat keine Geduld für irgendwelche aufschiebenden Vorbereitungen, die dem Nähren vorangehen. Erwachsene dagegen haben gelernt, daß erst das Geld verdient und Essen gekauft werden muß, bevor die Mahlzeit gekocht und auf den Tisch kommen kann. Die Befriedigung von Bedürfnissen wird also hinausgeschoben.

Aber Babys wollen nicht warten. Sie sind erschüttert, wenn sie an Spielkameraden lernen, daß auch Liebe dem Gesetz des »do ut des« unterliegt, daß sie einen Preis hat und nicht sofort befriedigt werden kann.

Aber schnell merkt ein Kind, daß es Gruppen und Kreisen angehört, in denen Zuneigung fast automatisch gewährt wird, zum Beispiel bei den Kameraden im gleichen Wohnblock oder in der Schule. Fremden gegenüber wird es also skeptisch. Denn da könnte es vielleicht zurückgewiesen werden.

Erwachsenen geht es ähnlich. Und das Problematische dabei ist, daß mögliche Partner für intimeren Kontakt zu bloßen Funktionsträgern degradiert werden – wie zu Mitarbeitern, Clubkameraden oder Klassenkameraden. Und so sucht man nach den Anknüpfungspunkten für diese Funktionen, statt nach Menschen – oft auf völlig verrückten Wegen.

Sam und Betty sehen sich oft im Stadtbus von Chicago, aber natürlich sprechen sie nie miteinander. Dann, eines Morgens, sieht Sam, daß Betty seine Heimatzeitung liest. Er strahlt.

SAM:
Verzeihen Sie, Sie kommen doch nicht etwa aus Duston in Texas?

BETTY:
(ein bißchen argwöhnisch)
Schon möglich.

SAM:
Ich war auf der General Houston Grammer School und auf der Alamo High School.

BETTY:
Das ist ja kaum zu glauben. Ich ging auf die Kit Carson.

SAM:
Soll ich das Kit Carson-Schlachtlied singen?

Nun ist Kontakt hergestellt. Doch das Paradoxe dabei ist: Duston ist eine Stadt mit 37000 Einwohnern. Wären die beiden in Duston jeden Tag im gleichen Bus gefahren, wären sie sicherlich immer noch Fremde.
Die Illusion der Sicherheit des Pairing-Village läßt sich nahezu unbegrenzt ausdehnen. Angenommen Sam und Betty wären aus entgegengesetzten Enden der USA gekommen. Nun hören sie als Touristen jeder den Akzent des anderen beim Einkauf auf einer völlig abgelegenen Insel. Unter diesen Umständen würden sie sich gegenseitig dem Pairing-Village zugehörig finden, obgleich ihr Pairing-Village nun ganz Amerika umfaßt und ihre möglichen Kontakt-Partner jetzt über zweihundert Millionen zählen.
Die Absurdität solcher Konventionen ist wohl klar. Trotzdem ist es für viele Menschen schwer, ihr Verhalten zu ändern. Sie brauchen einen festen Anhaltspunkt, wie einen Passierschein, der eine gefahrlose Annäherung erlaubt, um ihre Angst in Grenzen zu halten. Belauschen Sie einmal die jungen Mädchen am Rand einer Tanzfläche und Sie werden zu hören bekommen: »Natürlich würde ich ihn rasend gern kennenlernen, aber was soll ich machen? Zu ihm hingehen und sagen, hallo, hier bin ich?«
Unsere Antwort: Warum eigentlich nicht?
Aber bevor Menschen sich mit solcher Offenheit anbieten können – ohne sich albern vorzukommen und Angst zu haben – müssen sie allerdings nicht nur den Blick für Intimität und eine innere Bereitschaft entwickeln, sondern sie müssen auch die Kunst des Impacting lernen und lernen, Ablehnung ohne Angst zu ertragen und

manches andere mehr. Aber auf dem Weg zum Lernen dieser Verhaltensformen müssen wir erst noch mehr von dem Gerümpel beiseiteschaffen, das uns die alte Wohlanständigkeit hinterlassen hat.

4. Partnersuche durch Computer?

Niemals zuvor war eine Generation so frei von den alltäglichen kleinen Hindernissen, die einer Intimität entgegenstehen könnten. Warum wird auch diese Generation trotzdem immer noch um wirkliches Liebesleben betrogen? Welche Tricks gibt es noch, die den Schwindel immer weitergehen lassen?

Nehmen wir einmal Paul, 26, und Susan, 24, ein schickes junges Paar unserer neuen heilen Welt. Wissenschaftler und Philosophen haben lange auf ein solches Paar gewartet, frei von alten Ängsten und altem Unwissen. Jahrhundertelanges Forschen und Ringen um Veränderung war nötig, bis sie so werden konnten wie sie jetzt sind.

Sie sind schlank und hochgewachsen, haben wache Augen und sind wandelnde Abbilder hervorragender Ernährung und bester Gesundheitsfürsorge unserer neuen gesunden Zeit. Und nirgendwo sieht man Narben von den alten Kinderkrankheiten oder Spuren früherer Entbehrungen. Sie kennen nicht mehr die Angst vor wirklicher Armut. Sie haben zwar von den Wirtschaftskrisen gehört, aber richtig berührt hat sie das nie. Sie meinen fast, die Kleider, die sie tragen, seien ihr angestammtes Recht, genau wie die Häuser, in denen sie wohnen und die geräuscharmen Autos, die sie fahren.

Die Psychologie stand Pate bei ihrer Erziehung. Beide Eltern haben Spock und Gesell gelesen und kannten deshalb die Entwicklung von Kindern. Und so sind sie beide frei von Fehlentwicklungen, die so leicht aus zu strenger Reinlichkeitsdressur, rücksichtsloser Brustentwöhnung oder zu strengem Verbot kindlicher Genitalspiele entstehen.

Aufgeschlossene Erziehung machte sie frei von vielen alten Vorurteilen und gab ihnen ganz neue Möglichkeiten, kritisch zu denken.

Sie sind ziemlich tolerant, und das gibt ihnen die Möglichkeit, viele alte Schranken in Religion und Politik, Klassen- und Rassendenken zu überwinden.
Zudem hat ihre Erziehung ihnen enormes Wissen über sich selbst vermittelt. Paul und Susan akzeptieren Denkweisen und Handlungen, die früher Ursache sinnloser Schamgefühle waren. Als Kinder konnten sie masturbieren ohne Schuldgefühle oder Angst deswegen zu haben. Und heute können sie sich ohne weiteres gelassen an homosexuelle Erlebnisse während ihrer Entwicklung erinnern. Es macht ihnen nichts aus, mit Eltern und Geschwistern über Sexualität zu diskutieren und ihre Gefühle darüber auszudrücken. Und sie wissen eine Menge über eigene und fremde Emotionalität – über die Feindseligkeit, die sich hinter einem Lachen verbergen kann, über verborgene Wünsche, die einen Unfall bewirken, Versprecher, die nicht eingestandene Wünsche offenbaren.
Sie waren Rebellen in ihrer Jugend – so gut sie konnten. Aber es gab bei der Freiheit ihrer Erziehung wenig, wogegen sie aufbegehren konnten. Ihre Eltern kontrollierten sie kaum noch ab der Pubertät. Deshalb mußten sie sich, um sinnvoll rebellieren zu können, Opfer außerhalb der Familie suchen, um Rigidität dort zu bekämpfen, wo sie noch immer vorherrscht, in solchen autoritären Strukturen wie der Musterungskommission oder der Collegeverwaltung.
Als Erwachsene konnten sie frei wählen, wie sie sich kleiden wollten; welchen Job sie haben, wo sie leben und wen sie heiraten wollten. Paul und Susan wählten jeweils eine Wohnung in einem Apartmenthaus für Junggesellen außerhalb von Los Angeles — und da lernten sie sich zufällig kennen.
Sie leben unabhängig, haben aber viele Möglichkeiten, mit anderen zusammenzutreffen und sie kennenzulernen, sei es auf dem Tennisplatz, im Schwimmbad oder den wöchentlichen Tanzabenden, die vom Freizeitkomitee arrangiert werden. Niemanden kümmert es, ob sie zum Frühstück am Sonntagmorgen in ihrem oder seinem Apartment aufwachen. Und selbstverständlich fühlen sie sich frei genug, alles dies in ihrer Selbsterfahrungsgruppe zu besprechen, an der sie beide mittwochs teilnehmen.
In den beiden letzten Wochen waren sie zweimal zusammen ausgegangen. Und jetzt kommen sie gerade aus einem Kino in der Nachbarschaft, in dem sie einen Film aus Schweden gesehen ha-

ben, in dem auch völlig freie aber poetische Darstellungen von normalem und lesbischem Geschlechtsverkehr vorkamen.
Als sie sich darüber unterhalten, taucht das erste Überbleibsel ihrer alten Bindung an das System der Anpassung auf. Es ist ein Verhalten, das wir »Imagebauen« nennen. Wir entlehnen dieses Wort der Welt der Werbung, der Public Relation, wo Images gebildet werden. Es bezeichnet das Bemühen, in den Augen des Partners in besonders günstigem Licht zu stehen, indem man Eigenschaften zur Schau stellt, von denen man glaubt, daß der Partner sie für besonders attraktiv hält.
Susan hat von Pauls langem Haar und seiner Kleidung im Hippiestil darauf geschlossen, daß er alles Neue und Schicke mag und deshalb unkonventionellen Redestil und freies Verhalten liebt. Sie ahnt nicht, daß er aus ähnlichen Verhältnissen wie sie kommt und sein sozialer und emotionaler Background ihrem ganz ähnlich ist. Sie weiß das nicht, weil Paul ebenfalls ein Image von sich aufgebaut hat. Er nimmt deshalb die Themen auf, die sie anspricht, weil er möchte, daß es so aussieht, als habe er den gleichen Geschmack wie sie. Deshalb gleiten sie auch manchmal in eine von beiden eigentlich nicht gewollte leicht ordinäre Sprache hinein, die ihnen beiden fremd und ungewohnt ist. Aber natürlich tun sie so, als wäre das ganz natürlich und ihnen völlig geläufig.

PAUL:
Ich weiß gar nicht, warum sich manche Leute so über den Film aufgeregt haben, ich finde ihn sehr sensitiv und gut gemacht.

SUSAN:
Ich find ihn richtig einfühlsam, auch die Fickszene war nicht schlecht, weder verklemmt noch aufdringlich, findest Du nicht?

PAUL:
Eine der besten, die ich seit langer Zeit gesehen habe. Nur mit der Cunnilingus-Szene konnte ich nicht so viel anfangen. Ich weiß nicht, was es soll, das in aller Öffentlichkeit so breitzuwalzen. Man weiß doch, wie rigide die Leute sind, gerade beim Sex.

SUSAN:
Genau. Schließlich braucht ja wohl niemand mehr ins Kino zu gehen, um in Fahrt zu kommen, oder?

PAUL:
Ich wüßte auch nicht, warum. Denn wer Sex will, kann's ja schließlich machen, oder etwa nicht?

SUSAN:
Es scheint noch 'ne Menge verklemmte Leute zu geben. Hast Du gelesen, wie viele Leute sich damals über diese dänische Pornomesse aufgeregt haben, nur weil da echtes Ficken gezeigt wurde? Ich meine, was haben die Leute denn sonst in einer Porno-Messe erwartet.

PAUL:
Ganz klar. Was soll man denn noch erwarten, was sich lohnt?

SUSAN:
Na, wenn sie ein bißchen was Interessanteres machten, 'ne Schau mit zwei Männern vielleicht. Das würde noch was bringen.

PAUL:
Wieso wär das interessanter für Dich?

SUSAN:
(überspielt ihre Besorgnis, sie könnte etwas »falsch« gemacht haben): Schockt Dich das etwa? Ich find's spannend, weil ich so was noch nie gesehen hab', deshalb. Du hast doch auch die zwei Frauen vorhin im Film genau angeschaut, oder?

PAUL:
Klar, hab ich. Aber geschockt hat's mich natürlich nicht. Wie kann denn etwas, das völlig natürlich ist, schocken? Findest Du nicht auch?

SUSAN:
Ganz meine Meinung. Du siehst, wir scheinen da ziemlich ähnlich zu denken.

PAUL:
Gott sei Dank tun wir das.

Hier ersetzt nun ihr gegenseitiges Image Einstellungen, die für ihre Beziehung äußerst wichtig sind, wie sie beide finden. Dieses Ima-

ge haben sie beide von der ersten Begegnung an aufgebaut und immer mehr vervollkommnet. Von Anfang an haben sie gegenseitig ihr Verhalten, ihren Geschmack und ihre Einstellungen heimlich verglichen und aneinander angepaßt. Das ist amüsant zu beobachten, aber es hat auch einen sehr ernsten Hintergrund. Denn nach genau diesem »Zueinanderpassen« richten sich die meisten Paare, wenn sie herausbekommen wollen, wie gut sie zueinander passen.
Praktisch alle persönlichen Vorlieben werden zu diesem Zweck einander gegenübergestellt. Denn in unserer Gesellschaft ist allein diese totale Übereinstimmung Maßstab für eine angeblich realistische Einschätzung einer Beziehung zwischen Mann und Frau – und auch nur so kann man es in den zahllosen Kursen über »Moderne Ehe« und »Geistige Gesundheit« lernen.
Paul und Susan haben es sich inzwischen in Susans Appartement gemütlich gemacht.

PAUL:
Hübsch hast Du's hier. (Er schaut sich um im Zimmer.) Und diesen Druck von van Gogh mag ich besonders. Er ist einer meiner Lieblingsmaler.

SUSAN:
Tatsächlich? Meiner auch. Ich weiß gar nicht genau, woran das liegt. Vielleicht die Farben, oder seine Vitalität.

PAUL:
Genau, das ist es wohl.

SUSAN:
(legt eine Platte auf ihren Stereospieler)
Was magst Du, Paul? Die »Association«, oder die »Beatles« —

PAUL:
Ist mir beides recht. (Die Platte beginnt.) Mensch, ich hab das gleiche Album! (Er strahlt auf Grund dieser Entdeckung).

SUSAN:
Tatsache? Meine Platte ist schon ganz ausgeleiert, besonders die ersten beiden Stücke, die machen mich ganz wild. Ich glaub, das sind die irren Texte.

PAUL:
Ganz genau. Wegen der ersten beiden Stücke hab ich auch die Platte gekauft.

SUSAN:
Wirklich wahr? (Sie strahlt über das ganze Gesicht.) Tut mir leid, aber ich hab nur Wodka im Haus. (Sie wartet auf seine Reaktion.)

PAUL:
Oh, dufte.

SUSAN:
Ich - (sie zögert, unsicher, ob sie das Eingeständnis wagen soll) ich bin kein großer Säufer.

PAUL:
(beobachtet sie und lacht dann)
Weißt Du, Wodka ist so ungefähr das einzige, was ich wirklich mag, weil es nicht so scharf schmeckt. Den richtigen Whisky-Geschmack mag ich überhaupt nicht.

SUSAN:
(schaut ihn zärtlich an)
Ich auch nicht. Weißt Du, manchmal wünsch ich mir – (sie zögert wieder, entscheidet sich dann für das Risiko) – manchmal wünsch ich mir, ich würde Hasch mögen. Aber es macht mich nur schwindelig und ich muß husten.

PAUL:
Dich auch? (Er sieht richtig froh aus.) Ich hab Hasch schon ein paarmal versucht, aber immer machte es mich irgendwie nervös.

SUSAN:
Nervös?

PAUL:
Ja, tatsächlich. Ich muß die ganze Zeit denken, was ist, wenn sie mich dabei erwischen. Mag sein, daß der Spießer in mir ist. Ich mein', ich ging zwar zur Schule in Berkeley, wie ich sagte, aber aufgewachsen bin ich in Canton, Ohio.

SUSAN:
(strahlt wieder)
Na ja, Lincoln, Nebraska, wo ich herkomme, ist auch nicht grad der Nabel der Welt. Aber da war's mir doch zu schlimm. Wow! Ich kam mir da immer so blöd vor, so ganz anders als die Leute dort.

PAUL:
(nickt verständnisvoll)
Da in Canton, da dachte ich immer, irgendwas stimmt nicht mit mir. Aber inzwischen glaub ich, das lag nicht an mir, sondern an denen da.

SUSAN:
(mit breitem Grinsen)
Du sagst es.

Zusammen mit den schon vorher festgestellten Gemeinsamkeiten, sieht das Ergebnis der Übereinstimmungen für Susan und Paul immer besser aus. Sie haben Gemeinsamkeiten in der sozialen Herkunft, Erziehung, Weltanschauung, Einkommen, Geschmack, Lebensstil und Erwartungen an die Zukunft.
Beide finden die immer wieder festgestellten kleinen Gemeinsamkeiten höchst erstaunlich und erfreulich. Keiner von beiden kommt auf die Idee, sich einmal klarzumachen, daß van Gogh fast jedem gefällt. Und daß es Millionen Presbyterianer in Amerika gibt, und Angehörige der Mittelklasse und wohl noch mehr Beatlefans. Manche ihrer Anpassungsversuche kann man natürlich auch ganz grob psychologisch deuten, so zum Beispiel ihre Freude darüber, daß sie sich beide in ihrer Jugend unwohl unter den anderen Kindern gefühlt haben, ein Phänomen, das man häufig bei Menschen findet, die aus einer Kleinstadt in eine Großstadt übergesiedelt sind.
Manchmal stoßen sie allerdings auch auf einen Unterschied in ihren Ansichten, und es ist bemerkenswert, was sie damit machen. So kamen sie einmal zum Beispiel auf Kinder zu sprechen.

SUSAN:
Weißt Du, ich glaub, ich will gar keine. Wenn man an die Bevölkerungsexplosion denkt und so. In Indien z. B. habe ich gelesen . . .

PAUL:
Überhaupt keine Kinder?

SUSAN:
Meinst Du, intelligente Leute sollten?

PAUL:
Wer, wenn nicht die. Ich weiß jedenfalls, daß ich 'n paar Gören haben will.

SUSAN:
Ja? Ich weiß nur, wie es bei meiner Mutter war, wie abhängig sie dadurch wurde – wie hilflos, und ich weiß nicht, ob ich ...

PAUL:
Ein richtiger Ehemann würde das gar nicht dazu kommen lassen. Ich weiß, ich würde meine Frau immer einen Job haben lassen, gerade auch außerhalb des Hauses. Frauen können einen Haushalt führen und trotzdem noch 'ne ganze Menge mehr machen draußen, jedenfalls heutzutage.

SUSAN:
Meinst Du wirklich? (und ein bißchen gereizt:) Natürlich lag es zum Teil daran, daß meine Mutter viel zu früh geheiratet hat und dann gleich Kinder kriegte. Ich meine, eine Frau sollte mit dem Kinderkriegen ruhig warten, bis sie dreißig ist, oder noch länger.

PAUL:
Natürlich. Schließlich sollte ein Ehepaar auch ein paar Jahre für sich selbst haben, zum Genießen. Das gibt dem Mann auch die Möglichkeit, finanziell was auf die Beine zu bringen. Und mit der Überbevölkerung geb' ich dir natürlich recht. Wenn man zu früh anfängt mit dem Kinderkriegen, dann landet man bei viel zuvielen. Ich meine, ein Kind wäre wohl auch genug.

SUSAN:
Ich meine, das ist sicher ein Erlebnis, das jede Frau haben möchte. Schließlich, ein Kind, wenn die Frau so dreißig ist, und sie auch Zeit für anderes hat ...

Dieser tiefgreifende Konflikt, der möglicherweise entscheidende Fragen der Zukunft berührt, wird einfach überspielt. Im Grunde behandeln Paul und Susan all ihre Konflikte auf diese Weise. Sie glätten Meinungsverschiedenheiten oberflächlich und wechseln dann möglichst schnell das Thema. Sie machen sich gegenseitig etwas vor, überzeugen einander zu direkt falschen Wirklichkeitswahrnehmungen und setzen damit Illusionen an die Stelle von Tatsachen und schaffen für die Zukunft Ursachen von Mißverständnissen oder schlimmerem: Als Tatsache bleibt zum Beispiel bestehen, daß Susan sich einfach gegen Kinderkriegen wehrt und daß Paul absolut Vater werden will.

Bevor Susan an diesem Abend fortgegangen war, hatte sie den Rat einer Zeitschrift für alleinstehende Frauen angewendet und ihre Schlafzimmertür offen gelassen, das Licht brennen lassen und die Bettdecke aufgeschlagen. Ein deutliches Zeichen ihrer Bereitwilligkeit.

Nicht, daß man Susan Promiskuität vorwerfen könnte. Sexualität kennt sie als Kontaktmöglichkeit erst, wenn sie einen Partner wirklich schätzengelernt hat. Darum hat sie ihr Sexualverhalten nie zu bedauern brauchen oder sich dadurch erniedrigt gefühlt.

Sie und Paul sind sich näher gekommen. Und es ist nur vernünftig, mögliche Schwierigkeiten im Bereich der Sexualität herauszubekommen, bevor man eine allzu enge Bindung hat. Wie auch immer, warum soll man sich selbst etwas vorenthalten? Es ist einige Wochen her, daß Susan sexuellen Kontakt hatte, und sie möchte die daraus erwachsende Frustration nicht in Verbindung mit Paul bringen. Außerdem, fragt sie sich, gibt es eine bessere Art, jemanden kennenzulernen, als mit ihm ins Bett zu gehen? Und die Pille beseitigt alle etwa noch vorhandenen Skrupel.

In den folgenden Wochen verstärkte die körperliche Intimität die Dichte ihrer Beziehung, und damit auch ihr Bemühen, sich aneinander anzupassen. Überall suchen sie nach Gemeinsamkeiten, sogar – mit einem etwas befangenen Amüsement – über Horoskope, Spielkarten, Teeblätter und Handlesen. Sogar im Bett tun sie so, als liebte der eine nur das, was auch der andere mag. Es darf keine ernsthafte Meinungsverschiedenheit auftauchen, die nicht sofort überspielt werden kann, wie damals die Frage, ob sie Kinder wollen.

Allmählich ist die Zeit für eine Entscheidung gekommen. Die beiden Liebenden erleben, was in den Augen vieler der letzte Beweis einer wirklichen Liebe in der heutigen Zeit ist. Sie haben zusammen einen Orgasmus. Der Würfel ist gefallen. Der Hochzeitstermin steht vor der Tür.

Nach einem weiteren Jahr reichen sie die Scheidung ein. Sie sind verwirrt und ernüchtert. Sie hatten geglaubt, jede nur denkbare Vorsichtsmaßnahme getroffen zu haben. Obgleich sie beide tief getroffen sind, bemühen sich beide, vernünftig und einsichtig zu sein. Und im allgemeinen gelingt ihnen das auch - bis auf ihre Unfähigkeit, sich auch nur eine halbe Stunde im gleichen Raum aufzuhalten, ohne sich anzugiften oder anzuschreien.

Die Soziologen fragen natürlich, wie es kam, daß ein so gut aneinander angepaßtes und aufeinander vorbereitetes Paar, in einer Zeit, die so optimale Bedingungen für Partnerschaft bietet, so einfach kaputtgehen konnte. Denn auch nach der Eheschließung schien es, als hätten sie sich alle Freiheiten bewahrt. Als zum Beispiel nach halbjähriger Ehe ihr Sexualleben allmählich einzuschlafen begann, waren beide fähig, außereheliche Kontakte des anderen nicht nur zu ertragen, sondern die Erlebnisse und gewonnenen Erfahrungen miteinander zu besprechen. Unter welcher Bedrohung und welchen Hemmungen hatten sie gelitten, daß sie so gegeneinander aufgebracht waren und sich auseinandergelebt hatten?

Einige ihrer Freunde waren der Ansicht, daß ihr Grundirrtum die Eheschließung selbst war. Diese Freunde behaupten, daß die negativen Gefühle gegeneinander allein aus der formalisierten Beziehung erwachsen, und daß diese schon ausreichen, um die Beziehung zu zerstören. Sie finden, Paul und Susan hätten einfach zusammenleben sollen, jedenfalls solange sie keine Kinder wollten.

Was hier geschehen war, das sahen auch Paul und Susan ein, war kein Scheitern ihrer Ehe, sondern ein Scheitern ihrer grundsätzlichen Beziehung als Menschen. Da aber die Ehe die einzige Form sexuellen Zusammenlebens ist, die dokumentarisch festgehalten wird, ist auch die Ehe die einzige Quelle für Statistiken über die Häufigkeit des Scheiterns von Partnerbeziehungen.

Diese Zahl ist in der Tat nicht gering. Seit 1955 hat sich die Zahl der Geschiedenen in den USA mehr als verdoppelt. Und darüber hinaus gibt es wohl genausoviel getrennt lebende Paare. Fast die Hälfte der geschlossenen Ehen werden in Californien wieder geschieden, und die Zahl der Scheidungen nimmt rapide zu. Und alle Fachleute sind sich darüber einig, daß diese hohe Scheidungsziffer noch höher wäre, wenn nicht zahllose Ehen durch Kinder, Religion, Gefühle von Verpflichtetsein, Schuld, Angst vor dem Alleinsein oder Mangel an finanzieller Unabhängigkeit zusammengehalten würden.

Soziologen sind der Meinung, neue Formen des Zusammenlebens müßten die bisher bestehenden Ehe- und Familienformen ersetzen. Viele schlagen eine Probeehe vor, nach deren Ende erst ein endgültiger Trauschein ausgestellt werden kann. Andere heben hervor, daß schon so viele Paare ohne Trauschein zusammenleben, daß die amtliche Ehe eigentlich überflüssig sein könnte. Margaret Mead,

Virginia Satir und andere Sozialwissenschaftler plädieren für Eheverträge, die auf zwei oder höchstens fünf Jahre begrenzt werden, die mit Ablauf erlöschen oder erneuert werden können. Ein noch radikalerer Teil schließlich meint, man sollte mit der Ehe überhaupt aufhören und fordert statt dessen einen Katalog von Versicherungsmaßnahmen für die Zukunftssicherung der Kinder.

Psychotherapeuten wissen, daß es außerhalb der Ehe nicht besser aussieht. Nach einem Jahr Zusammenleben waren sich selbst Paul und Susan darüber im klaren, daß ihre Auseinandersetzungen über Sex und Geld und Kinder – überhaupt alles außer van Gogh – ohne Ehering nicht weniger erbittert gewesen wären. Der Zyklus vom Umeinander-Werben und Miteinander-ins-Bett-gehen zerbricht immer schneller und wird immer schneller wieder gekittet. Die Entscheidung sich zusammenzutun – egal in welcher Form – beruht dabei immer weniger auf psychologisch begründbarer Realität.

Ein Heer von Beobachtern versucht, das Scheitern so vieler Partnerschaften heute zu erklären. Alles wird dafür verantwortlich gemacht, vom Krieg bis zur Pille, vom Hasch bis zum Sexfilm, vom Getrenntleben der Familienmitglieder bis zur Oben-ohne-Mode, vom Kommunismus bis zur freien Liebe, vom Partnerlook bis zur Emanzipationsbewegung. Jede Gruppe droht, schilt und lehrt jeweils nach ihrer Überzeugung, aber an der Grundrichtung ändert sich dadurch nichts.

Ebensowenig ändert sich an der Überzeugung, daß man zueinanderpaßt, wenn man nur weit genug aneinander angepaßt ist. Und so bauen die Sozialforscher immer neue Statistiken und Gesetze zu immer neuen Lehrbüchern und vergessen dabei völlig die jeweilige persönliche Dynamik, die die einzige Determinante für Tiefe und Dichte einer wirklichen Liebe ist. Sie sehen die Möglichkeit zur Liebe nur in statischen Begriffen, so als wollten sie Steine zu einem Puzzlespiel zusammenfügen.

Welche Eigenschaften, so etwa lautet eine Fragestellung, sind am wichtigsten für wirkliches Glück? Dann definieren sie Glück willkürlich nach Begriffen aus hohen oder niedrigen Scheidungsraten, geordnet nach Paaren mit Gemeinsamkeiten in bestimmten Bereichen. So gibt es zum Beispiel aus dem Staat Iowa viele Untersuchungen über die Auswirkung unterschiedlicher Religionszugehörigkeit auf die Scheidungshäufigkeit. Man hat dort z. B. herausgefunden, daß die Wahrscheinlichkeit einer Ehescheidung um sechs

Prozent zunimmt, wenn ein Katholik statt einer Katholikin eine Lutheranerin heiratet. Ein so geringer Unterschied kann dabei wohl schwerlich erklären, warum so viele Ehen scheitern.

Es ist bezeichnend, daß viele Wissenschaftler die Meinung geäußert haben, das Nonplusultra in Partnerübereinstimmung würde erreicht, wenn all diese feststellbaren Daten zusammen mit allen wesentlichen Charaktermerkmalen von Partnersuchenden in Computer gefüttert würden. Diese Überlegungen erwiesen sich sogar als wirtschaftlich nutzbar. Man schickt den Computerleuten einfach einen Scheck und die Antworten auf Fragen wie: »Wie hoch ist Ihr Einkommen? Welche Bedeutung hat Sex für Sie? Sollte eine Frau ihrem Mann treu sein? Haben Sie etwas gegen das Trinken von Alkohol? Welcher politischen Partei gehören Sie an?« Es ist wohl klar, daß eine solche Partnervermittlung nur von geringem Wert ist. Schon deshalb, weil viele dieser Fragen von Millionen Menschen gleich beantwortet werden würden. Wohl jeder ist irgendwie an Sex interessiert, hat nichts gegen Alkohol auf einer Party und geht ganz gern ins Theater. Die Zustimmung ist viel zu allgemein, als daß sie noch irgendeinen Aussagewert hätte. Aber selbst wenn man einigermaßen sinnvolle Bestimmungsgrößen hätte, änderte das nichts, denn es ist bisher den Urhebern dieser Programme nicht gelungen, irgendwelche wissenschaftlich haltbaren Anhaltspunkte dafür zu finden, daß gemeinsame Vorlieben und Abneigungen zu einer besseren Partnerbeziehung beitragen. Wir dagegen haben in Testversuchen festgestellt, wie effektiv Computerprogramme tatsächlich sein können.

Das Ziel dieses Forschungsprojektes war, die Möglichkeiten für echte Intimität bei einer Partnerwahl zwischen Erwachsenen zu vergleichen. Wir unterschieden dabei einmal nach objektiver (statistischer, im Computer verwertbarer) und subjektiver persönlicher Auswahl. Ein weiteres Forschungsziel war, Veränderungen bei potentiellen Partnern herauszufinden, die während eines verlängerten Wochenendes im Hotel auftraten, das der persönlichen Erfahrung gewidmet war.

Das Experiment wurde zweimal durchgeführt. Jedesmal mit einer anderen Gruppe Alleinstehender. Beide Untersuchungen hatten das gleiche Ergebnis: Die Versuchsanordnung war folgende:

24 alleinstehende Männer im Alter von 20 bis 51 – die eine Hälfte nie verheiratet, die andere einmal geschieden – trafen sich mit

ebenfalls 24 alleinstehenden Frauen im Alter von 20 bis 44 – ebenfalls zur Hälfte noch nie verheiratet bzw. einmal geschieden. Keiner der 48 Teilnehmer hatte vorher die andersgeschlechtliche Gruppe jemals gesehen, obgleich einige Männer sich vorher schon kannten und ebenso einige Frauen.
Nachdem alle die Kommunikationsübungen des Pairingsystems gemacht hatten, hatten Charles und Mel am Ende des Weekends die meisten Stimmen von den Frauen als mögliche Partner, obgleich der Computer sie als diejenigen mit den geringsten Erfolgsaussichten bezeichnet hatte.
Curt, für den der Computer sechs mögliche Partner ausgewählt hatte, wurde in Wirklichkeit von fünfen dieser sechs abgelehnt; nur Frances mochte ihn als einzige in dem Maß, wie es der Computer vorausgesagt hatte. Auf jeden Fall war Curt anderer Meinung als der Computer: Er mochte Libby am liebsten, obgleich sie nicht unter den sechs Personen war, die der Computer für ihn als mögliche Partner ausgewählt hatte.
Auf der Basis des persönlichen Kennenlernens stufte Libby Curt als »ziemlich gut« ein. Ihre erste Wahl allerdings fiel auf Rudi (sie stufte ihn »fantastisch« ein), den der Computer nicht einmal für sie in Betracht gezogen hatte. Stattdessen wurde Rudi vom Computer mit drei anderen Frauen zusammengewürfelt, von denen ihm keine das Prädikat »fantastisch« gab. Und so ging es weiter.
Das Computerergebnis wich auch sonst von der Auswahl nach persönlichen Kriterien ab. Bei ihrer Wahl aufgrund persönlichen Kontakts neigten die Männer dazu, sich auf die fünf attraktiveren Frauen zu konzentrieren und sich um sie zu bemühen, während die Frauen keinen solchen Körperkult betrieben. Die Frauen verteilten ihr Interesse auf ein breiteres Auswahlspektrum und hielten das, woran die Männer Gefallen fanden, für offenbar nicht so entscheidende Auswahlkriterien.
Die Auswahl, die der Computer vorhergesagt hatte, stimmte nicht nur nicht in der allgemeinen Richtung, sondern er sagte sogar das Gegenteil voraus. Nach dem Computer würden die Frauen ihr Interesse besonders auf vier Männer richten: Curt, Bernie, Jim und Van. Bei den Frauen hatte der Computer überhaupt keine Superstars ausgewiesen.
Zu Beginn des Experiments waren die Frauen mehr engagiert. Sie waren sehr gewissenhaft und hatten bald Spaß an den Kommuni-

kationsübungen. Die Männer neigten eher dazu, sich zurückzuhalten, zum Teil waren sie sogar ausgesprochen skeptisch. Sie hielten sich zurück und prüften erst die Umstände, bevor sie sich wirklich auf die Frauen einließen. Beide Geschlechter waren unruhig, ja ängstlich vor dem, was in diesem unbekannten Programm geschehen sollte. Dennoch zeigten die Frauen eher Mut oder sogar Vertrauen als die Männer, obgleich ihre innere Angst sicher nicht geringer, eher größer als die der Männer war.
Doch im Verlauf des Wochenendes wurde dieser Vorsprung von den Männern mehr als aufgeholt. Als Gruppe wurden sie letztlich von der aufkommenden Intimität stärker angesprochen als die Frauen. Die Tatsache, daß aus den Fremden von Freitag am Sonntagnachmittag enge Freunde geworden waren, schien sie bedeutend nachhaltiger zu beeindrucken als es bei den Frauen der Fall war, die diese Entwicklung wohl eher selbstverständlich fanden.
Am Schluß fiel es den Frauen leichter, Abschied zu nehmen und sich fröhlich »Auf Wiedersehen« zu wünschen. Es hatte ihnen Spaß gemacht, sie hatten bedeutsame Begegnungen gehabt und gute Gruppenerfahrungen gemacht. Sie waren zufrieden und bereit, in ihr normales Alltagsleben zurückzukehren. Von den Männern zeigten erheblich mehr deutliche Trennungsangst. Sie hatten es keineswegs eilig mit der Abreise. Sie wollten offenbar noch entschieden mehr. War ihr Bedürfnis nach Intimität erst einmal geweckt, dann spürten sie ein akutes Verlangen danach und bedauerten, sich anfangs so zurückgehalten zu haben.
Unser Institut führt inzwischen jährlich drei bis vier Trainingskurse für Alleinstehende durch, und diese Verhaltensunterschiede zwischen den Geschlechtern zeigen sich immer wieder. Darum suchten wir Wege, um es den Männern zu erleichtern, sich zu Beginn der Wochenendkurse schneller einzufinden. Die erwünschte Wirkung ist eingetreten, was wieder einmal zeigt, daß die meisten der mit psychologischen Methoden nachweisbaren Geschlechtsunterschiede nicht angeboren sind und deshalb durch soziale Lernprozesse (living learning) und therapeutische Maßnahmen sehr wohl beeinflußt werden können.
Eine Partnersuche mittels Computer muß aus vielen Gründen scheitern, solange sie versucht, »matching«, d. h. die Schaffung echter Intimität zwischen zwei Partnern zu erreichen. Erstens ist die statistische mathematische Wahrscheinlichkeit für eine ausrei-

chend wissenschaftliche Partnervermittlung extrem niedrig, weil die Vielschichtigkeit des Vorgangs eine Unmenge von Variablen erfordert. Aber noch viel entscheidender ist, daß die menschliche Natur bewirkt, daß die Partner ihre Kriterien für die Wahl des anderen wechseln; so daß sie zum Teil einander sogar widersprechen. Soll man den Computer also auf Übereinstimmungen hin programmieren oder auf das Herausfinden von Gegensätzen, also nach der Theorie, daß sich Gegensätze anziehen, oder der Theorie, daß sie sich ausschließen oder sich sogar auf die Nerven gehen? Sind soziologische Faktoren bedeutsam, oder die Stellung in der Gesellschaft, Besitz oder Religionsbekenntnis? Und wie bedeutsam? Sehr, ein wenig oder völlig unwichtig für die Chance zu wirklichem Kontakt? Da keine dieser Fragen von irgendeinem Programm berücksichtigt werden kann, arbeiten alle Computervermittlungen ohne wissenschaftliche Grundlage.

Das oben Gesagte heißt nicht, daß Computervermittlung nicht eine durchaus wertvolle Funktion zu erfüllen imstande wäre. Wie der deutsche Bevölkerungspolitiker Professor Jürgens, Kiel, dem Verfasser dargelegt hat (vergl. den Anhang am Schluß des Buches), spielen in Deutschland bei der Partnerfindung soziologische Faktoren eine weit größere Rolle als in Amerika. Dabei handelt es sich um die Vermittlung potentieller Heiratskandidaten, verbunden mit dem Ausschluß von nach empirischer wissenschaftlicher Forschung für einander ungeeigneter Partner.

In Amerika gibt es ähnliche Probleme, aber dabei spielen die Fragen der sozialen Schichtung und der landsmannschaftlichen Herkunft, der Abstammung, der Religion und des gesellschaftlichen Status nicht annähernd die gleiche Rolle. Es sollte die Philosophie des deutschen Lesers dieses Buches sein, daß jeder, der uns begegnet, ein Freund sein kann. Auch diejenigen, die sich einer Computervermittlung bedienen, sind eingeladen, mit Pairing-Technik weiterzuarbeiten aber dabei nicht zu denken, daß der Computer das Problem des richtigen Partners bereits gelöst hat.

Des weiteren hängt das Programm von den Antworten der Kunden auf starre Fragen ab. Die Fragen sollen ein genaues Spiegelbild konstanter Größen oder Merkmale der Persönlichkeitsstruktur, des Verhaltens, Geschmacks oder der Anschauungen sein. Aber die Annahme, irgendeine Person habe auch nur eine halbwegs gleichmäßige psychische Konstanz, ist wohl kaum gerechtfertigt. Die einzig verläß-

lichen Persönlichkeitsdaten geben die Psychotiker, die gar nicht anders als »zuverlässig« sein können, eben wegen der durch Krankheit begründeten Rigidität.
Der normale, gesunde Erwachsene verändert sich ständig, zumindest potentiell. Besonders instabil ist er, wenn er auf der Suche nach einer intimen Partnerschaft ist, denn der Zustand, in dem sich die Partner während der für ihre Beziehung entscheidenden Phasen ihrer tiefen wechselseitigen Verstrickung befinden, ist nur für dieses eine Paar wirklich charakteristisch.
Die Wesensmerkmale, die Curt zum Beispiel an Libby besonders hervorhebt, sind deutlich unterschieden von der Selbstbeschreibung, die Libby auf einem papiernen Fragebogen ankreuzt. Curt beschäftigt sich nicht mit der Libby im allgemeinen, sondern mit der von Curt angesprochenen und auf Curt reagierenden Libby, und die ist eine ganz andere Frau. Ein wissenschaftlich orientierter Psychologe würde nicht auf die Idee kommen, das Ergebnis eines fließenden, erst im Entstehen begriffenen interpersonalen und damit dynamischen Prozesses vorherzusagen. Das Ergebnis kann nur durch die Erfahrung der sich entwickelnden Beziehung erbracht werden. Vorher existiert es einfach nicht, und die Angaben auf den Fragebögen sind deshalb irrelevant für die Entwicklungsmöglichkeit einer intimen Begegnung.
In Wahrheit sind die Partnersuchen mittels Computer also nichts weiter als eine Art des gesellschaftlich notwendigen Vorgestelltwerdens in angeblich wissenschaftlichem Gewand, um die beiderseitige Verlegenheit ein wenig zu mildern. Aber ihre Funktionsfähigkeit ist von vornherein gemindert, denn sie bringen die einander Fremden um die Anfangsspannung des Kontakts und um die Angst vor der Ablehnung. Deshalb haben alle Arten von »Bekanntmachen« anstelle der alten Do-it-yourself-Methode weniger Chancen, zu echter Intimität zu führen, als es nach der alten Methode »Selbst ist der Mann« immer wieder zu versuchen: in der Wäscherei, im Büro, der U-Bahn, beim Einkaufen, im Kino, in den Abendkursen der Volkshochschulen, in den Wochenendkursen und Seminaren über Psychologie und Selbsterfahrung, die von den hunderten Zentren für Gruppendynamik in aller Welt durchgeführt werden und alle nach den in Esalen in Big Sur, Californien, entwickelten Methoden arbeiten.
Sogar einige der Leute, die Partnersuche auf Computerbasis anbie-

ten, haben ernste Zweifel an der Wirksamkeit ihrer Methode »zueinander passende« Partner zu vermitteln. Einer der ersten Unternehmer auf diesem Gebiet gab schließlich seinen Kunden den Rat, nicht länger nach dem idealen Partner Ausschau zu halten, sondern einzusehen, daß der Computer nur eine größere Zahl möglicher Partner anbietet, aus der dann der Partner ausgesucht werden muß. Und derselbe Unternehmer klagte übrigens, daß sein Dienst die Gefahr berge, die Perfektionisten, die Überkritischen, die Intoleranten und die Unflexiblen anzuziehen. Und ein New Yorker Soziologe, der eine solche Computeranbahnung eröffnet hatte, erklärte, daß viele seiner Kunden fantastische Wunschvorstellungen hätten, die einfach unerfüllbar seien.

Unzufriedenheit der Kunden ist in dieser Sparte gang und gäbe. In den Jahren 1970 bis März 1972 wurde eine Befragung von 2400 Pairing-Studenten durchgeführt. Die Teilnehmer in den Pairing-Kursen waren 19 bis 60 Jahre alt (Durchschnittsalter 35 Jahre). Die Gruppenteilnehmer wurden einzeln befragt: Wer hat jemals einen Computer-Service in Anspruch genommen und dafür mindestens $ 25 ausgegeben? 79 % meldeten sich. Waren sie enttäuscht oder zufrieden? Ihre von der Reklame suggerierte Erwartung enttäuscht oder erfüllt? Das Ergebnis: enttäuscht 93 %, befriedigt 7 %. Die Enttäuschten fühlten sich ausgenutzt. Seitens der Computerfirmen wurde keine Charakterdiagnose vorgenommen, sondern lediglich die Hobbies und einige andere Angaben ermittelt.

Verschiedene amerikanische Behörden haben die Tätigkeit einer Reihe von Firmen unter die Lupe genommen.

Als die Staatsanwaltschaft von Los Angeles Anklage gegen einen Computerdienst erhob, stellte einer der Untersuchungsbeamten fest: »Wir haben das nicht weiter an die große Glocke gehängt, weil wir den seriösen Firmen nicht schaden wollten. Aber im Laufe der Zeit sehen die auch immer weniger seriös aus.« Und der stellvertretende Generalstaatsanwalt von Californien, Charles A. O'Brien, erklärte: »Der Betrug in dieser Branche ist möglich durch die Einsamkeit der Menschen und verletzt ihre Privatsphäre in unglaublichem Maß ... Die Klagen, die wir in letzter Zeit erhalten haben, zeigen deutlich, daß wir auf diese Branche ein wachsames Auge haben müssen.«

Aber dieser geschäftsmäßige Betrug, so bedauerlich er auch ist, ist nicht unsere Hauptsorge. Wir sorgen uns um den Betrug an der Intimität, den Männer und Frauen in der besten Absicht an sich selbst und an anderen bei der Suche nach einem Partner verüben.

Unsere Hauptsorge ist, ob die Vorstellung, daß Partner in allem gleich sein müssen, eine wirkliche Bedeutung für Liebende hat. Wir sind zu dem Ergebnis gekommen, daß das nicht der Fall ist. Wir haben vielmehr den Verdacht, daß einige Computerkunden diesen Apparat als Ersatzeltern benutzen. Das hätte einen doppelten Effekt – einmal Revolte gegen die wirklichen Eltern, zum anderen, sich vor der Verantworung bei der Partnerwahl zu drücken. Das wäre eine Übertragung der Verantwortung an die Elektronik.

Der Weg zur Partnerschaft ist meist eine Keimstätte für Illusionen. Jedes Liebespaar, das den Wunsch hat, zueinander zu passen, rationalisiert die vorhandenen Illusionen einfach, indem es alle Punkte, in denen die Anpassung nicht klappt, entweder leugnet oder überspielt.

Wenn aber Anpassung keine realistische Basis für Partnerschaft ist, was bleibt dann noch übrig? Wie steht es mit den Gefühlen in der Liebe? Wie echt ist der Funke, der unwissentlich überspringt und welche Bedeutung hat er? Und wie nahe bringt Liebe die Liebenden der ersehnten Intimität?

5. Wenn der Funke überspringt
Anfang von Liebe und Furcht

Die Erlebnisse, die jeder in der Liebe hatte, sind völlig unterschiedlich voneinander, aber der Traum, wie eine Liebe beginnen sollte, ist wohl überall derselbe. Und dann und wann wird dieser Traum Wirklichkeit. Er passiert tatsächlich.

Als sie auf die Party kommen, sind sie noch Fremde. Aber dann finden sie sich plötzlich gleichzeitig in derselben Ecke – an der Bar oder am Buffet. Sie tauschen ein paar Belanglosigkeiten, nichtssagende Sätze. Aber aus irgendeinem Grund ist ihr Gespräch angestrengt und stockend. Ihr Lachen kommt ein bißchen zu schnell, ein wenig zu leicht und vielleicht sogar mit ein wenig Hysterie.

In erstaunlich kurzer Zeit reden sie sehr offen miteinander, sagen sich ganz direkt intime Dinge. Sie sprechen von Sinnlichem, von Geschmack und Berühren, von Reiz und Verlangen. Und die ganze Zeit springt ein Funke über, in ihren Augen, als berührten sich Stromkabel leicht im Wind.

Ein Außenstehender, der zufällig ihr Gespräch anhörte, wird wenig mitbekommen, was zwischen den beiden geschieht. Aber wer das Paar genau beobachtet, wird viel mehr sehen, denn es dringen Zeichen nach außen von der beginnenden Liebesglut.

Man kann das Erröten ihrer Wangen sehen, das Schimmern ihres aufmerkenden Blicks. Deutlich ist die angespannte Kopfhaltung, der Nacken, der ganze Körper – beim Mann hebt sich vielleicht die Brust ein wenig, bei ihr drängen die Hüften ein wenig vor. Ihre Hände sind um ein Glas verkrampft und verschütten ein wenig von seinem Inhalt, nervös drückt sie eine unangezündete Zigarette aus.

Dieses Paar, denn in wenigen Minuten schon sind sie ein Paar geworden, nimmt deutlich die zwischen ihnen wachsende körperliche

Wärme wahr. Sie fühlen eine merkwürdige Mischung von Anspannung und Verwirrung. Sie fangen an, ihre Umgebung zu vergessen. Die laute Musik im Raum hören sie kaum noch. Die anderen Stimmen, egal wie laut sie sind, werden undeutlich. Mehr und mehr lassen sie ihre Augen ineinanderruhen, wenn sich die Blicke streifen, sekundenlang und fast ohne Lidschlag. Sie sehen zur Seite und senken die Köpfe, doch ganz schnell kehren sie wieder zurück zu sich, in den Brennpunkt einer unerklärlichen auf sie einstürzenden Intimität.

Es mag unbewußt sein, daß ihr Gespräch langsam zu Bemerkungen über das Äußere des anderen führt, die Farbe der Augen, der Haare, die Form der Hände. Dann, noch ganz vorsichtig und scheu, suchen sie einander zu berühren, unauffällig und ganz nebenbei. Er klopft Asche von ihrem Ärmel, sie zupft einen Faden von seiner Schulter und kann dann nicht anders, als eine Locke in seinem Haar zu richten.

Ihr Atem wird schneller und kürzer. Sie spüren eine leichte Anspannung in den Muskeln, ihre Hände berühren sich, und wieder ist es spannungsgeladen – wie Drähte im Wind. Sie nehmen die Zeit nicht mehr wahr, den Ort, keine Vergangenheit und keine Zukunft. Nur diese spannungsgeladene, lichtüberflutete, Sterne zerbirstende, sinnenberauschende Erfüllung des Augenblicks.

Und bevor sie überhaupt merken, was geschieht, wie es geschieht, bevor sie nur Zeit finden zu denken oder zu wählen, ist diese unbändige Sehnsucht schon da ...

So etwa lauten die alten Geschichten vom überspringenden Funken bei der Liebe auf den ersten Blick. In tausend Gestalten von tausend Dichtern geschildert war dies lange Zeit der Traum, wie eine Intimität beginnen, eine Liebe ganz von allein anfangen sollte. Immer diese gleiche Geschichte wird seit mehr als tausend Jahren erzählt, sei es als Geschichte der ewigen Liebe, wie bei Paris und Helena oder Romeo und Julia oder als deftig sinnliche Geschichte, wie in Tom Jones, oder in den Thrillern von Jan Fleming, wo die Emotion zu Wachs geronnen ist. Auf jeden Fall geht es immer um das Startsignal für die Liebe. Und diese Liebe entsteht immer schnell, unerklärlich aber unbezweifelbar.

Diese Vorstellung sitzt so tief, daß sogar in diesen siebziger Jahren die meisten jungen Mädchen insgeheim immer noch auf den Märchenprinzen warten, der sie mit einem einzigen innigen und erregenden Kuß aus dem Schlaf des Ungeliebtseins aufweckt, und jeder junge Mann wartet auf das Mädchen, das ihn sofort als ihren Gefährten erkennt - ihm mit uneingeschränktem Verlangen begegnet, jede Annäherung von ihm gutheißt und mit ihrem Entgegenkommen erwidert.

Diese Vorstellung ist jedem so gründlich eingetrichtert worden von Liedern und Erzählungen, daß nur wenige je die Erwartung ganz aufgeben, daß es irgendwann doch wahr werden wird. Dieser Glaube verbirgt sich irgendwo ganz tief im Herzen fast jedes Menschen - völlig unabhängig davon, wie zynisch dieser Mensch sonst geworden ist, wie übel ihm in der Liebe mitgespielt wurde, welche schmerzlichen Erfahrungen er hat und wie mutlos die Zeit ihn hat werden lassen. Tief im Innern warten sie immer noch auf den Funken, der anzeigt, daß nun die Zweisamkeit gekommen ist. »Some enchanted evening« – wie es in dem alten Lied heißt – »An einem wunderschönen Abend wirst Du einen Fremden sehen in dem übervollen Raum ... « und *zapwhampow! Liebe!*

Als wir anfingen, unseren Kursteilnehmern beizubringen, was intime Liebe ist und wie man ihr näherkommt, da mußten wir uns mit diesen fabelhaften Vorstellungen auseinandersetzen. Wir wissen, daß auf dieses Gefühl wirklich gewartet wird, und wir wissen, daß es auch tatsächlich vorkommt. Wir wissen, daß sich Männer wie Frauen nach diesem Funken sehnen, diesem plötzlichen Ereignis, das Startschuß für den Beginn von Intimität ist und Bestätigung der keimenden Liebe.

Der Gedanke an einen solchen Anfang der Liebe ist so alt, wie es Historie gibt. Schon die ganz frühen Griechen erdachten sich den Eros, um den Erwartungen der Mehrzahl der Menschen gerecht zu werden. Sie gaben ihm einen Köcher mit Liebespfeilen und einen Flitzebogen in die Hand, um die Unmittelbarkeit des Geschehens zu verdeutlichen. Ein Schwirren dieser Bogensehne und jeder Sterbliche, ja jeder Gott, zappelte hilflos und seufzend in den Armen der Liebe.

Wie sah nun diese Idee bei den viel anspruchsvolleren Griechen des goldenen Zeitalters aus, die die Akropolis erbaut und schon fast jeden Gedanken des zwanzigsten Jahrhunderts vorweggedacht hatten?

Eine beispielhafte Antwort auf diese Frage ist das grundlegende Werk Platos über die Liebe, sein im 5. Jh. v. Chr. geschriebener

Dialog »Das Symposion«. In diesem Dialog läßt Platon den Aristophanes eine Theorie über das Entstehen der Liebe vortragen. Aristophanes benutzt hier nicht die logischen Argumente, die sonst den Hauptteil des platonischen Werks ausmachen, sondern berichtet statt dessen einen Mythos. Vor langer, längst vergessener Zeit, erzählt er, hatten die Menschen ganz andere Körper. Sie waren nicht aufrecht und hochgewachsen, sondern kugelig – jeder hatte vier Arme und vier Beine und war auch sonst mit doppelten Gliedern und Eigenschaften ausgestattet. Sie waren Übermenschen, weit stärker, behender und mutiger als ihre Nachkommen. Eines Tages wagten sie es sogar, den Olymp zu besteigen und die Götter herauszufordern.

Zeus war außer sich. Als die Götter die Attacke erst einmal zurückgeschlagen hatten, da beschloß er, einen weiteren Angriff ein für alle Mal unmöglich zu machen. Und er kam auf die Idee, diesen Menschen schwach zu machen, indem er ihn in zwei Hälften teilte. Seit dieser Zeit, so sagt Aristophanes, trachten die Menschen begierig danach, ihre andere Hälfte wiederzufinden.

Ursprünglich, fährt er fort, gab es drei Geschlechter, den Doppel-Mann, die Doppel-Frau und als drittes Geschlecht Mann-Frau. Und nach genau diesem Schema sucht jeder Mensch seine Wiederherstellung, seine Wiedervereinigung. »Und wenn nun einer seine andere Hälfte findet«, schließt Aristophanes, »dann versinkt dieses Paar voller Staunen in einem Meer von Liebe und Freundschaft und Innigkeit, und keiner wird den anderen auch nur für einen Augenblick aus den Augen lassen: das sind diejenigen, die ihr ganzes Leben miteinander verbringen.«

Zunächst ist die Beobachtung bemerkenswert, daß Platon, der die schwierigsten Fragen überhaupt anzugehen wagte und und der die geistreichsten Antworten darauf fand, sich davor drückte, eine Erklärung über die Liebe abzugeben. Statt dessen nahm er Zuflucht zum Mythos und unterstellte damit, die Liebe sei eine Art unergründlicher Mythos.

Zweitens muß festgehalten werden, daß sein Mythos das alte Eroskonzept vom Beginn einer Liebe stützt – die Vorstellung, man müsse nur geduldig warten, bis die Götter den richtigen Partner bringen, und daß man nur den vorherbestimmten Partner zu erkennen braucht, sobald man ihm begegnet.

Schließlich ist in diesem Werk Platons eine deutliche Unterstützung des Gefühls von der Liebe enthalten, das man in allen Literaturen und Zeiten findet, nämlich daß es für jeden Mann und jede Frau den einen einzigen richtigen Partner gibt, der irgendwann einmal auftaucht, und daß wenn er oder sie auf der Bildfläche erscheint, automatisch ein Funke überspringt.

Solche Gedanken sind gut für wunderhübsche Poesie. Aber eine dürftige Grundlage für das Gefühlsleben eines Menschen.

Eine Folge dieser mystischen Vorstellung von der Liebe ist, daß die große Mehrheit der Alleinstehenden fieberhaft Einsätze am Roulettetisch der Romantik wagt und ihr Lebensglück auf die schlechtesten Chancen setzt, ausgerüstet allein mit Spielerhoffnung, Spielervermutungen und Spieleraberglauben, und dabei nicht einmal die Regeln kennt, nach denen gespielt wird. So ist es kein Wunder, daß so viele als Verlierer enden.

Millionen warten in Einsamkeit auf den Funken, der kommen soll. Andere haben einen Augenblick lang das Gefühl, ihn zu erleben, sind voller Hoffnung und werden dann von Zweifeln geplagt.

Oft hören wir Statements wie dieses: »Gary ist die meiste Zeit auf Geschäftsreisen, Dr. Bach, und das hat sicher auch sein Gutes, denn wenn wir zusammen sind, haben wir fast nur Spannungen. Ich finde auch seine Arbeit nicht gut. Er kauft kleine in Schwierigkeiten geratene Firmen auf, so daß seine Firma die vorhandenen Werte an sich reißen kann. Das kommt mir schäbig vor.

Wir streiten uns über Religion, Politik, meine Familie, unsere Freunde und über Sex. Aber dann ruft er mich irgendwann von irgendwo an, aus Detroit oder Cleveland, und plötzlich ist da wieder diese alte Verzauberung, und wir reden endlos miteinander und sind wieder ein Herz und eine Seele. Das ist es, was mich so verrückt macht. Gerade wenn es wirklich schlecht mit uns geht und ich das Gefühl habe, ich muß jetzt Schluß machen mit ihm, passiert irgendetwas, was mich an das erinnert, was ich einfach nicht ignorieren kann: Was auch immer verkehrt läuft bei uns, was immer ich sonst auch denke, ich liebe ihn.«

Dieses Paar hatte seine Beziehung drei Jahre lang aufrechterhalten, und zwei Jahre davon lebten sie zusammen. Sie machten sich gegenseitig unglücklich, aber trotzdem klammerten sie sich aneinander, sahen über ihr Unglück hinweg nur aus dem einen Grund: weil sie Liebe füreinander fühlten, weil der entscheidende Funke von Zeit zu Zeit noch übersprang. Aber dadurch, daß sie sich mit ihrer Misere abfanden, entwickelten sie eine Fülle feindseliger Gefühle gegeneinander. Wir hatten starke Zweifel, ob auch nur einer von ihnen es wagen würde, sich so zu geben, wie er sich wirklich fühlte. Sie suchten unser Institut auf, weil ihre Auseinandersetzungen sie einfach fertig machten. Aber immer noch glaubten sie, sie dürften nicht das aufgeben, was durch den überspringenden Funken als »Richtigkeit« ihrer Beziehung bewiesen wurde. Bald darauf trennten sich beide voneinander, denn sie wollten lieber auseinandergehen, als so zu leben, wie sie in Wirklichkeit waren. Ihre echten Gefühle lösten mehr Konfliktstoff aus, als sie zu ertragen fähig waren.

Und so bleibt die Frage: Was ist das, dieser überspringende Funke, diese magische Anziehungskraft, die so viele Paare, die eigentlich gar nicht zueinander passen, absolut sicher sein läßt, nur sie gehörten auf wunderbare Weise zusammen. Und dieser Glaube verurteilt sie dazu, ein Leben ohne Selbstbestimmung zu führen, ein Leben, in dem sie sich selbst entstellen und verzerren – nur um zusammenzubleiben. Was ist das für eine Form von Liebe?

Die Psychologen suchen schon lange nach einer Definition von Liebe, genau wie die Lexikographen. Meistens geben sie sich mit solchen Synonymen wie Gemütsbewegung oder Hingabe zufrieden. Und der einzige Punkt, in dem sich alle einig sind, scheint der zu sein, daß es viele Aspekte der Liebe gibt. Vielleicht sind die Hauptaspekte einmal Anziehungskraft – oder Knistern – und dann eine geschwisterliche Fürsorglichkeit oder Anteilnahme.

Das letztere ist leicht erklärlich. Von Kindheit an fühlt jeder so etwas seiner Familie und seinen Freunden gegenüber. Aber diese Anziehungskraft, dieses Knistern ist schon schwerer zu deuten und darum ist es kein Wunder, daß zur Erklärung geflügelte Götter mit Pfeil und Bogen und ganze Mythen über Vorbestimmung und so weiter bemüht werden.

Die ersten Erfahrungen mit diesem Knistern macht man als Teenager. Als junges Mädchen lauscht man romantischer Musik oder liest schwärmerische Gedichte und gerät allein durch die Phantasie in eine emotionale Erregung. Der junge Mann verliert sich in Tagträumen oder erotischen Romanen und erlebt eine ähnliche Erregtheit. Dieses Phänomen ist so allgemein bekannt, daß es Gegenstand unzähliger alberner Witze wurde. Tatsache ist, daß diese beiden Menschen Gefühle der Liebe erleben, aber *ohne jedes Objekt*

für ihre Liebe. Sie haben einen erotischen Selbstantrieb, denn außer ihnen selbst ist niemand da, den sie lieben könnten.
Ist dieses Mädchen erst ein wenig älter, dann geht es auf ein Popkonzert, zu den Rolling Stones oder den Blood Sweat and Tears. Ihre unabhängig von allem Erleben vorhandenen Liebesgefühle richtet sie jetzt auf ein Phantasieobjekt. Sie seufzt, fängt an zu kreischen, und durchlebt deutlich sichtbare körperliche sexuelle Veränderungen. Und immer noch erlebt sie dies alles ohne jede Beziehung zu irgend einem anderen, wenngleich es jetzt zumindest ein entferntes Ziel gibt. Und es ist durchaus möglich, daß unser männliches Gegenstück dieses Mädchens am gleichen Nachmittag etwas ähnliches erlebt hat, vielleicht hat er im Kino die schwingenden Hüften und nackten Brüste eines schwedischen Filmstars angestarrt oder die wohleinstudierte Pose des »Playmate of the Month« im Playboy.
Begegnen sich diese beiden jungen Menschen nun auf einem Beatkonzert und wird dann die schon vorher bestehende Spannung noch von der lauten und gleichzeitig hypnotisierenden Musik verstärkt – hinzu kommt noch ihre unwirkliche und distanzierte Situation – dann müssen einfach Funken fliegen. Und beim Tanzen können sich dann ihre Blicke nicht mehr voneinander trennen – auch wenn sie es noch nicht wagen, sich zu berühren. Da haben wir dann wieder einmal Liebe auf den ersten Blick, das Strömen aller Gefühle von einem zum andern.
Und darum unsere Frage: ist das wirklich Liebe? Erinnern wir uns, daß ihre Spannung schon war, bevor sie sich je gesehen hatten. In einer gewissen Weise waren also beide Regisseure, die den Darsteller für eine Rolle suchten, die schon in allen Einzelheiten festgelegt war. Wird nun ein Darsteller gefunden – wer will das dann Liebe nennen?
Zu Anfang wollen sie nur tanzen und den anderen anschauen, und das bewahrt sie vor der Zerstörung ihres Phantasietraums. Denn der Trip, auf dem sie sind, ist gut, und darum soll er weitergehen. Dann aber läßt es sich nicht vermeiden, ab und an miteinander zu reden, wenn die Band eine Pause macht. Und das schafft Umgang, der schon mehr mit der Wirklichkeit zu tun hat. Hier schon kommt die erste Angst auf und die fordert: »Bitte, mach mir meinen Traum nicht kaputt!«
So sind sie außerordentlich vorsichtig und einfühlsam und versu-

chen, jeden Mißklang feinfühlig zu vermeiden, so als wollten sie sagen: »Ich übernehme den Part in Deinem Stück, was soll ich tun?« Und deshalb besteht ihre Unterhaltung, als er sie mit sich nach Hause nimmt, auch hauptsächlich aus Floskeln, die Sicherheit geben. Weil sie sich bei einer Musikshow kennengelernt haben, ist kein Thema unverfänglicher als das von Musik und Schallplatten. Beide haben schon ein genaues Rollenverhalten, weil sie Mitglieder der gleichen Subkultur sind. Sie sind beide unter zwanzig, reagieren nach gleichen Verhaltensmustern, haben gleichen Sprachstil und kleiden sich nach der gleichen Mode. Jeder von beiden kann sich in diesem Verhalten sicher fühlen, denn auch der andere wird es nicht wagen, seine Maske auch nur ein wenig abzulegen.

Und wenn er vor der Haustür seine Arme um sie legt und sie sich ihren Kuß geben läßt, dann ist das nicht ein persönliches Ereignis zwischen diesen beiden, sondern Teil einer anonymen Massenumarmung, denn sie alle gehören zusammen, dazu: sie beide, Ringo, Paul, Elke Sommer, Sir Lancelot, Elizabeth Taylor, Levi Strauss, Rod McKuen, die Leute im Jahrbuch von der Hamilton High School, die Lennon Sisters.

Die meisten Menschen weigern sich zuzugeben, daß es im Grunde die gleichen Phänomene in jeder Altersstufe gibt, aber später kann man es subtiler und spitzfindiger rationalisieren. Der Vorgang bleibt doch der gleiche, auch wenn er komplizierter gehandhabt und mehr von den Erfahrungen und Möglichkeiten der Erwachsenen verwässert wird.

Wäre das gleiche Paar zehn Jahre älter, dann bestünden die Hauptunterschiede in ihrer Kleidung und ihren Requisiten. Er würde sie auch mitnehmen, aber nicht nach Haus, sondern in sein Boot in der Bucht.

Keiner von ihnen will die Realität ihrer zwei Stunden alten Bekanntschaft sehen, oder darüber sprechen. Beide versuchen krampfhaft, jede Anspielung darauf zu vermeiden, daß sie gerade aus einem Lokal kommen, in das man geht, wenn man allein ist und Anschluß sucht und in das sie beide noch allein kamen.

Es macht ihnen überhaupt keine Schwierigkeit, die bestehende Spannung aufrechtzuerhalten. Liebe auf einem Boot ist äußerst romantisch. Aber als sie dann in tiefen Schlaf fallen, da sind sie sich so fremd und unbekannt wie festverschlossene Pappkartons.

Erst am anderen Morgen tauchen die ersten Probleme auf. Die Wirklichkeit kündigt sich an. In traditionellen Stücken und Romanen erscheint die bedrohende Realität nur auf zwei ziemlich oberflächlichen Ebenen, und die bereiten im allgemeinen weniger Schwierigkeit als man annimmt. Die wirkliche Problematik liegt auf einer dritten Ebene.

Die erste Art von Realität ist simpel und faßbar. Sie wacht auf und muß feststellen, daß ihr Märchenprinz nach der Rasur laut gurgelt und zu Blähungen neigt nach der durchzechten Nacht. Er wiederum registriert, daß wenn sie über Nacht keine Lockenwickler getragen hat, sie am nächsten Tag wie ein wandelnder Staubmopp aussieht. Und dann merkt er noch etwas, was in der Dunkelheit und nach dem vielen Alkohol nicht so deutlich zu sehen war: nämlich, daß wenn sie nicht das Kleid mit dem raffinierten Dekolleté trägt, sie gar nicht so phantastisch gebaut ist um ihren Busen herum.

Aber wahrscheinlich werden die beiden mit dieser Sorte von Problemen recht leicht fertig, allein schon, weil sie ganz andere wichtigere Probleme haben.

Die zweite Schwierigkeit, die sich bald nach dem Abklingen der ersten Spannung üblicherweise einstellt, ist auch nicht besonders schwerwiegend. Es ist die plötzliche Frage: Was fand ich eigentlich so besonderes am anderen? Denn weil die erste Spannung selbsterzeugt ist, flaut auch die Begeisterung am anderen ab, wenn die erste Hochspannung vorbei ist. Aber über die Gefühle hinaus, die ein Lieben ohne jedes Objekt möglich machen, hat der Reiz, den der Partner ausübt, auch noch historische Gründe, die beim Liebenden selbst liegen. Das heißt, daß frühere Erfahrungen und Vorlieben die Tendenz haben, die Gegenwart zu beeinflussen. Und auf den Partner bezogen heißt das: Bietet er einige subtile Zeichen oder Eigenschaften an, die an früheres erinnern, dann ruft er damit positive Reaktionen hervor.

So kann z. B. die kleine Narbe über dem linken Auge genau die gleiche sein, die auch ihr Football Star in der Highschool hatte. Oder sein linkisches Lächeln erinnert sie an ihren Geschichtslehrer, für den sie eine Schwäche hatte. Er macht so merkwürdige Fältchen oben an der Nase, genau wie Onkel Albert. Er spricht mit einem typischen Neu-England-Näseln und das läßt sie an ihre glücklichen Feriensommer in Maine denken. Er ist Architekt, ge-

nau wie Daddy. Aber er hat so eine wunderbar lässige Art sich auszudrücken, ganz im Gegensatz zu ihrem Vater, der so frustrierend schweigsam und ausdruckslos war.
Die Liste der wünschenswerten oder zumindest annehmbaren Eigenschaften ist in der Tat endlos. Und es wäre eine Schar von Psychoanalytikern erforderlich, um all diese Faktoren zu sichten und sie mit Hilfe eines Computers in ihrer Bedeutung zu gewichten. Tatsache ist, daß ihre Wirkung positiv ist.
Die Vorstellung von dem, was liebenswert ist, wird zumindest ebenso von den Merkmalen und Eigenschaften der im Rampenlicht der Öffentlichkeit stehenden Personen aus Film, Fernsehen und Jet Set geprägt: das gepflegte, überschlanke Aussehen von Jackie Kennedy und Audrey Hepburn und ihre zurückhaltende Art, das Grübchenlachen von Johnny Carson, Paul Newman's wasserblaue Augen. Wir warnen Partnersuchende davor, den Reiz eines möglichen Partners nach solchen Stereotypen zu beurteilen, und zwar besonders deshalb, weil man ganz zweifellos in der ersten Phase einer sich anbahnenden Beziehung ganz besonders dazu neigt, persönlichen Eigenschaften, die an solche Stereotypen erinnern, übergroßes Gewicht beizumessen.
Dieses schwierige Phänomen ist wirksam, als unser Paar am nächsten Morgen auf dem Boot erwacht, und es bewirkt, daß sie sich noch einmal lieben. Doch dann schleicht sich die oben schon angedeutete dritte Reaktion ein. Sie führt dazu, daß sie unaufhörlich rauchen, während sie miteinander reden, und läßt sie den Entschluß fassen, trotz ihres Katers eine Bloody Mary zu trinken. Denn diese dritte Reaktion ist ein beunruhigendes Gefühl von Angst und Folge einer spannungsgeladenen, funkensprühenden Liebesbegegnung. Warum?
Andere wie Rollo May und auch wir haben uns viel mit der Theorie beschäftigt, die unter dem Namen »emotionale Übermobilisierung« bekannt ist. Diese Theorie besagt, daß ein Mensch, der etwas will, sehr viel mehr emotionale Energie mobilisiert, als er eigentlich braucht, um das zu bekommen, was er will.
Dieses Phänomen spielt auch bei der Beziehung zwischen Mann und Frau eine erhebliche Rolle. Sobald nämlich diese innere Spannung beginnt, wächst gleichzeitig eine quälende Ungewißheit, und zwar die ungewisse Hoffnung »dies könnte endlich Liebe sein«. Und dieses Gefühl hat ganz erhebliche Auswirkungen.

Übermobilisierung war sicher im Spiel und verstärkte die gegenseitigen Reaktionen sowohl physisch wie emotional, als sich unser Paar zu Beginn dieses Kapitels schon spannungsgeladen auf der Party begegnete und die Hände nicht mehr voneinander lassen konnte. Und die gleiche Kraft erzeugte bei dem Paar auf dem Boot genügend emotionale Energie, um sie unmittelbar zusammen ins Bett gehen und miteinander schlafen zu lassen, und auch dann am anderen Morgen wieder miteinander zu schlafen, als alles weit weniger romantisch war. In all diesen Fällen verstärkt die Übermobilisierung auch die begleitenden Emotionen, in erster Linie die Angst. Dieses »Das könnte jetzt endlich die Liebe sein« ist zugleich Verheißung und Bedrohung. Die Verheißung liegt darin, daß die lang ersehnte Intimität endlich erfüllt werden, die Bedrohung darin, daß dies aber auch nicht der Fall sein könnte.

Diese Bedrohung, die durch Intimität erlebt wird, diese Angst in und vor der Liebe, ist eine ungeheuer schwierige Angelegenheit. Zunächst einmal ist es die Angst, der andere werde gar keine Liebe empfinden. Aber hinter dieser Angst verbirgt sich noch eine Fülle weiterer Ängste: die Angst, nur ausgenützt zu werden, ja ausgebeutet oder manipuliert zu werden; die Angst, verschlungen oder beherrscht zu werden; die Angst, zu sehr auf Abstand gehalten oder zu nah herangezogen zu werden; die Angst, zu abhängig zu werden oder den anderen abhängig zu machen. Die Liste ist lang, und welche Punkte besonders wichtig sind, differiert ganz nach dem persönlichen Hintergrund. Die größte Angst ist natürlich, die Liebe des anderen zu verlieren. Und je größer die Zuneigung wird, um so größer wird auch diese Angst.

Wir sind zu der Erkenntnis gelangt, daß es etwas noch Wichtigeres gibt als die Angst des einzelnen in und um die Liebe, nämlich zu verstehen, daß man eine Wahl treffen muß in dem Augenblick, in dem diese Gefühle auftreten. Wer lieben und geliebt werden will, steht beim ersten Auftreten dieser Angst bereits an einem Scheideweg. Er muß sich entscheiden, was er mit dieser Angst macht. Er hat zwei mögliche Wege: Der erste ist der Weg der Anpassung an die alten Werte dessen, was man tut oder eben nicht tut. Er hilft die Angst zu leugnen und die Realität, die diese Angst schafft, zu übertünchen. Anfangs scheint dies der einfachere Weg, bringt aber schließlich enorme Schwierigkeiten – und zu intimer Liebe führt er sicher nicht.

Die andere Möglichkeit ist Pairing. Pairing konfrontiert mit den angstmachenden Realitäten und zwingt zur Auseinandersetzung. Äußerlich mag es so scheinen, als stifte Pairing nur Unruhe, aber innerlich löst es die Ängste und Spannungen und ist der psychologisch fundierte Weg zu Intimität. Von Anfang an muß man die Ängste teilen und die Möglichkeiten des Konflikts deutlich machen. Wir warnen unsere Klienten eindringlich vor der Forderung »Wir wollen jetzt nett zueinander sein, streiten können wir auch später«, wie sie das alte Höflichkeitssystem aufstellte. Von Anfang an sollten die Stereotypen angeblicher Liebenswürdigkeit entlarvt und als überflüssig beiseitegelassen werden. Statt dessen sollte man sein Augenmerk auf die Einmaligkeit jeder neuen Beziehung richten.

Fast unvermeidlich wählt jeder den Weg der Anpassung, zwar nicht mit Bewußtsein, sondern in der Regel als unbewußte Reaktion zugunsten der Methode, die unmittelbar Sicherheit und Beruhigung verspricht. Wie kann man eine so wichtige Sache wie die Partnerwahl mit so wenig Aufmerksamkeit vornehmen? Wie kann ein möglicher Intimpartner die Selbstillusionierung durchschauen? Eine bewußte Entscheidung für die Wirklichkeit kann nur leisten, wer die Ängste in der Liebe verstehen gelernt hat – und nur so kann auch die Sehnsucht nach Intimität befriedigt werden.

6. Image, Rollenverhalten, Erwartungen

Die meisten Menschen, die sich zum ersten Mal mit ihren Liebesängsten und Liebeserwartungen auseinandersetzen, beginnen zu phantasieren und entwerfen Bilder von sich. Viel Zeit verwenden sie darauf, wie sie wohl am attraktivsten aussehen und überlegen, was sie anbieten können.

Das ist zunächst auch harmlos und vielleicht unvermeidbar; denn Menschen, die sich nach Liebe sehnen, möchten perfekt sein. Bei ihrer Körperpflege genießen sie es geradezu, alle erdenklichen Strapazen auf sich zu nehmen und erleben gern Situationen, in denen sie all ihren Witz und Charme entfalten können. Es begeistert sie, alle ihre Fähigkeiten vorzuführen, sei es als Weinkenner oder als Tennisspieler mit perfekter Rückhand. Sie schwelgen in der Vorstellung, groß und bedeutend zu sein und passen genau auf, ob der mögliche Intimpartner sie deshalb auch genügend bewundert. Es ist eben sehr befriedigend, das Beste aus seinen Eigenschaften zu machen.

Eine andere Sache aber ist, daß diese Form des Imagebaus wirkliche Intimität unmöglich macht. Jeder Mensch, der um einen anderen wirbt, erlebt dabei Spannungen und Ängste. Darum ist er sehr bemüht, seine Position zu festigen. Der sicherste Weg, akzeptiert zu werden, ist, die eigene Individualität aufzugeben und Mitglied einer anerkannten Gruppe zu werden.

Teenager scharen sich häufig zu einer solchen ›Herde‹ zusammen. Sie möchten alle gleichförmig gekleidet sein, sie haben dieselbe Art zu sprechen, tragen denselben Haarschnitt und benutzen ähnliche Darstellungs- und Verhaltensweisen. Tatsächlich verwenden sie alle dieselbe Form, um Freunde zu gewinnen. Sie sagen zu einem möglichen Intimpartner: »Du siehst so aus, als könntest Du jemanden von unserer Clique lieben. Ich möchte Dir zeigen, daß ich da-

zugehöre und werde Dir erklären, wie wir aussehen und wie wir uns verhalten. Du wirst mich auch akzeptieren, denn ich habe alle Qualitäten dieser Elitegruppe.
Diese Teenager-Allüren wechseln ständig, aber der Zweck bleibt derselbe. Während ich an diesem Buch schreibe, sind gerade Fußglöckchen, lange Haare und eine Art Arbeiterkleidung ›in‹. Vor fünfundzwanzig Jahren waren es die Luftwaffenanzüge und Kampfstiefel.
Aber auch Erwachsene eignen sich fast genauso die Merkmale ihrer sozialen Gruppe an, und sie tun es nicht nur, um sexuelle Kontakte anzuknüpfen. Ein Mann, der bei einer Bank einen Kredit aufnehmen möchte, erscheint im dunklen Nadelstreifenanzug mit einer konservativen Krawatte. Auch er geht auf diese Weise mit seinen Ängsten und Befürchtungen um. Seine stille Information ist ja die: »Schauen Sie mich an, wie Sie sehen, gehöre ich zu den angesehenen verantwortungsvollen Menschen. Vertrauen Sie mir.«
Wenn Männer und Frauen sich miteinander bekannt machen, betonen sie in manchen Gruppen besonders die Rolle, die sie in ihrer Arbeitswelt einnehmen. Junge Medizinstudenten erscheinen immer wieder zum Essen innerhalb der Universität mit ihrem weißen Kittel und womöglich noch mit ihrem Stethoskop um den Hals. Dieses Image soll eine Information vermitteln. In diesem Fall vielleicht, »Ich bin typischer Arzt, vertrauenswürdig, gut erzogen, ernsthaft, klar, und ich werde schon ein wenig über Sie aussagen können, wenn ich Sie nur gesehen habe.«
Häufig geschieht diese Image-Vermittlung verbal. Männer und Frauen wissen sehr bald, wodurch sie den jeweils andersgeschlechtlichen Menschen als Mitglied einer attraktiven Gruppe erscheinen. Schriftsteller und Psychologen erleben immer wieder eine stark positive oder stark negative Reaktion, wenn sie ihren Beruf nur erwähnen. Solch eine Rolle bietet Verständnisbereitschaft und Offenheit an; für manche ist dies besonders attraktiv, für andere besonders abschreckend. Mit anderen Berufsrollen werden Vorstellungen wie Schönheit, Intellekt, Geld oder Güte verbunden.
Der Mensch, der von sich selbst Bilder entwirft, zeigt sich nie selbst, sondern als Symbol. Viele Menschen hassen Cocktail-Partys so sehr, weil sie nur Symbolen, aber keinen Menschen begegnen.
Der erste Wortwechsel auf einer Cocktail-Party bedeutet wirklich meist: »Hier ist mein Symbol. (Mächtig, einflußreich, Revuemäd-

chen, Hippie etc.) Interessiert es Sie und finden Sie es anziehend? Ist Ihr Symbol dem meinen ähnlich?«

Die übliche Begründung, weshalb man Cocktail-Parties nicht mag, lautet etwa: »Sie sind alle Lügner« (entmenschlicht, entfremdet). Diese Erkenntnis ist völlig richtig. Sie sind entmenschlicht. Diese Parties werden so gemacht, weil diejenigen, die die Drinks schlürfen, keine Menschen sind, sondern Symbole! Der tiefere Grund dafür, daß sie sich in Form von Symbolen zeigen, ist der, daß sie sich so nicht als Menschen zu offenbaren brauchen.

Hier liegt eine der wichtigsten Ursachen dafür, daß die meisten Beziehungen nicht zur Intimität führen. Nur Menschen können Intimität herstellen.

Es ist keineswegs beabsichtigt, daß Sie jetzt andere Menschen als unbeseelte Objekte betrachten sollen. Wir sagen damit nur, daß die Menschen, die keine Intimität kennen, unfähig sind, andere Menschen als ein Ganzes anzusehen, mit all ihren Ängsten und Wünschen und Hoffnungen. Häufig nimmt man Menschen nur einseitig wahr, weil man über sie auch keine weiteren Informationen möchte. Niemand möchte ständig mit Intimität überflutet werden. Jeder, der genügend herzliche und verständnisvolle Freunde und Intimpartner hat, hat sicherlich nicht das Bedürfnis, nun noch mehr Intimität bei seinem Chef, Sekretär, einem Mann, der den Fernsehapparat repariert oder bei einem närrischen Cocktailgast zu suchen.

Diejenigen aber, die keine Intimität kennen, möchten ständig andere Menschen in ihren Rollen, Funktionen und oberflächlichen Meinungen erleben.

Wer unter solchen Eigenschaften leidet, ist deshalb keineswegs gefühllos.

Er wäre zutiefst erschüttert, wenn er erlebte, daß eine Hauswand einstürzt und eine Menschenmenge unter sich begräbt. Wichtig ist nur, daß er menschliche Wesen nicht viel höher als Objekte schätzt. In einem Arbeitspapier bezeichnete der Hauptautor dieses Buches jene Form der Beziehung als »Verdinglichung«. Wenn ein Mensch verdinglicht wird, wird er nur unter einem bestimmten Aspekt oder einer bestimmten Gruppe von Aspekten wahrgenommen.

Wenn ein Mensch einen anderen »verdinglicht«, sieht er ihn prinzipiell als Objekt, besonders aber dann, wenn er ihn primär behindert: derjenige, der in einer Bank vor ihm an der Reihe ist, der Motorradfahrer, der ihn zwingt, seine Fahrgeschwindigkeit zu drosseln oder der Mann, der vor ihm am Taxistand steht. Menschen, die verdinglicht werden, können dies allerdings auch selbst fördern. Sie verhalten sich wie Maschinen oder deren verlängerter Arm, der anderen Menschen Dinge nutzbar macht. Diese Herstellung funktionaler Einheiten (Segmentierung) bedingt, daß nur der Anteil der verdinglichten Person gesehen wird, der die gewünschte Funktion ausübt. Der Tankstellenwart wird zum verlängerten Arm einer Maschine, indem er den Tank füllt, die Windschutzscheibe wäscht und die Rechnung ausschreibt. Der Kassierer eines Supermarktes ist Teil einer Maschinerie, wenn er Preise addiert und Papiertüten mit Waren füllt.

Man kann Menschen auch in einem erweiterten Sinne in funktionale Einheiten zergliedern. Myra ist Chefsekretärin und sieht wirklich menschlich aus. Man weiß, daß sie zwei Kinder hat, daß ihr Ehemann trinkt und es an keinem Arbeitsplatz lange aushält, und daß ihre Mutter krank ist. Aber es besteht keine echte Verbindung zu ihr. Nur wenn man ihre Schwäche für Schokoladenpudding und ihre Begeisterung für das Spielzeug ihrer Kinder kennt, kann man sie beeinflussen und ihr auch helfen, die Aufmerksamkeit und die Gunst des Chefs zu gewinnen.
Verdinglichung enthält immer einen utilaristischen Aspekt. Bezeichnenderweise macht sich ein Mensch, der andere verdinglicht, über die Serviererin eines Restaurants folgende Gedanken: »Servieren Sie mir meinen Kaffee und belästigen Sie mich nicht mit Ihren Kopfschmerzen oder Ihren wunden Füßen.«
Es ist wohl einleuchtend, daß man mit einem Menschen, der in funktionale Einheiten zergliedert ist, keine Intimität erleben kann. Intimität erfordert, daß man den anderen als ein Ganzes akzeptiert. Verdinglichung dagegen ist Selbstverstümmelung, weil sie alles ausschließt, was keine nützliche Funktion hat. (Vielleicht war die Serviererin eine Studentin, deren Stipendium abgelaufen war oder eine Mutter von drei Kindern, die von ihrem Mann verlassen worden ist. Wer aber nur die Funktionen eines anderen bewertet, lehnt diese Informationen ab.)
Alles in allem eine Herausforderung! Jeder, der andere verdinglicht, tut dies automatisch bei sich selbst. Der Kassierer im Super-

markt wird durch die gleichförmige Maschinerie der Einkaufenden und Bezahlenden verdinglicht. Eine Prostituierte sieht in ihrem Kunden nur einen Körper mit Brieftasche.

Falls eine Frau Verabredungen nur trifft, um etwas Neues gezeigt zu bekommen oder um gut unterhalten zu werden, sollte sie sich nicht wundern, wenn auch der Mann sie nur funktional benutzt; vielleicht lediglich als Beifallspenderin. Möglicherweise bekommt er so als Symbol Anerkennung und Bestätigung, aber als Mensch wird er nicht einmal wahrgenommen. Solange er sich selbst als Symbol akzeptiert, wird er Intimität nicht erleben.

Vicki ist ein schüchternes, ruhiges Mädchen mit einer ausgezeichneten Figur. Sie hat festgestellt, daß sie durch ihr attraktives Äußeres Interesse und Bestätigung bei Männern finden kann. So kauft sie sich enganliegende Kleider und freut sich immer, wenn die Mode noch kürzere Röcke vorschreibt.

Als Dennis, der jüngste Junggeselle in ihrem Büro, sie zu einer Party einlud, kaufte sie sich ein neues, enganliegendes kurzes Kleid. Die Verkäuferin hatte sie sehr bestätigt und ihr versichert, daß genau das im Augenblick getragen würde.

Vicki wurde damit zum Symbol »sexy girl«. Dennis verbrachte den ganzen Abend mit ihr, und es ist keineswegs überraschend, daß er in ihr Symbol mehr hineinsah als sie beabsichtigte. Denn Vickis Sexualität wird – ganz im Gegensatz zu ihrem Äußeren – durch quälende Tabuvorstellungen ständig unterdrückt.

Als Dennis sie mit zu sich nach Hause nehmen wollte, war Vicki zutiefst betroffen und explodierte schließlich: »Bitte Dennis, nehmen Sie Ihre Hand da weg! Ich weiß nicht, was Sie von mir denken! Mein Bruder ist Priester, und ich gehe jeden Morgen zur Messe!« Zunächst war Dennis erschrocken und dann ärgerte er sich maßlos. Er schien zu sagen: Aus Deiner Aufmachung geht das aber doch eindeutig hervor – und er hatte das starke Bedürfnis, sich darüber zu beklagen, daß es bessere Büros gibt, um Bekanntschaften zu machen. Er fühlte sich belogen und übertölpelt.

Vicki hatte sich Dennis nicht nur als Objekt oder als Torso dargestellt; sondern hatte ihm überdies den ganzen Abend nichts Persönliches von sich offenbart, außer ihrer Ambivalenz am Ende des Abends. Sie hätte gar nicht überrascht sein dürfen, daß Dennis sie zum Torso – zum Sexualobjekt verdinglichte. Vicki selbst hatte auch ihn zu einem sozial anerkannten Mann mit einer

Einladungskarte zu einer Party verdinglicht. Die Funktionalisierung eines Menschen ist ein eindeutiges Symptom für Ausbeutung. Wenn ein Mensch merkt, daß er ausgebeutet wird, reagiert er wütend und wird alles nur Denkbare tun, damit sein Ausbeuter endlich versteht, daß er ein Ganzes, ein Mensch ist. Das erklärte wohl auch die ärgerliche Reaktion von Dennis.

Jeder Psychotherapeut weiß um das Prinzip, daß es nur wenige Opfer gibt, die nicht Opfer sein wollen. Dennis z. B. hatte Vicki wegen ihrer äußeren Erscheinung für diese Party gewählt. Hätte sie die Rolle perfekt mitgespielt, die er ihr zugedacht hatte, so hätte er sich auch nicht ausgenutzt gefühlt. Ihr Spiel wäre nur durchbrochen worden, wenn Dennis oder Vicki plötzlich persönlich geworden wären. Dadurch wäre auch der andere gefordert, sich echt und aufrichtig zu verhalten. Beide hatten den Fehler begangen, ihre realen Ansprüche an den anderen zu verschweigen. Dadurch verursachten sie ihr Mißerfolgserlebnis, das sich in dem Moment ereignete, als etwas Reales geschah – in diesem Falle, als Dennis Vicki berühren wollte.

Zumeist geschieht es fast unmerklich, daß Partner sich gegenseitig in bestimmten Bildern sehen, und es dauert meist viel länger, bis es zu dem unvermeidlichen Konflikt mit der Realität kommt. Die Geschichte von Phil und Dorothy ist beispielhaft dafür.

Phil, 36 Jahre alt, ist ein aufgeschlossener Bankier, der allerdings etwas geizig ist, Dorothy, 24 Jahre alt, wurde als neue Kassengehilfin eingestellt. Sie gefiel ihm sehr. Auch Dorothy war von Phil sehr angetan, aber sie zeigte ihm nie ihr Interesse.

Phil war kein übermäßig guter Unterhalter, und so vertraute er zunächst seiner Vorstellung, daß sie sich sicher auch für ihn interessiere. Irgendwann erzählte er ihr von den hinreißend schönen Abendessen, Cocktails und Parties, die er mit den Kunden der Bank verbrachte. Bei jeder Geschichte, die er ihr erzählte, merkte er, wie ihre Augen zu leuchten begannen. Einige Wochen später bat er sie, mit ihm auszugehen und sie nahm die Einladung an.

Phil mochte keine teuren Restaurants. Aber als er daran dachte, welche verlockenden Bilder er Dorothy schon ausgemalt hatte, beschloß er, sie zu einem phantastischen Abendessen einzuladen. Dorothy zeigte sich überwältigt. Aber auch sie begann nun aus einer ganz bestimmten Vorstellung von ihm zu handeln. Sie zeigte sich als Feinschmeckerin und bestellte ein umfangreiches Essen, darunter einige erlesene Delikatessen. Währenddessen graute es Phil schon insgeheim vor der Rechnung. Als sie das Essen mit einem Kaffee beendet hatten, war es erst 10 Uhr. »Was werden wir jetzt machen?« fragte Dorothy mit einer gewissen Vorahnung in der Stimme. Phil zeigte das wissende, vertrauenswürdige Lächeln, das zu seinem Image gehörte, obwohl er innerlich schon eine finanzielle Katastrophe auf sich zukommen sah und führte sie in einen Nachtclub.

Als Phil sich das nächste Mal mit ihr verabredete, war er fest entschlossen, in einem kleinen Restaurant zu essen und dann mit ihr ins Kino zu gehen. Als er sie abholte, sah er, wie elegant sie gekleidet war. Leicht erregt fragte sie: »Was für eine wunderbare Überraschung hast Du Dir für heute abend ausgedacht?«

Phil zögerte einen Augenblick. Sie sah so hübsch und so ungemein frisch aus. Noch nie zuvor hatte er eine so bezaubernde junge Dame ausgeführt. Er hätte ihr am liebsten erzählt, daß all die glanzvollen Unternehmungen, von denen er ihr erzählt hatte, im Interesse der Bank seien und auch von ihr bezahlt würden. Aber dann spürte er, daß er Angst bekam. Was würde aus ihm werden; durch sein Auftreten und sein vorgetäuschtes Vermögen hatte er doch ihre Aufmerksamkeit gewonnen. Er mußte sein Image bewahren und ein kostspieliger Abend mehr würde ihn ja auch nicht vernichten.

In den folgenden Wochen häuften sich die Restaurantrechnungen. Phil litt jedesmal Qualen, wenn er einen neuen Scheck ausschrieb. Als Dorothy ihm eines Tages anvertraute, daß sie sich bisher neben Männern so wertlos vorgekommen sei, fühlte er sich ihr noch mehr verpflichtet. Sie meinte, er sei wundervoll zu ihr, er behandele sie wie eine Dame und respektiere sie.

Von nun an befürchtete Phil, daß sie meinen könne, er respektiere sie nicht mehr so, wenn er bescheidenere Restaurants mit ihr besuche. Aber er hatte sie nicht ganz richtig interpretiert. Sie hatte lediglich über seine respektvolle Art gesprochen. Dorothy aber begann sich unwohl zu fühlen. Sie spürte, daß er sie nur als Vorführpuppe mit in die Stadt nahm. Sie verbrachte viel zuviel Zeit mit ihrer Garderobe, weil sie ständig damit beschäftigt war, wie sie wohl seiner Vorstellung von einer Puppe am besten entspräche. Sie hätte es sich sehr gewünscht, einmal mit ihm allein zu sein, spazierenzugehen, einfach zu reden, aber sie befürchtete, daß ihm daran nichts läge. Sie sahen sich nur noch selten, weil er nichts mehr dafür tat, denn er scheute die notwendigen Ausgaben. Nur durch einen Zufall lernten sie sich so kennen, wie sie wirklich waren. Eines Abends nach dem Essen langte Phil nach seiner Brieftasche und stellte fest, daß sie nicht da war. (Freudianer dürfen Phils Versehen deuten wie sie wollen.) Dorothy hatte Geld dabei und zahlte.

»Ich werde es Dir selbstverständlich zurückgeben«, sagte er.

»Nein«, antwortete sie. »Du warst so gut zu mir. Ich möchte Dir auf diese Art ein wenig dafür danken.«

»Nein, ich werde sofort losgehen und meine Brieftasche holen. Dann kann ich Dir das Geld zurückgeben und wir haben dann auch noch Geld für den übrigen Abend.«

Dorothy war durch ihre großzügige Haltung und ihre Direktheit mutig geworden. Plötzlich empfand sie sich als Gastgeberin und nicht mehr als armes Mädchen, das gefüttert wurde.

»Nein, dies ist mein Abend«, beharrte sie, »ich habe zwar kein Geld mehr, aber wenn es Dir nichts ausmacht, lade ich Dich zu mir ein. Ich habe noch einen Whisky zu Hause. Möchtest Du nicht?«

»Nicht mögen?« fragte er und war erschrocken, daß er so aufrichtig antwortete. »Das habe ich mir vom ersten Augenblick an gewünscht!« Phil hatte sich bisher nur als Symbol dargestellt; als Reiseführer und als großzügiger Wohltäter, der an Dorothy überhaupt keine Ansprüche stellt. Er verdinglichte sie zu einer Puppe, die für ihn nichts tun konnte, als sich dankbar und erfreut zu zeigen über seine Großzügigkeit. Phil verdinglichte sich selbst zu einer Funktion und zwang so Dorothy, ihn als Objekt zu behandeln. Sie empfanden sich beide in der Gesellschaft des anderen angespannt und unbefriedigt. Solange sie miteinander als Imageträger und nicht als Menschen umgingen, konnte sich keine Beziehung zwischen ihnen entwickeln. Sie blieben statisch. Beide merkten, daß sie diesen Zustand verändern mußten. Und sie hatten recht. Durch einen glücklichen Zufall – war es ein Zufall oder vielleicht doch eine unbewußte Handlung? – wagten sie es, real zu werden. Phil mußte seine Rolle aufgeben, weil er kein Geld dabei hatte. Als Phil kein »Daddy Warbrucks« mehr sein konnte, war er situativ ohne feste Rollenvorstellung. Genau in diesem Augenblick aber fand Dorothy den Mut, ihre eigenen Ängste aufzugeben, um die Rolle des Gebenden zu übernehmen. In der Psychologie nennt man das »Rollenflexibilität«. Sie ist *ein* Merkmal einer gesunden, ganz-

heitlichen Persönlichkeit, die immer dann ihre Rolle ändert, wenn die Notwendigkeit dazu besteht. Rollenflexibilität beendet die Funktionalisierung anderer Menschen.
Hätte sich dieser Zufall erst ereignet, als die Beziehung schon fest etabliert war, hätte Phil womöglich um seine alte Rolle als Gebender gekämpft, denn er wäre von ihr schon viel abhängiger gewesen und hätte aus dieser Rolle seine Sicherheit abgeleitet.
Durch ihren Rollenwechsel macht Dorothy es ihm möglich, seine bisherige Rolle aufzugeben. Sie hat ihm gesagt: »Ich bin gern mit Dir zusammen, selbst wenn Du kein großmütiger Lord bist. Ich werde es Dir beweisen, indem ich Dich mit zu mir nach Hause nehme, mit Dir spreche und einfach bei Dir bin.«
Dadurch hatte Dorothy ihm die Angst genommen, nur als Objekt oder als Unterhalter erwünscht zu sein. Phil konnte nun ein Mensch sein, er wurde es an jenem Abend, an dem er nicht gab, sondern nahm. Später werden wir erfahren, daß man diese ungeprüften Vorstellungen auch bewußt mit Hilfe eines Prüfverfahrens (Realitätstest) abstellen kann.
Wir wenden uns nun einem anderen Paar zu und werden das äußere Erscheinungsbild und den unsichtbaren Ablauf dieser Beziehung mit Hilfe des Quadrilogs untersuchen. Der Quadrilog ist eine vierstimmige Unterhaltung, die gesprochene und gedachte Äußerungen gegenüberstellt. Diese Unterhaltungsform ist charakteristisch für Menschen, die sich das erste Mal begegnen und umeinander werben. Eigentlich sollten die ausgesprochenen Gedanken eine Beziehung deutlich machen können. Leider stimmt das meist nicht, da nicht die ausgesprochenen, sondern die unausgesprochen gebliebenen Gedanken der Realität entsprechen. So umeinander werbenden Menschen finden keinen echten Kontakt, da sie sich gegenseitig über ihre echten Gefühlsempfindungen im unklaren lassen. Sie wollen eine Beziehung begründen, aber es entsteht nur Leere. Dieses Paar lernte sich in einem Photo-Club kennen, der auch als Treffpunkt für Alleinstehende bekannt war. Er war schon langjähriges Mitglied, sie ist dem Club gerade erst beigetreten. Sie fielen einander aus sehr einleuchtenden Gründen auf. Sie ist eine attraktive Dame Anfang dreißig und fast zwei Meter groß. Er ist ein solider, gesund aussehender Mann Ende dreißig und noch zehn Zentimeter größer als sie. Im Augenblick trinken sie zusammen den Nachmittagskaffee.

Sie sagen *(Sie denken)*

ER:
Sie sind eine angenehme Bereicherung für unsre Gruppe.
Kann ich denn nie etwas Geistreiches sagen?

SIE:
Oh, danke schön. Ich glaube, daß die Gruppe sehr anregend und freundlich ist.
Er ist wirklich reizend.

ER:
Man nennt mich Stretch. Dieser Name kommt vom Basketball spielen. Vielleicht klingt das albern, aber ... ich bin so daran gewöhnt.
Das ist sicherer, als wenn ich meinen richtigen Namen, David Stein, sage.

SIE:
Mein Name ist Candy.
Schließlich ist es mein Spitzname. Er muß ja nicht den Namen Hortense O'Brien gleich hören.

STRETCH:
Was für eine Kamera haben Sie da?
Ein Mädchen namens Candy könnte Jüdin sein. Wahrscheinlich ist es aber nur ein Spitzname.

CANDY:
Es ist eine alte deutsche Kamera. Ich habe sie im Geschäft meines Onkels geliehen.
Er könnte Ire sein. Seine Kamera sieht sehr wertvoll aus.

STRETCH:
Darf ich mal? (Er nimmt ihre Kamera, wobei er ihre Hand streift, und probiert dann am Auslöser herum.) Ein feines Objektiv. Arbeiten Sie für Ihren Onkel?
Ich habe es gewagt. War das schwierig.

CANDY:
Ja, wenn ich nicht im College bin.
So war es gut. Und wenn ich ihm nun sagte, daß ich nur ein Jahr dort war?

CANDY:
Es ist besser, als nur Sekretärin zu sein. Ich arbeite auch im Verkauf.
Wenn er mich fragt, was ich verkaufe, werde ich alles sagen, nur nicht, daß es Unterwäsche ist.

STRETCH:
Im Verkauf. Das ist lustig. Ich verkaufe auch, aber überwiegend bin ich als Geschäftsführer tätig.
Gibt es eine gute Ausdrucksweise für Gebrauchtwagen? Ich werde besser das Thema wechseln.

Auf meinen Reisen begann ich zu photographieren. Zuletzt war ich auf den Bahamas. Ich machte -
Oh, wie wunderbar sie ihre Hüften bewegt.

CANDY:
Oh, waren Sie auch auf den Bahamas? Ich liebe die Inseln.
Ich war einmal dort und das zum Kongreß der Büstenhalterfabrikanten. Na ja, wenigstens haben wir das Thema gewechselt.

STRETCH:
Sie ist sicherlich weit herumgekommen. Na schön, zumindest unterhalten wir uns nicht mehr über die Arbeit.
Im letzten Sommer habe ich dort tauchen geübt. Man sieht die herrlichsten Farben, sie sind so lebendig.
Noch nie war ich so einsam.

CANDY:
Sieh Dir diesen Körperbau an. Sicherlich kann er schwimmen wie ein Fisch. Ich sollte es auch lernen.
Ich wünschte, ich hätte dazu Zeit gehabt. Ich liebe das Meer.
Ja, ich mag Wasser. Aber nur an solchen Küsten, wo ich noch stehen kann und nicht ins tiefe Wasser muß.

Innerhalb dieser wenigen Minuten haben sich die beiden gegenseitig ein ganzes Gebäude an Vorstellungen errichtet, das nur schwer wieder abgebaut werden kann. Nach dieser Kaffeepause gingen sie noch auf einen Drink in die Bar, und sie bemühten sich immer weiter, sich aneinander anzupassen, bis die Bar schloß. Sie bestätigten sich ihre ähnlichen Meinungen über Politik und Mode,

Autos und sonstige unpersönliche Dinge. Ihre in höchstem Maße ähnlichen Meinungen gaben ihnen das Gefühl schicksalhafter Verbundenheit, und sie erlebten sich als eine von der Umwelt abgeschnittene Einheit. Sie vergaßen die übrige Welt. Sie gingen zusammen in seine Wohnung und erlebten, daß sie sich durch die gemeinsam erlebte Sexualität noch mehr aneinander gebunden fühlten.

Sie verbrachten das Wochenende zusammen und spürten immer mehr, wie verliebt sie ineinander waren und bestätigten es sich gegenseitig. Das war Liebe auf den ersten Blick, ein Märchen oder ein real gewordener Traum. Sie waren verzaubert. Sie hatten wenige Fragen an den anderen, da sie sich auf spezifische Antworten nicht festlegen wollten.

Eines der Gebiete, die sie ängstlich mieden, war Religion. Die Gegensätze wurden selbstverständlich deutlich, als sie sich ihre richtigen Namen nannten. Aber sich versuchten, sie schnell beiseitezuschieben. Eigentlich gehörte das doch der Vergangenheit an. »Guter Gott«, sagte Stretch, »Abie's Irische Rose liegt fünfzig Jahre zurück. Heute denken die Menschen doch anders.«

»Sicherlich«, stimmte Candy zu. »Weißt Du, die Kirche hat ja inzwischen ihre strengen Regeln auch schon sehr gemildert. Wenn die O'Briens nicht mal so großzügig sein können wie der Papst —«, lachte sie. »Meine Familie ist sehr liberal eingestellt«, sagte Stretch. »Weißt Du, manchmal befürchte ich fast, daß mein Vater ein echter Sozialist ist«, und zwinkert ihr zu. »Das ist kein Spaß, er ist es wirklich! Hör mal, warum reden wir eigentlich so miteinander? Wir stehen ja nicht gerade vorm Traualtar, oder?« »Ich stehe zu dem, was ich sagte. Ich werde keinen Mann heiraten, mit dem ich nicht vorher zusammen gelebt habe«, antwortete Candy.

Nur wenige Wochen später wurden sie deutlicher als bisher. Candy erzählte ihm: »Als ich gestern zu Hause war, habe ich meinen Eltern von Dir erzählt. Meine Mutter war ganz aufgeregt und möchte Dich unbedingt kennenlernen.« »Ich möchte sie auch gerne kennenlernen«, sagte Stretch.

»Ja, irgendwann einmal. Ich sagte ihr, daß Du so viel zu arbeiten hast, daß Du nächsten Freitag nicht zum Essen kommen kannst.« — »Aber ich habe Freitag frei!« — »Oh, ich dachte, es ist dafür noch zu früh. Ich finde, daß das so aussieht, als wollte ich Dich einfangen. Seitdem ich die Schule verlassen habe, habe ich nie einen Mann mit nach Hause gebracht. Ich möchte alles noch ganz bei uns bewahren, zumindest jetzt noch.« – »Ich verstehe Dich. Ich habe meinen Eltern auch von Dir erzählt, und meine Mutter lud Dich auch ein, doch ich bin einer Antwort ausgewichen. Weißt Du, diese Familienszenen sind wirklich schwer zu ertragen. Ich glaube auch, daß es im Augenblick nur unsere Angelegenheit ist.«

Keiner will dem anderen die Angst offenbaren, die er hat. In gewisser Hinsicht sind sie sich nicht einmal selbst darüber ganz im klaren, was es bedeuten würde, wenn eine O'Brien den Steins, oder umgekehrt, vorgestellt würde. Sie wissen, daß beide Familien Druck auf sie ausüben würden. Sie fürchten die Aufregungen, die vermutlich nachfolgen werden. Tatsächlich verleugnen sie beide ihre innere Angst.

Eigentlich könnten sie ihre Illusionswelt jetzt nicht mehr aufrechterhalten; dennoch gelingt es ihnen, da sie von dem Trick der gesellschaftlich anerkannten Höflichkeitsformen Gebrauch machen. Jeder möchte dem anderen die bereits schwindenden Illusionen erhalten, und so versuchen sie, mit aller Kraft zu vermeiden, ihre Bilder voreinander in Frage zu stellen. Würden sie das tun, so würde ihre Angst, die Liebe des anderen zu verlieren, immer größer. Sie wissen, daß sie nicht ganz aufrichtig sind, aber sie begründen ihr Verhalten vor sich selbst als »verständlich« (verzeihlich). Die Furcht, ihre gerade entdeckte Liebe zu verlieren, ist so stark, daß sie einander helfen, wo sie nur können, um die Wahrheiten zu vermeiden, die ihre »Glückseligkeit« stören könnten.

Es steht fest, daß Candys Familie und Freunde ihren Umgang mit Stretch mißbilligen würden. Sie wären empört. Stretch erlebt in seiner Familie dasselbe. Beide Familien sind hinsichtlich religiöser Fragen intolerant. Candy und Stretch sind aber nun mal Kinder dieser Eltern. Als Stretch einmal eine Grippe hatte und Candy ihn gesundpflegte, rutschte ihm einmal heraus: »Weißt Du, Du bist sehr jüdisch.« Auch Candy versprach sich einmal, als sie ihm sagte: »Du bist nicht wie andere Juden, die ich kenne.«

In stillschweigendem Einvernehmen gingen beide über diese »Ausrutscher« hinweg. Jeder ärgerte sich zwar über die Anspielung, aber sie trösteten sich innerlich damit, daß es verständlich und eigentlich sogar ein Kompliment sei. Nach einem Kompliment hatte es aber nicht geklungen, und eigentlich waren beide auch empfindsam genug, um zu spüren, was geringschätzig klang und was nicht.

Beide vermieden von nun an den Umgang mit ihren Eltern, Freunden und anderen Menschen und schufen sich eine enge Welt für zwei, beschäftigten sich nur noch damit, sich weiter aneinander anzupassen.

Diese Anpassung ist eine erweiterte Form des Imagebildens. Es ist der Versuch, sich den Vorstellungsbildern des anderen voll zu unterstellen, um weiter liebenswert zu sein.

Candy und Stretch verleugnen ihre eigenen Wünsche – z. B. mit ihren Familien oder Freunden Kontakt zu haben – nur um die gefürchtete Realität zu vermeiden, die eventuell zu einer Trennung führen könnte. Um die Liebe des anderen zu erhalten, müssen sie einen wichtigen Teil von sich aufgeben. Sie leisten wirklich zerstörerische Arbeit, und die Möglichkeit, Intimität zu erleben, entgleitet ihnen immer mehr. Jedesmal, wenn einer von ihnen seine Gefühle dem anderen zuliebe verleugnet, verleugnet er auch seine realen Wünsche und Bedürfnisse, und er wird es dem anderen verübeln, daß er ihn so teuer zahlen läßt. Es ist zwar möglich, reale Wünsche unbeschränkt zu verbergen. Damit ist aber auch die Chance vertan, wirkliche Intimität zu erleben.

Wie so oft, gelang es Candy und Stretch erst, sich mit der Realität auseinanderzusetzen, als ein plötzliches Ereignis hinzukam. Candy mochte es leugnen wie sie wollte, sie war an den katholischen Glauben stark gebunden. Irgendwie kam es, daß Stretch nicht darum wußte, daß Candy die Pille nicht nahm, die Psychotherapeuten an unserem Institut meinten, er müsse es doch gewußt haben. Wie immer es auch war, Candy wurde schwanger. Beide suchten unsere Hilfe. Wir zeigten ihnen, wie sie miteinander aufrichtig umgehen konnten; sie heirateten und begannen, die schmerzliche Wirklichkeit ihrer unterschiedlichen Wünsche und Bedürfnisse zu verarbeiten.

Da diese Form der oben beschriebenen Anpassung recht häufig angewendet wird, um Ängste zu vermeiden, gleichzeitig aber Intimität verhindert wird, wollen wir uns noch ausführlicher damit beschäftigen.

7. Anpassung in der Liebe

Am Anfang scheint es nur Höflichkeit zu sein. Kein Liebender möchte sich den Wünschen seines Partners gegenüber gleichgültig zeigen oder vor ihm sogar eigensüchtig erscheinen. Bisher gehört es einfach zum guten Ton, die Bedürfnisse und das Wohlergehen eines anderen höher zu schätzen als die eigenen.

So hört auch keiner ein Alarmzeichen, wenn die Anpassung an den Partner vitale Angst auslöst, da man ja echte Gefühle vor dem Partner verbirgt. Wenn diese Form der Anpassung einmal begonnen hat, ist sie nur sehr schwer wieder aufzugeben.

Will und Carola, die sich schon einige Wochen lang immer wieder getroffen hatten, haben gerade einen vergnügten Tag am Strand verbracht. Ihre bisherigen Verabredungen waren immer angenehm, und ihre Unterhaltungen blieben im Rahmen leichter unproblematischer Themen. Beide zogen sich von ihrer äußeren Erscheinung her sehr an, was beide auch stark stimulierte; dennoch hatten sie bis zum heutigen Tage noch nicht miteinander geschlafen.

Am Strand, sei es im Wasser oder im Sand, verbrachten sie die meiste Zeit damit, sich zu liebkosen, und beide wurden sehr erregt. Sie aßen etwas in einem Strandrestaurant und schon nach wenigen Drinks war ihre sexuelle Bereitschaft füreinander so stark geworden, daß Will Carola fragte, ob sie die Nacht mit ihm verbringen wolle. Carola stimmte zu. Erwartungsvoll begannen sie die lange Heimfahrt.

Nach diesem anstrengenden Tag mit viel Sonne, Wasser und zuletzt dem Alkohol fühlten sie sich plötzlich sehr müde. Es war Sonntag und am nächsten Morgen mußten beide früh zur Arbeit. Sie begannen, an ihrem Plan zu zweifeln, aber nur jeder für sich allein. Jetzt zeigten sich bisher verborgene Eigenschaften ihrer unterschiedlichen Persönlichkeiten.

WILL:
(streckt sich hinter dem Lenkrad und stöhnt ein wenig unbehaglich)

CAROLA:
Ist Dir nicht gut?

WILL:
Ach, es geht (gibt sich einen Ruck). Ich fürchte, ich habe etwas Sonnenbrand. Ich glaube sogar ziemlich stark.

CAROLA:
Hättest Du Dich doch von mir einreiben lassen. Ich fragte Dich doch noch. Aber wenn Du vielleicht noch ein bißchen drauf tust, gleich, wenn Du nach Hause kommst . . .

WILL:
(Ein wenig verägert, denn er wollte Zuneigung und keine medizinischen Ratschläge. Er wollte eigentlich immer Zuneigung bei seinen kleinen Wehwehchen.)
Ja, gut, aber ich weiß gar nicht, ob es wirklich Sonnenbrand ist. Es kann auch sein, daß ich einen Krampf im Rücken habe. Und ich . . .

CAROLA:
Geht diese Autouhr eigentlich richtig? Ist es schon so spät?

WILL:
(noch ein wenig ärgerlicher)
Wieso, bist Du sehr müde? Ich fürchte, Du wirst nicht viel Schlaf kriegen heute nacht, wo wir so spät nach Hause kommen. Ich bin fit, aber . . .

CAROLA:
(guckt ihn an und versucht, in seinem Gesicht zu lesen): Du wirst kaum mehr Schlaf bekommen als ich. (Sie lächelt gezwungen.) Bist Du denn müde? Ich fühl mich wohl.

WILL:

Ja, wenn Du nicht magst, Carola. Ich meine, ich würde das verstehen. Ich möchte zwar, aber es muß ja nicht heute abend sein.

CAROLA:

(hier kommt ihre Konkurrenzhaltung durch)
Aber vielleicht finde ich, daß es sein muß! (Sie lächelt wieder gezwungen.) Du kommst nicht drum herum.

WILL:

Als wenn ich das wollte!

Beide würden viel lieber nach Hause fahren und schlafen. Aber sie sind in die Falle gegangen. Keiner von ihnen wollte in den Augen des anderen so dastehen, als würde er sich verweigern. Als sie schließlich in Wills Apartment ankamen, waren beide müde und abgespannt, aber sie zeigten es beide nicht, sondern machten immer weiter. Sie schliefen dann auch schnell miteinander, beide müde, aber nicht bereit, das zuzugeben. Im Gegenteil, sie machten sich all die Leidenschaftlichkeit vor, die sie nur kannten.
Dabei sagen sie *(aber sie denken):*

WILL:

Carola, Liebling –
Hoffentlich kommt sie bald. Mein Rücken ist zum Zerbrechen müde. Ich weiß nicht, wie lange ich es noch halten kann. Was ist, wenn ich die Kontrolle verliere? Ich muß wohl mehr Leidenschaft zeigen, damit sie erregter wird.

CAROLA:

Oh, Will, Liebling!
Au, mein Sonnenbrand!

WILL:

Ich liebe dich, Carola!
Mein Bein ist verkrampft.

CAROLA:

Ja, ja!
Ich kann nicht kommen, ich weiß es, ich bin einfach zu müde.

Will:
Ich könnte immer so weitermachen.
Bitte komm, Du hast doch gesagt, Du kannst. Ich will meine Kontrolle nicht verlieren. Ich weiß noch, was Du über Männer gesagt hast, die nur an sich selbst denken und keine Ahnung haben im Bett.

Carola:
Ja, ja, fester.
Ich kann nicht so weitermachen, ich hab überhaupt kein Gefühl mehr. Ich hoffte, Du würdest endlich fertig werden, bitte!

Will:
(hält sich an die Spielregel) Ist es so gut?
Als wäre es nicht schwer genug, sich so lange zurückzuhalten, (fängt an zu zählen:) *2 + 2 sind 4. 4 + 4 sind 8 —*

Carola:
Ja, mehr!
Ich glaub, er wird schwächer. Wenn er doch nur käme, dann würde er nicht denken, daß ich frigid bin. Ich weiß, ein andermal werde ich bei ihm kommen. Vielleicht kann ich es spielen. Ich hoffe nur, er redet dann nicht davon.

Will:
Oh, Carola, ich kann. Kannst – Du – auch – jetzt?
Bitte sag ja, ich kann einfach nicht mehr.

Carola:
Ja, ja, ich kann, jetzt gleich kommt es.
Verdammt, ich schalte völlig ab. Es tut richtig weh. Ich muß jetzt einfach weiter so tun und das Beste hoffen.

Will:
Ich find's schade, wenn es zu Ende geht.
Gott sei Dank, daß es zu Ende geht, aber ihr zuliebe werde ich noch mal weitermachen. Vierundsechzig und ...

Carola:
Jetzt, Liebling, oh Will!
Um Gotteswillen, laß es vorüber sein.

Ist er nun gekommen? Doch, ich bin ziemlich sicher. Ich muß jetzt überzeugend sein.

WILL:
Ah!

CAROLA:
Oh!
Halleluja. Ich hatte schon geglaubt, er käme nie.

– Einen Augenblick besteht eine Stille voll Erleichterung –

WILL:
Bist Du gekommen?

CAROLA:
Natürlich. War es schön für Dich, Will?
Das ist keine wirkliche Lüge. Und ich werde ein andermal kommen. Ich hoffe wirklich, daß er es schön fand.

WILL:
Ob ich es mochte? Dummes Mädchen! War es für Dich wirklich gut?
Ich würde gern wissen, ob sie nun verletzt wäre, wenn ich jetzt sofort einschliefe. Burke wird morgen sehr früh zu einem Treffen hier sein.

CAROLA:
Oh, Will. (Sie seufzt.) Ich wußte, daß Du ein richtiger Mann bist. Bist Du immer so stark?
Ich hoffe, daß er nicht mehr lange sprechen möchte. Ich muß morgen irgend etwas mit meinen Haaren machen, bevor ich zur Arbeit gehe.

WILL:
Ich denke, ich war es für Dich. War ich gegen Ende auch nicht zu rauh für Dich?
Sie möchte noch ein wenig sprechen. Eigentlich bin ich ihr deswegen auch nicht böse.

CAROLA:
Nein, Du hast mir nie weh getan. Aber Du bist eben ein ganzer Mann.
Er möchte noch sprechen. Na ja. Er ist wirklich ein guter Liebhaber, aber es ist so spät.

WILL:
(strahlt)
Bin ich das wirklich? Aber wie sollte ich auch anders sein bei einem so schönen Körper wie Deinem. — Er streichelt sie.
Ich bin wirklich froh, daß sie es so erlebt hat. Das zeigt mir, wie wichtig die Sexualität für sie ist.

CAROLA:
Ich liebe Deinen Körper. (Sie schmust mit ihm.) Die meisten Männer wollen sofort danach schlafen.
Ich werde mindestens eine Stunde für meine Haare benötigen; sie sind voller Salz.

WILL:
Ich bin nicht wie die meisten Männer. Im übrigen habe ich so lange darauf gewartet, Dich zu berühren.
Sie ist wirklich außergewöhnlich. Wenn nur Burke morgen nicht so früh kommen würde – ich möchte nicht ungalant erscheinen. Frauen brauchen ein Nachspiel. So steht es jedenfalls in den Büchern.

CAROLA:
Oh Will (knurrt sie).
Ich weiß, daß man von mir erwartet, daß ich es mir wünsche, und es ist auch wunderschön. Aber die Zeit – he! Es macht mir Spaß, von ihm da berührt zu werden, aber hey.

WILL:
Oh, Carola. Ich tu Dir nicht weh?

CAROLA:
Nein, ich mag das sehr.
Außer um drei Uhr nachts. Ich glaube, ich sollte auch etwas tun.

WILL:
Oh, Carola, Du bringst mich in Fahrt. Oh, Carola! —
Es ist jetzt drei Uhr nachts, Burke kommt um halb neun. Vielleicht will sie mir sagen, sie will noch mehr. Ich weiß nicht, ob ich noch könnte.

CAROLA:
Willst Du noch mal, Lieber?
Dabei ist es mir so egal.

WILL:
Ich mag schon, aber Du mußt zu müde sein, als daß ...
Wie kann ich's bloß sagen?

CAROLA:
Ich bin nicht zu müde, wenn Du mich noch haben willst. –
Was sage ich da bloß, aber womöglich ist er noch sauer über frigide, unerotische Frauen –

WILL:
Wirklich?
Heißt das, sie will noch mehr?

CAROLA:
Wirklich!
Ich weiß, einmal wäre nicht genug für ihn.

WILL:
Liebling, magst Du es so?
Das ist 'ne klare Aussage, ich kann nicht zurück.

CAROLA:
O ja, und magst Du dies?
Ich mag es schon, aber warum jetzt?

WILL:
Oh ...
Wenn sie so weitermacht, muß ich wohl auch.

CAROLA:
Liebling, jetzt!
Nun komm doch endlich.

WILL:
Du bist wundervoll, gerade die Art, wie Du Dinge einfach so ganz offen aussprechen kannst. Mach ich es jetzt, wie Du es möchtest?
Nun mußt Du aber kommen.

CAROLA:
Oh ...
Er wartet darauf, daß ich komme.

WILL:
Oh ...
Sie wartet darauf, daß ich komme.

CAROLA:
Aaah ...
Es hat keinen Zweck, ich muß ihm wieder was vormachen.

WILL:
Aaah ...
Ich kann einfach nicht kommen. Es ist ein Wunder, daß ich überhaupt irgend etwas tun kann. Ob sie wohl merken würde, wenn ich nur so täte als käme ich?

Es ist völlig klar, was als nächstes passieren muß. Eine von beiden nicht gewünschte sexuelle Begegnung kann keinen Orgasmus herbeiführen, den beide erleben können. Trotzdem tun beide so, als hätten sie Vergnügen gehabt. Dies ist die erste und völlig überflüssige Folge der gegenseitigen Anpassung von Carola und Will. Keiner wollte die Erwartungen des anderen enttäuschen. So ließ jeder die eigenen Wünsche außer acht und verhielt sich so, wie er meinte, daß der Partner es sich wünschte. Auf diese Weise erhalten sie wechselseitig völlig falsche Informationen über einander. Und so sorgt jeder von ihnen dafür, daß der andere einen illusionären und falschen Eindruck vom anderen bekommt.
Auf dieser oberflächlichen Ebene ist ihre Situation geradezu grotesk. Aber es gibt noch tiefere Ebenen, und das ist der Grund für zukünftige Störungen.
Der starke Einfluß, den solche Anfangserlebnisse auf eine Beziehung haben, ist in seiner Bedeutung gar nicht hoch genug einzuschätzen. Die erste Verabredung, der erste Tanz, die erste Auseinandersetzung und der erste sexuelle Kontakt bestimmen Stil und Verhaltensmuster der späteren Beziehung. Das gilt insbesondere dann, wenn ein Erlebnis von Unsicherheit und Isolation zu Akzeptiert-werden und Sich-sicher-fühlen führt. Natürlich ist dabei der Augenblick, in dem man sich sexuell verstanden fühlt, von entscheidender Bedeutung. Denn dies ist üblicherweise das sichtbarste Zeichen für Akzeptiert-sein.
Anfangserlebnisse sind darum in besonderem Maße mit Angst besetzt. Diese Angst entsteht wahrscheinlich dadurch, daß man versucht, die eigenen Gefühle nicht zu beachten, sich aber um so mehr

auf die Gefühle einzustellen, von denen man glaubt, daß der Partner sie sich wünscht. Aus diesem Grund liegt es nahe, daß Partner in der Anfangsphase ihrer Beziehung nicht sehr aufrichtig sind.

Will und Carola haben ihre Verbindung unter den Verhaltensmustern einer in hohem Maße sexuell bestimmten Beziehung begonnen. Beide fühlten sich verpflichtet, sowohl Sexualität häufig anzubieten als auch jedes sexuelle Angebot des anderen überschwenglich anzunehmen. Sexualität scheint sich zwischen beiden zu einer Art Schlüsselstellung zu entwickeln. Alle beide sind darauf festgelegt, sich hochgradig sexualisiert zu zeigen. Es ist natürlich äußerst schwer, später von dieser Rolle wieder herunterzukommen.

Auf einer noch tieferen Ebene kann Anpassung starke Kräfte in der Persönlichkeit widerspiegeln, Kräfte, die von den Partnern nicht einmal bei sich selbst erkannt werden. Genauso lag es auch bei Will und Carola. Wir wissen das, weil sie später als Paar zu einem unserer Gruppentrainings kamen.

Ihre Unterhaltung auf dem Nachhauseweg vom Strand läßt Rückschlüsse für den Therapeuten zu, wie wir später belegen konnten. Die Bemerkungen von Will, wie z. B. die Klagen über sein körperliches Befinden, geben Hinweise auf so etwas wie »Muttis kleiner Liebling«-Stil. Carolas Drängen, mit Wills gar nicht vorhandenem sexuellen Appetit Schritt zu halten, lassen Rückschlüsse zu auf etwas, das man Konkurrenzgefühle Männern gegenüber nennen könnte, mit einer Menge Ressentiment und vielleicht sogar Angst vor männlicher Dominanz.

Alle beide waren unsicher, ob sie sexuell akzeptabel seien, und zu Beginn hat diese Unsicherheit ihnen sicherlich geholfen, ersten Kontakt zueinander zu finden. Denn Will zeigte sich sanft und drängte Carola nicht. Und Carola gab sich einen Hauch Unabhängigkeit. Das war deshalb wichtig, weil Will keine von ihm völlig abhängige Frau wollte, sondern jemanden, der eher ein wenig auf ihn aufpaßte.

Als sie beide merkten, wie müde sie sein würden noch bevor sie in Wills Wohnung ankämen, fingen beide an, in Zweifel zu ziehen, ob sie vom anderen sexuell akzeptiert werden würden. Will schützte Sonnenbrand und Rückenschmerzen vor, in der Hoffnung, Carola würde aufgeben. Er konnte mit dem Rücktritt nicht anfangen, er hatte einfach zu wenig Zutrauen. Er fürchtete, seine Männlichkeit könnte in Zweifel gezogen werden.

Carola war in einer ähnlichen Situation. Ihr Konkurrenzgefühl gegen Männer wuchs durch Wills Unbestimmheit. Sie fühlte sich durch den Mann herausgefordert und mußte deshalb die Oberhand gewinnen, sobald sich nur die Gelegenheit ergab.
Diese Situation der Anpassung aneinander, die zu Sexkontakt führte, obwohl ihn keiner von beiden wollte, verschleierte zusätzlich diese Problematik. Und die Erfahrung selbst bestätigte dann ihre Ängste.
Will erreichte manches Mal seinen Orgasmus sehr schnell, noch bevor seine Partnerin soweit war. Und Carola wußte, daß sie nicht immer zu einem Orgasmus fähig war. Aber sie wußte, daß sie nie einen hatte, wenn sie müde war. Will hatte Schwierigkeiten, sich selbst zu kontrollieren. Carola versagte. Das erste Beisammensein barg also ein hohes Risiko sexuellen Fehlschlags für beide.
So entstand die quälende Befürchtung, daß das sexuelle Verlangen des Partners zu anspruchsvoll werden könne.
Schließlich hatte der vorgetäuschte »wechselseitige« Orgasmus bewirkt, daß wieder einmal einer Illusion durch Anpassung der bekräftigende Stempel aufgedrückt wurde.
Jedoch auch andere Faktoren, die in ihrer Beziehung eine Rolle spielten, wirkten in den nächsten Monaten nach. Sie liebten einander. Aber verunsicherte und schuldhafte Gefühle lösten eine unangenehme Erfahrung nach der anderen aus. Ihre Beziehung war auf einem Nullpunkt angelangt, als sie zu uns kamen, um die Methoden partnerschaftlichen Verhaltens zu lernen.
Als sie von sich bericheten, wurde bald deutlich, daß die meisten ihrer frustrierenden Erlebnisse lediglich ein Kunstgriff waren, vom Partner etwas Distanz zu gewinnen. Dies geschah meist dann, wenn sie beim anderen eine sexuelle Forderung vermuteten und glaubten, ihr nicht angemessen begegnen zu können.
Ähnlich glaubten beide, daß entweder er oder sie das zu leisten hätten, wozu angeblich »jeder Mann« oder »jede Frau« fähig ist. Sie hatten eine heftige Auseinandersetzung, als Will neue Vorhänge genäht haben mußte und Carola, die nicht nähen konnte, sofort das Empfinden hatte, sie müsse ihre Hilfe anbieten. Eine andere Auseinandersetzung ergab sich, als Will Carola Undankbarkeit vorwarf, als sie ihn um einige Reparaturen gebeten hatte, die er nicht auszuführen wußte.
Im Laufe der Zeit lernten Will und Carola mit Hilfe der Pairing-

Methode, sich vorbehaltlos offen zu geben. Carola bat ihn darum, weniger sexuelle Ansprüche an sie zu stellen und er gab zu, daß er eigentlich denselben Wunsch hatte. Danach konnten sie sich auch ihre anderen Gefühle über Sexualität und ihre Versagungsängste offen bekennen.

Konservative Therapeuten hätten Will und Carola wahrscheinlich zu einem Psychoanalytiker geschickt. Wir entschieden, daß dies überflüssig war und irgendwann hatten beide die Technik des Pairings erlernt und wurden fähig, Vertrauen zueinander zu entwikkeln. Als sie sich auf die echten Gefühle füreinander verlassen konnten, ließen auch ihre Ängste nach. Seit beide genau wußten, was der andere sich wünschte und welche Gefühle jeder beim anderen auslöste, empfanden sie keine Bedrohung mehr.

Wir haben die individuelle Genese der beiden nicht bis ins Kindesalter zurückverfolgt. Es ging darum, daß beide sich mit ihrer gegenwärtigen Beziehung und den sich daraus ergebenden Problemen beschäftigten. Ihre Ängste wurden dadurch vermindert, daß sie immer wieder erlebten, daß sie fähig waren, an gegenwärtigen Problemen und realistischen Bedrohungserlebnissen erfolgreich zu arbeiten. Zu Beginn vorhandene leicht neurotische Symptome und Tendenzen verschwanden.

Die Pairing-Technik bewirkt häufig eine Gesundung der ganzen Persönlichkeit, da sie die Verhaltensformen gegenüber der gesamten Umwelt entscheidend verändert. Will berichtete z. B., daß seine neu erworbene Fähigkeit, aufrichtig zu sein, ihn im Berufsleben viel effektiver sein ließ, sowohl seinem Chef wie auch den Kunden gegenüber, und daß ihm eine Beförderung bevorstehe.

Eine wesentliche Bedeutung der Pairing-Technik besteht sicherlich darin, daß sie potentiell komplexe Probleme sofort wenn sie entstehen aufdecken kann, so daß sie noch verhältnismäßig einfach zu bearbeiten sind. Z. B. wäre das Problem von Will und Carola noch einfach und wirksam zu bearbeiten gewesen, als sie die ersten Augenblicke miteinander im Bett verbrachten.

Der Grund ist, daß das Denken dem Gesagten noch sehr nahekommt und darum keine Notwendigkeit besteht, mit Hilfe eines Quadrilogs die echten von den geäußerten Gefühlen zu unterscheiden.

Der folgende Meinungsaustausch entspräche etwa den wirklichen Gefühlen:

Will:
Es ist wunderbar, Dich hier so allein, ganz nahe bei mir zu haben. Aber ich bin *so* zerschlagen, daß ich fürchte, jetzt ein verdammt schlechter Liebhaber für Dich zu sein.

Carola:
Ich weiß, was Du meinst. Ich bin im Augenblick so lebendig wie eine tote Flunder. Mein Haar ist ein Trauerspiel und ich muß immerzu daran denken, wie ich es wohl bis morgen zur Arbeit wieder in Ordnung bekomme. Verstehst Du, ich bin im Bett absolut keine Kleopatra oder etwas ähnliches, und für mich ist es ungemein wichtig, Dich nicht zu enttäuschen. Denn ich habe wirklich Verlangen nach Dir, und ich hoffe, Du begehrst mich auch.

Will:
Oh, hör auf, Dich schlecht zu machen! Du hättest jedem Mann den Kopf verdreht. Immer wenn ich Dich berührt habe, träumte ich davon, so nah wie jetzt bei Dir zu liegen. Aber wir sollten uns wirklich zugestehen, daß wir menschlich genug sind, um müde zu sein, und wir wollen uns das erste Miteinanderschlafen nicht verderben. Meinst Du nicht?

Carola:
Wenn wir bald wieder zusammen sind, stimme ich Dir zu. Wenn nicht, muß ich es sofort versuchen, und Dich gleich verführen.

Will:
(legt den Arm um sie)
Du bist wirklich eine besondere Frau, Carola. Es ist mein Fehler, daß wir erst so spät nach Hause gekommen sind. Hör zu: Manchmal wache ich sehr früh auf; es wäre möglich, daß es dann passiert. Dann wären wir beide auch ein wenig ausgeruht.

Carola:
Will, wirst Du mich wecken, wenn Du aufwachst? Ich könnte Dir dann einen Kaffee oder irgendetwas machen. (Sie lächelt im Dunklen).

Will:
Gut, falls ich früh aufwache, werde ich mich rasieren, bevor ich Dich wecke.

Carola:
Will?

WILL:
Ja.

CAROLA:
Warum stellen wir den Wecker nicht ganz früh?

Dieser Meinungsaustausch klärt mögliche Probleme sehr schnell und wäre daher ein sehr gutes Pairing-Gespräch. Der entscheidende Wert liegt in der Direktheit, mit der ehrliche Empfindungen ausgeprochen werden.
Zu sagen, daß das Transparentmachen von Gefühlen das sei, was Liebende brauchten, wäre genauso sinnlos, als wenn man sagte, daß es ärmeren Leuten sicher besser ginge, wenn sie mehr Geld hätten. Furcht und Angst verhindern bei vielen Menschen, daß sie überhaupt um ihre innersten Empfindungen wissen oder es nicht wagen, sie offen auszusprechen.
Freie Gefühlsäußerungen sind erst dann möglich, wenn ein Mensch von den – sehr schwer zu identifizierenden – Intimitätsängsten befreit ist. Offenheit und Echtheit sind nur möglich, wenn man sich sicher fühlt.
Das größte Problem in den Pairing-Gruppen besteht darin, die Angst zu mindern, die bei den ersten Liebesanzeichen entsteht, und die tiefer und komplexer wächst als die Liebe, so daß eine Trennung zu einer echten Bedrohung wird.
Für diese Problematik haben wir Lösungswege gefunden, und viele von ihnen sollten möglichst erlernt sein, *bevor* man ersten Kontakt mit einem möglichen Intimpartner aufnimmt. Dies würde verhindern, daß Beziehungen durch Angst und unrealistischen Formalismus erschwert und möglicherweise sogar verhindert werden.

8. Blick für Intimität und innere Bereitschaft

Die Möglichkeit, neue Kontakte zu knüpfen, ist abhängig von der Entwicklung der persönlichen Fähigkeit, ein aktives Gegenüber zu sein. Diese Fähigkeit wollen wir Valenz* nennen. Den Begriff entleihen wir der Chemie. In der Sprache der Chemiker bedeutet Valenz die Stärke der sich vereinigenden Kräfte eines Atoms. In der Pairing-Terminologie nennen wir Valenz die zusammenwirkenden Kräfte und Fähigkeiten einer Person. Der Schlüssel, um diese Fähigkeiten wirksam werden zu lassen, ist die Aufdeckung der wirklichen »Hier-und-jetzt«-Empfindungen dem Partner oder anderen Menschen gegenüber. Ein solches offenes Verhalten führt dazu, daß auch der jeweilige Partner aufrichtig reagiert. So wird eine Rückmeldung des Erlebens geschaffen, die für einen bestimmten Augenblick in einer bestimmten Situation gültig ist – es entsteht ein unmißverständlicher Informationsaustausch. Man kann also durch faire Fragen den wirklichen emotionalen Zustand einer Beziehung erfahren.

Schon das Vertrauen in das Pairing-System steigert unwillkürlich die Fähigkeit zu mehr Intimität. Derjenige, der sich mit diesem System beschäftigt, lernt, daß die Pairing-Techniken angenehme Überraschungen bringen — nämlich ein unerwartetes Interesse am anderen und seiner Vielschichtigkeit. So wird er weniger dazu neigen, Menschen als Stereotypen oder als »Objekt« zu behandeln und wird sich nicht mehr so um Distanz bemühen. Er wird neugierig auf den anderen werden. Er möchte ihm näherkommen.

Seine romantischen vorgefaßten Meinungen, wie der Lebensgefährte sein sollte, werden durch eine offenere und aufgeschlossene-

* Es ist hier nicht der Valenzbegriff von KURT LEWIN's psychologischer Feldtheorie gemeint, der sich mit der Stärke der anziehenden oder abstoßenden motivbedingten Ziele befaßt.

re Haltung dem anderen gegenüber ersetzt. Und sein früherer Traum, einfach in einen magischen Raum zu treten und dort leuchtenden Auges seinen ihm völlig entsprechenden Partner zu finden, den einzigen wahren Partner – dieser Traum zeigt sich endlich als das, was er ist: leere Illusion.

Der erste Schritt, die eigene Valenz zu erhöhen, ist, sich Situationen auszusetzen, in denen man neuen Menschen begegnet. Viele Alleinstehenden behaupten, sie seien zu »schüchtern« oder sie »wollten nicht in die Privatsphäre eines anderen eindringen«. Wir machen ihnen klar, daß »Privatsphäre« nur ein Deckname für einsame Menschen ist, und daß »Schüchternheit« nur ein Ausdruck für die Angst ist, die eigenen Gefühle würden nicht akzeptiert. Und wir sagen ihnen auch, daß es besser ist, das Risiko zu tragen, einen übersensiblen Fremden vor den Kopf zu stoßen, als einen möglichen Intimpartner zu verpassen, der nicht weiß, daß es Dich gibt. Falls Sie sich nun selbst Gedanken machen, ob Ihre Gefühle unannehmbar sind, raten wir Ihnen, Ihr Gefühl zu äußern, um das Eis zwischen Ihnen zu brechen:

»Was empfinden Sie dabei, wenn Sie mich hier so treffen? Ich erlebe . . .«

In unseren Pairing-Sitzungen lehren wir solche Einleitungsdialoge in drei Phasen, die in späteren Kapiteln noch ausführlicher behandelt werden:

1. Die Rollen vermeidenden Eisbrecher.

Wenn eine Frau zu einem Mann sagt: »Was tun Sie gerade?«, wäre es gut, wenn er antwortete: »Ich sollte es Ihnen besser nicht erzählen«. Falls sie dann wirklich an ihm interessiert ist, könnte sie ihn weiter fragen: »Versuchen Sie, sich geheimnisvoll zu machen?«. Eine gute Pairing-Antwort wäre dann: »Im Gegenteil, ich möchte, daß Sie sich für mich interessieren und nicht für meine Arbeit.« Auf diese Art wird es möglich, alles »Sachliche« zurückzuweisen zugunsten neuer Hier-und-jetzt-Erlebnisse der Gedanken und Gefühle.

2. Die persönlichen Vorbehalte.

Wir haben festgestellt, daß es für Intimität am günstigsten ist, wenn Vorbehalte, die einem Unbekannten gegenüber bestehen, so bald wie möglich ausgesprochen werden. Der Unbekannte könnte dies als vermessen empfinden, und so ist es günstig, die Aussprache ganz kurz einzuleiten: »Würde es Ihnen etwas ausmachen, wenn ich Ihnen sage, was mich bisher daran gehindert hat, zu Ihnen freundlich zu sein?« Diese einleitenden Worte machen dann folgende Aussage möglich: »Mir ist aufgefallen, daß Sie bei jeder möglichen Gelegenheit Ihren geschiedenen Mann erwähnen. Das stört mich ziemlich. Gibt es umgekehrt etwas, was ich gesagt habe und was *Ihnen* komisch vorkommt?«

3. Nutzen Sie jede Auseinandersetzung auch für sich selbst. Das Auskundschaften von Gegensätzlichkeiten (s. Kap. 12) kann brauchbaren Stoff für Pairing ergeben.

Jeder weiß, daß einige Menschen offener und herzlicher sind als andere. Aber die Zahl der möglichen Intimpartner ist für jeden enorm hoch. Man könnte zwar nicht ihre Haarfarbe vorhersagen, ihren Beruf und ihr Alter oder sonst einen bestimmten Faktor. Aber als Intimpartner sind sie alle ganz real möglich. Alles, was Sie mit Ihnen unbekannten Menschen versuchen, führt zu einer abenteuerlichen Entdeckung eines neuen Landes. Solange Sie dieses Neuland nicht wirklich betreten, sondern immer nur davon träumen, können Sie gar nicht wissen, was Sie alles finden werden. Sie müssen die Flüsse selbst überqueren und die Beschaffenheit der Erde unter den Sohlen spüren. Diejenigen, die ernsthaft nach Intimität suchen, werden notwendig zu *Darwin* auf einer unentdeckten Insel. Unendlich wachsam, beobachtend und neugierig, werden sie eine neue Landkarte zeichnen.

Die Soziologie stützt diese Auffassung. Menschen sind voneinander abhängige Glieder einer Kette. Sie haben einen Freund, der wiederum einen Freund hat, der Berufskollegen, Nichten, Klubkameraden, eine Geliebte und einen Nachbarn hat usw. Jeder Mensch, mit dem Sie versuchen, Intimität zu erleben, ist ein Glied einer solchen Kette. Wenn Sie sich einmal in eine solche Kette eingliedern, kann sich Ihre Bezugswelt enorm vergrößern; beobachten Sie diese Ketten genau, so werden Sie entdecken, daß es dabei unendlich viele Menschen gibt, die über eine stark ausgebildete Fähigkeit zur Intimität verfügen.

Ist die Valenz Ihrer Persönlichkeit so weit wie möglich entwickelt, werden sich Ihnen viele solcher Ketten öffnen. Zwei Partner können sich eine gute, sichere Basis schaffen, wenn sie beide unabhängig voneinander in einem möglichst breiten sozialen Wirkungsfeld aktiv bleiben. Partner, die völlig isoliert und abgeschlossen von der Umwelt miteinander leben, entwickeln häufig große Ängste und ge-

radezu Feindseligkeit gegen die Außenwelt. Sie sind psychisch stark gefährdet. Ich möchte noch hinzufügen, daß die Überschneidung zweier unterschiedlicher Gesellschaftskreise meist die Gespräche enorm anregt.
Partner, die miteinander allein in die Wälder fliehen (oder auf die Bahamas), erleben immer wieder, daß ihr Zusammenleben allmählich unerträglich wird. Diejenigen aber, die einen Freundeskreis haben, der Pairing als Lebensform akzeptiert, können in ihm auch soziale Bestätigung finden und sich dadurch bewußter erleben.
Das Schaffen sozialer Kontaktgruppen bedeutet nicht, daß man wahllos Freundschaften knüpft. Es ist lediglich eine Form, seine Neigung und seinen Wunsch nach Kontakt zu pflegen. Man lernt zunächst, Personen zu entdecken und dann zu wählen. So stellen Sie aufgrund realistischer Information eine solide Basis her. Der illusionäre Weg, sich über Symbole und Bilder oder Masken und Fassaden eine Beziehung zu schaffen, wird überflüssig.
Viele Menschen wehren sich trotzdem gegen diese Einsicht. Ein junger Mann unseres Pairing-Kurses erlernte die Technik, Intimität zu schaffen, sehr gut, praktizierte sie aber nur mit eleganten, attraktiven Frauen. Er ging viele Beziehungen ein, beklagte sich aber immer wieder, daß sie unbefriedigend seien und meinte, daß bei diesen Schönheiten das Potential für Intimität nur sehr begrenzt sei. Eines Abends kam er ganz aufgeregt zur Sitzung. »Ich weiß, daß es wie die abgedroschenste Pfadfindergeschichte klingen wird, aber ich habe heute einer kleinen alten Dame geholfen. Sie quälte sich mit Einkaufstüten beladen aus einer Geschäftstür und ich bot an, ihr zu helfen und ihr ein Taxi zu rufen. Sie sagte, daß sie nur wenige Häuser weiter wohne und so begleitete ich sie den ganzen Weg nach Hause. Plötzlich waren wir in einem richtigen Gespräch. Sie erwartete ihre Enkelin zum Kaffee und bat mich, doch zu bleiben. Was für eine Enkelin! So obenhin betrachtet, war sie ein wenig zu füllig, aber irgendwie strahlend und voller Empfindung, und morgen werden wir ...«
Solche Geschichten gibt es sehr, sehr viele. Entscheidend bleibt, daß der beste Weg, Intimität zu finden, der ist, selbst eine zur Intimität fähige Person zu sein, offen gegenüber allen Menschen in der Welt, denn diese Welt ist voll von guten Partnern.
Je mehr Erfahrungen Sie darin haben, diese Intimität herzustellen, desto fähiger werden Sie auch, ein guter Intimpartner zu sein.

Wenn ein in Pairing-Techniken Erfahrener einen Partner findet, ist er für eine gute Beziehung besser ausgerüstet und versteht es eher, die Interessen und Wünsche dieses möglichen Partners herauszufinden.
Wie wählt man Menschen aus, mit denen man Intimität erleben möchte? Eine Möglichkeit ist es, räumliche Nähe herzustellen. Menschen, die dasselbe Verkehrsmittel benutzen wie Sie, die in einem Restaurant mittags neben Ihnen sitzen oder die sich mit Ihnen im gleichen Wartezimmer beim Arzt aufhalten: sie alle sind mögliche Begegnungen. Allerdings benötigen Sie eine gewisse Zeit, um den Anfangskontakt herzustellen. Es ist sicher nicht sinnvoll, jemanden aufzuhalten, der gerade einer Verabredung entgegeneilt.
Das wesentliche Kriterium aber ist Ihr allgemeines Interesse für Menschen überhaupt – schon in Kleinigkeiten, die Ihre Aufmerksamkeit aufs angenehmste erregen, wie das Aussehen, eine Geste, ein Wort oder auch die Notlage eines anderen. Man kann viel dafür tun, das Interesse am anderen zu steigern. Nur muß man sich die Mühe machen, die Welt und die Menschen ganz real wahrzunehmen. Am besten verhalten Sie sich so, als wären Sie ein Reporter, der dies alles später beschreiben muß. Setzen Sie sich in ein Restaurant nahe der Tür und betrachten Sie jeden, der eintritt, ganz nah. Stellen Sie sich bei einer Ampelanlage an den Zebrastreifen und betrachten Sie die Menschen genau, die Ihnen entgegenkommen. Allein die Tatsache Ihres Interesses wird Ihnen helfen, offener wahrzunehmen und wird Sie zugleich auch offener erscheinen lassen. Ein Teil der Freude, einen unbekannten Menschen »zu knacken«, steckt darin, zu beobachten und beobachtet zu werden. Und dabei herauszubekommen, was die Beobachtungen bedeuten.
Mögliche Intimpartner sind immer an Zeichen interessiert, die ihnen vermitteln, ob sie angenommen oder abgelehnt werden. Wir wollen Ihnen Gesten und Ausdrucksformen nennen, die Ihnen helfen, bei anderen zu erkennen, ob sie offen oder verschlossen sind.

Offen – aufnehmend	*Verschlossen – sich ausschließend*
Die Beine erst bei den Fußknöcheln gekreuzt.	Die Beine sind hoch und eng übereinandergeschlagen.
Lehnt sich gegen eine Wand,	Steht so an der Wand, daß er einen

die Beine leicht auseinanderstehend, die Arme an der Seite.	Fuß weiter nach vorn schiebt, die Arme entweder verschränkt oder angewinkelt (wie ein Boxer) hält.
Die Handflächen sind nach außen gerichtet und geöffnet	verschränkte oder gefaltete Hände
ein offenes Gesicht, die Augen beobachten die Gesichter anderer Menschen	häufig wird das Gesicht, Kinn oder der Mund mit den Händen verdeckt. Die Augen sind gegen die Decke oder nach unten gerichtet.
wendet sich anderen zu oder berührt sie	zieht sich in sich zurück oder streichelt sich selbst
hält den Geldbeutel oder die Pfeife nicht krampfhaft fest,	den Geldbeutel im Schoß, die Pfeife im Mund
leckt sich die Lippen oder kaut mit offenem Mund	zusammengepreßte Lippen, zusammengebissene Zähne und nasereibend
ein leichtes Seufzen und nach vorn gerichtete Schultern	ein kurzer Seufzer mit schnellem Schulterzucken
Hände *hinter* dem Kopf zusammengefaltet, Zeigen der Achselhöhle, Herausstrecken der Brust	die eine Hand hält die andere über dem Schoß fest
direkter offener Blick	unstete Blicke, gewöhnlich eine Hand am Gesicht, die immer bereit ist, die Augen zu verdekken.
Raucher, die ihre Asche lange wachsen lassen.	Raucher, die ständig die Asche abstreifen
Während des Trinkens stellen sie das Glas oder die Tasse häufig ab	halten das Glas zwischen sich und die anderen
Raucher, die ihren Rauch nicht anderen Personen ins Gesicht blasen	sie blasen einen Rauchschleier zwischen sich und die anderen

Psychologen haben immer wieder betont, daß es bei diesen Verhaltensweisen geschlechtsspezifische Unterschiede gibt; wir stellen aber immer wieder fest, daß diese Gesten nicht geschlechtsspezifisch unterschieden werden können, sondern nach dem Grad des Vertrauens oder Mißtrauens, das eine Person entwickelt hat. Wir möchten jedoch betonen, daß das »Gesten-Lesen« genauso wie das »Gedanken-Lesen« immer auf seine Richtigkeit hin überprüft werden muß. Normalerweise kann man dies direkt überprüfen:
»Ich habe beobachtet, daß Sie sich gegen die Wand lehnten und zu niemanden sprachen. Ich vermute, daß Sie die Party so schnell wie möglich verlassen möchten – stimmt das?«
Versuchen Sie immer, wenn Sie andere Menschen beobachten, Ihr Auge für Details zu schärfen, da sie Ihnen viele spezielle Informationen geben können. Haben die Kleider einen ausgefallenen Schnitt? Was trägt die Person? Was liest sie gerade? Bestellt sie sich eine spezielle »Diätkost«? Öffnet er seinen Kragen, weil es ihm warm ist? Läßt sein Husten auf einen starken Raucher schließen? Läßt die Leichtigkeit, mit der er mit dem Wärter scherzt, auf Mitteilsamkeit schließen? . . .
Viele Menschen sind so sehr mit sich selbst beschäftigt, daß sie mit einem Freund schon eine Stunde zusammen sein können, ohne das offensichtlich vorhandene physische Unwohlsein oder emotionale Belastungen wahrzunehmen. Mangel an Aufmerksamkeit kann die Entwicklung einer Intimität ernsthaft gefährden.
Eines Tages kam eine Dame unseres Seminars ganz entzückt von sich selbst zur Sitzung. Sie hatte erfahren, wie genau sie wahrnehmen konnte (»Blick für Intimität«). Sie berichtete: »Ich aß zweimal mit meiner Chefin und beide Male bemerkte ich, daß sie nur auf einer Mundseite sehr zaghaft kaute. Ich fragte sie, ob ihre Zähne sie behinderten. Durch meine Beobachtung war sie ganz verwirrt. Sie sagte dann, daß sie kaum essen könne und sich schon einige Wochen miserabel fühle, da sie eine schwierige Zahnbehandlung hinter sich habe. Sie fügte hinzu, daß sie es wunderbar fände, wenn mehr Menschen sich so offen äußern könnten, und begann, sich mir zum ersten Male mit ihren Sorgen und Wünschen anzuvertrauen, die ihr Geschäft betrafen.«
Hier wird deutlich, daß frei geäußertes Interesse am anderen dessen Gegeninteresse weckt. (Eine ungewöhnliche Ausnahme bildet der sogenannte Eisberg – damit meinen wir einen Menschen, der

unfähig ist, Intimität zu erleben. Wir warnen unsere Seminarmitglieder immer wieder davor, sich völlig zu verausgaben, um einen »Eisberg« aufzutauen; denn jedes noch so angemessene Bemühen, Intimität zu wecken, wird ohne Reaktion bleiben.)
Das Interesse, das man ausdrücken möchte, muß immer aufrichtig sein, selbst wenn man dabei anfänglich ein wenig unbeholfen oder befangen erscheint. Dies ist die einzige Möglichkeit, das Mißtrauen auszuschalten, das die Gesellschaft uns vermittelt hat, wenn wir unser Interesse einem Unbekannten gegenüber offen aussprechen.
(Das Ziel unserer Gruppentherapie ist keineswegs, dauerhafte intime Beziehungen zu schaffen. Die Freude, sich neu kennenzulernen und zu entdecken, ist ein Wert für sich.)
Um das Mißtrauen vor Unbekanntem zu veranschaulichen, bestimmen wir jeweils ein Seminarmitglied, sich an das Ende einer langen engen Straße von Beverly Hills zu stellen. Sobald irgend jemand auf der anderen Seite der Straße auftaucht, soll er sich auf den anderen zubewegen und sich voll auf ihn konzentrieren, ihn beobachten, bis er ganz nahe ist, um ihm dann den Weg nicht einfach freizugeben. Wir sind es nicht gewöhnt, Menschen so zu begegnen und so waren die verschiedenen Reaktionen auch bemerkenswert. Immer wurde der Unbekannte ein wenig verwirrt. Einige Männer reagierten so, als ob die Seminarmitglieder – egal ob Frau oder Mann – sie zum Kampf herausforderten. Sie wurden angespannt und kampfeslustig. Andere waren so befangen, daß sie sich überlegten, ob etwas mit ihnen selbst nicht stimme. Die überwiegende Mehrheit aber handelte so, als ob die Seminarmitglieder etwas von ihnen wollten. Manche sagten: »Haben Sie sich verlaufen?«, »Möchten Sie einen Weg wissen?«, »Was haben Sie gesagt?«. Zwei nannten den Seminarmitgliedern sogar die Uhrzeit; offenbar erklärten sie sich die Situation dadurch, daß sie annahmen, man habe ihnen wirklich eine Frage gestellt.
Offen geäußertes Interesse — gleichgültig in welcher Form — trägt einen starken Reiz zum Impact in sich. Aber dieser Impact kann in akute Angst oder ein völliges Zurückziehen umschlagen, wenn er nicht direkt und logisch erklärbar ist. Überzeugend wäre folgender Satz bei einer Unterhaltung: »Es hat mich sehr interessiert, was Sie zu dem Problem sagten.« Das Interesse muß lediglich real sein und durch bestimmte Stellungnahmen verstärkt werden, so daß die Aufrichtigkeit deutlich wird.

Verbal sind die meisten Menschen sehr aufnahmefähig. Im Gespräch können Sie deshalb gut üben, den Aktiveren zu stoppen; um Ihre Meinung in einer offenen Konfrontation mit ihm abzustimmen, wobei Sie versuchen müssen, seine Hintergedanken herauszubekommen. Versuchen Sie nie, aus Höflichkeit mit anderen Personen übereinzustimmen. Da gerade Überredungskünstler immer wieder die guten Manieren anderer ausnutzen, sollte man sie nicht weiter davon profitieren lassen.

Die Teilnahme zweier Menschen an einem Objekt ist zwar nicht das höchste Ziel des Impacts, ermöglicht aber einen guten Anfangskontakt. Das Streicheln eines Hundes ist wohl das bekannteste Beispiel. Voraussetzung ist aber, daß Sie den Hund wirklich mögen, ansonsten wird *er* die Unaufrichtigkeit spüren. Im allgemeinen wird ein geäußertes und ausgelebtes reales Interesse, mit einem anderen teilen zu wollen, von selbst als aufrichtig erlebt.

Kontakt durch gemeinsames Teilhaben an einem Objekt zu finden, gelingt am besten, wenn ein Bezug zur eigenen Person oder eine Aussage über den eigenen Lebensstil oder sonstige Belange möglich wird.

Eine unserer Trainingsaufgaben besteht darin, unsere Mitglieder zu veranlassen, sich eine kurze Flugreise vorzustellen, auf der sie mit irgend jemanden Kontakt aufnehmen und versuchen sollen, Intimität herzustellen, so daß die Begegnung später noch weitergeführt werden könnte. Als Modell benutzen wir den Flug Los Angeles – San Francisco, der ungefähr 45 Minuten dauert.

Eines unserer Seminarmitglieder, eine phantasievolle und aufrichtige Dame, befand sich wirklich, eine Woche nachdem sie diese Übung bei uns im Training kennengelernt hatte, auf dieser Flugreise. Sie saß neben einem sehr attraktiven Mann. Er las den »Playboy« und war von einem langen Artikel voll in Anspruch genommen. Zehn Minuten waren schon vergangen und als einziges aufrichtiges Interesse fiel ihr nur ein, daß sie den Mann attraktiv fände. Die Vorstellung, ihm dies wirklich zu sagen, machte ihr Unbehagen.

Unsere Regel, das eigene reale Interesse zu ermitteln, heißt: meditieren. Die oben beschriebene Dame nahm sich eine volle Minute, um sich ganz auf den Mann neben ihr zu konzentrieren. Sie strengte ihre Beobachtungsfähigkeit stark an, um über diesen Mann Informationen zu gewinnen. Aber sie ließ sich immer wieder von dem Magazin ablenken und las ungewollt mit, so daß sie nicht weiter nachdachte. »Schließlich«, erzählte sie uns, »fand ich das, was mich wirklich interessierte. Ich fürchtete, lächerlich zu erscheinen, aber ich nahm all meinen Mut zusammen und fragte: ›Würden Sie mir das Aktphoto in der Mitte des Heftes zeigen, wenn sie soweit sind?‹« Der Mann war ein wenig verdutzt, aber nachdem er sie angesehen hatte, blätterte er um zum Aktphoto. Beide betrachteten es schweigend zusammen. Dann fragte er sie: »Würden Sie mir vielleicht erklären können, warum Sie dieses Bild sehen wollten?« »Ja, ich schaue mir Aktphotos sehr gern an, der menschliche Körper fasziniert mich immer wieder.« Dann dachte sie eine Weile nach und konnte die Gefühle ausdrücken, die ihr gerade wichtig waren. »Aus irgendeinem Grund«, fügte sie hinzu, »wußte ich, daß ich Sie darum bitten konnte und Sie nicht verärgert sein würden. Sie sehen so ausgeglichen und reif aus.«

Plötzlich war der Dialog möglich. Der »Blick für Intimität« hatte ihr Interesse und seine Ansprechbarkeit erspürt. Sie zeigte sich offen und verantwortungsvoll zugleich als ein Mensch, der das Risiko, abgelehnt zu werden, auf sich nimmt. Denn sie wurde von diesem Mann stark genug angezogen, um das Spiel zu wagen. Die Art ihres Angebots war im klassischen Sinne aufrichtig, denn sie war wirklich interessiert und machte ihm keine Verhaltensvorschriften, so daß er ganz unbefangen reagieren konnte.

Wir lassen unsere Seminarmitglieder längere Zeit allein meditieren, bevor sie unsere Übungen praktizieren. Für westliche Ohren mag dies befremdlich klingen. Aber wir empfehlen die Meditation, um zur Realität zu finden und benutzen sie nicht dazu, um praktisch lösbare Probleme im Kopf zu lösen. Es ist wichtig, für sich selbst zu klären, welche Wahlmöglichkeiten vorhanden sind, um ein Problem zu lösen und dann zu entscheiden, welche Möglichkeit im Augenblick die beste ist.

Für die Meditation benötigt man einen ruhigen Ausgangspunkt, der alle Zerstreuungsmöglichkeiten ausschaltet. Dazu ist jedes Objekt geeignet, das eine monotone Struktur im visuellen oder akustischen Bereich enthält – ein Mobile, eine Flamme, ein Pendel, Meereswellen, Sonnenunter- und -aufgänge. Sie beobachten, konzentrieren sich, entspannen sich und meditieren.

Es kann sein, daß Sie jemanden anrufen möchten, der Sie gerade darum gebeten hat, ihn alleinzulasssen. Sie erleben einen Konflikt und zögern. Entspricht dieser spontane Einfall, die Kommunikation wieder aufzunehmen, wirklich dem, was Sie in dieser Beziehung tun möchten? Geben Sie vielleicht nur Ihrem Gefühl der Unsicherheit nach oder drücken Sie Ihren Wunsch aus, für jemanden sorgen zu wollen?

Verwickeln Sie sich selbst in einen Dialog, vielleicht sogar laut, und erwägen Sie beide Seiten der Situation – mit all Ihren sich widerstreitenden Gefühlen – so ausführlich Sie irgend können. Falls Sie ein Tonband besitzen, können Sie Ihren »inneren Dialog« sogar aufnehmen. Ist Ihr Dialog beendet, hören Sie sich das Band noch einmal an. Sich selbst hören zu können, bedeutet ein nützliches feed-back für Sie. Hören Sie ganz aufmerksam zu und entscheiden Sie, welche Reaktion Ihnen am realistischsten erscheint.

Sie werden merken, was Sie echt und was Sie unecht erleben. Bleiben Sie dennoch unschlüssig, bemühen Sie sich um weitere Meditation oder sprechen Sie mit Ihrem Partner oder einem Freund über Ihre Situation.

Wir zeigen unseren Seminarmitgliedern, wie sie ihre persönliche Valenz am besten zu ihrem Vorteil nutzen können. Wir empfehlen Ihnen, sich ohne Scheu fast allen gegengeschlechtlichen Personen gegenüber neugierig zu verhalten, wodurch Sie leicht ihr eigene Anziehungskraft testen können. Äußere Erscheinungsmerkmale können allerdings völlig falsche Eindrücke erwecken, da sie in den westlichen Kulturen weit mehr den äußeren Konformitätsdruck widerspiegeln als die Persönlichkeit selbst.

Verschiedene Möglichkeiten, Neugier auszudrücken:

1. Vermeiden Sie die »verschlossenen – sich ausschließenden« Verhaltensweisen, beobachten Sie sorgfältig und direkt und machen Sie deutlich, daß Sie an der Unterhaltung interessiert sind.

2. Vermeiden Sie Klassifizierungen (wie verheiratet – nicht verheiratet, wohlerzogen oder nicht erzogen, humorvoll oder nicht humorvoll). Situative äußerliche Merkmale oder Stimmungen können sehr trügerisch sein.

3. Wenn Sie einem Unbekannten innerhalb einer Menge begegnen wollen, isolieren Sie ihn oder sie, denn für ein erstes Kennenlernen stimmt es, »daß zwei eine Gemeinschaft, drei eine Menschenmenge sind«. Manchmal genügt es, den anderen in irgendeine mögliche Intimität zu verwickeln, so daß es ganz leicht ist, ihn von den anderen zu entfernen.

Es gibt effektive und ineffektive Möglichkeiten, das Empfinden für das Intimitätspotential des anderen zu entwickeln. Die meisten Menschen tasten sich indirekt vor, um es zu entdecken (Fischfang); wir empfehlen eher direkte Methoden (Köder werfen).
Wir führen Ihnen zwei Unbekannte im Gespräch vor:

Die Fischfang-Methode (traditionsgebunden)	*Die Köderwurf-Methode (aufrichtig, gezielt)*
Sie: Oh, was für ein Knopf ist das an Ihrem Jakett?	Ich möchte Sie gern kennenlernen.
Er: Das ist meine Plakette von der Handelskammer.	Darüber freue ich mich. Sie sind mir auch aufgefallen.
Sie: Aus welchem Department stammt sie? Ich bin aus Texas.	Ich hoffte, daß es so wäre.
Er: Es ist der Militäranzug von Arizona. Haben Sie ihn noch nicht gesehen?	Setzen wir uns doch dort drüben hin, dort können wir erzählen.
Sie: Nein, aber ich kenne Arizona sehr gut.	

Jeder Kontaktsuchende hat zunächst nur ein Anliegen, wenn er einen Unbekannten trifft, der ihn interessiert: Wie zeige ich mein Interesse?
Eine junge Frau, die ihren Bruder am Flughafen erwartete, bemerkte einen attraktiven Mann, der nervös auf und ab ging:

Sie:
Während ich hier sitze, beobachte ich, daß Sie die ganze Zeit hier auf und ab gehen.

Er:
Warten macht mich nervös.

Sie:
Auf wen warten Sie? Ich warte auf meinen Bruder. (Sie interviewt den Mann nicht nur, sondern bereitet den Weg vor, wie sie gerne mit ihm sprechen möchte.)

Er:
Ich erwarte einen Geschäftsfreund.

Sie (erleichtert):
Ich würde gerne länger mit Ihnen sprechen, aber Sie machen mich mit Ihrer Lauferei ganz nervös.

Er (lacht):
Das möchte ich nicht. Haben Sie Zeit für eine Tasse Kaffee?

Die einzige Gefahr, der man sich bei einer so direkten Annäherung aussetzt, ist die, daß man viele Unbekannte vertreibt. Um sich dagegen abzusichern, bereiten wir unsere Mitglieder darauf vor, die Verwirrung als Reaktion einzuplanen und sie sogar für ein offenes Gespräch zu nutzen.
Das Taktgefühl bestimmt die Grenzen der Direktheit und wenn diese überschritten werden, tritt verhältnismäßig schnell eine Entfremdung auf. Beispiele für Taktlosigkeit sind direkte sexuelle Aufforderungen, bei denen ein vorheriger Intimitätsaustausch nicht stattgefunden hat. Jedermann, der sich so aufgefordert sieht, fühlt sich in hohem Maße als Objekt ausgebeutet, so daß er eine starke Abwehr entwickelt.
Das beste Beispiel dafür ist der spähende, augenblinzelnde Mann, der Frauen, die er überhaupt nicht kennt, zweideutige Angebote macht. Äußert er sich so oder berührt die Frau dabei noch, sorgt er eigentlich schon selbst für die Zurückweisung. Tatsächlich weiß derjenige, der das tut, schon selbst, daß er dadurch jegliche Beziehung unmöglich macht. In den meisten Fällen geschieht dies aus einer allgemeinen Feindlichkeit Frauen gegenüber. Fast jede Prostituierte, Empfangsdame oder Stewardess, die sich das gefallen lassen und dabei noch lächeln muß, spürt die Feindlichkeit und haßt ihn deshalb. Aber auch viele Frauen benutzen diese bedauernswerten Verhaltensmuster. Sie veranstalten eine große Show, stoßen Männer an, die sich das aus ihrer Arbeitssituation heraus gefallen lassen müssen, zwinkern ihnen zu und veranstalten eine Pseudoverführung. Ganz wenige, verblendete Männer mögen sich geschmeichelt fühlen und wenden sich ihnen zu. Die Mehrzahl aber weiß, daß man versucht, sie nur aus Selbstgefälligkeit zu einem Objekt abzustempeln und ziehen sich zurück.
Mögliche Intimpartner können ihr gegenseitiges echtes Interesse am

anderen ganz einfach durch die Idee, ein Selbstporträt zu zeichnen, ausdrücken. Selbst eine Papierserviette auf einer Party wird dafür ausreichend sein. Künstlerische Fähigkeiten spielen dabei keine Rolle. Diese gemeinsame Übung wird am günstigsten so ausgeführt, daß beide zu gleicher Zeit malen, so daß ein Verbessern ausgeschlossen ist. Worauf es dabei allein ankommt, ist, daß man die Gefahr vermeidet, sich mit unpersönlichen Nichtigkeiten zu beschäftigen.

Diese Selbstdarstellung verlangt keine dilettantische Analyse des anderen. Im Gegenteil, die beste Technik ist hierbei, sich selbst dem anderen zu erklären, wobei man sich dazu äußern kann, was einem selbst am besten gefällt.

Falls Sie einen Kopf gezeichnet haben, könnten Sie sagen: Wenn ich mit Ihnen zusammen bin, bin ich ganz Kopf und fühle mich vorwiegend intellektuell angesprochen.« Oder »Das beste an mir ist mein Gesicht.« Falls Sie Ihren gesamten Körper gezeichnet haben, könnten Sie sagen: »Bei Ihnen fühle ich mich frei genug, Ihnen meine Figur zu zeigen.«

Falls er Sie fragen sollte, was Sie zu seinem Porträt meinen, wäre es gut, wenn Sie sagten: »Das müssen Sie mir erzählen, denn es ist ein *Selbst*-Porträt.«

9. Die Kunst, aufeinander einzuwirken

Die meisten Menschen wissen ganz von selbst, daß sie Einfluß auf einen Menschen haben müssen, wenn sie eine intensivere Beziehung zu ihm herstellen wollen. Aber ihre herkömmlichen Verhaltensweisen sind völlig unzureichend, um dieses Ziel zu erreichen. Und diese Unfähigkeit, Einfluß auf den Partner zu gewinnen, ist eine der verhängnisvollsten Ursachen für unbefriedigende Partnerschaften. Die Folgen dieser Unfähigkeit kann man hören an der so häufigen schmerzlichen Klage: »Er (oder sie) bekommt nicht einmal mit, daß es mich überhaupt gibt!«
In Ehen und Partnerschaften, die ausschließlich nach festen allgemein akzeptierten Regeln funktionieren, kann es sogar unmöglich sein, persönlichen Einfluß auszuüben, und das Fehlen dieser Möglichkeit führt zu einer tiefen Unzufriedenheit, die dann jede Intimität tötet. Das Fehlen der Möglichkeit, irgend etwas aus dem Partner herauszubekommen, die Frustration, immer nur zu hören »Ja, Liebling« und sonst nichts, ist eine der Hauptursachen für Treuelosigkeit. Früher oder später beginnt dann gewöhnlich die Jagd nach einem aufgeschlosseneren Gegenüber aus dem Wunsch nach mehr Eindringen in die Welt des anderen, sobald nur einer oder beide ihrem verzweifelten Bedürfnis nach stärkerer Einwirkung auf einen anderen nachgeben.
Der Zustand, in dem keiner auf den anderen Einwirkungsmöglichkeiten hat, ist meist eine Folge der falschen Nimm-mich-wie-ich-bin-Ideologie. Manche Leute rationalisieren dieses Problem, indem sie sagen: »Wenn Du mich wirklich liebtest, dann würdest Du nicht wollen, daß ich mich ändern soll; Du würdest nicht versuchen, Einfluß auf mich zu bekommen.« Um irgendeine Änderung beim Partner zu erreichen, muß man Einfluß auf ihn ausüben, etwa seine Zärtlichkeit hervorlocken, oder das Verändern irgendeiner unan-

genehmen Gewohnheit. Das bewußte Festhalten an einem immobilen Zustand ohne jeden wechselseitigen Einfluß aufeinander ist sicherlich der wirksamste Weg, um eine Partnerschaft schnell zu Ende gehen zu lassen.

Und selbst wenn die herkömmlichen Möglichkeiten, aufeinander Einfluß zu nehmen, auch wenn man sich an die hergebrachten Verhaltensregeln hält, manchmal Bewegung in eine Beziehung bringen können, dann legen sie doch zugleich den Keim zu neuen Unzuträglichkeiten.

Es lohnt sich, einen genaueren Blick auf die Techniken zu werfen, die üblicherweise beim Impacting gebraucht werden, um zu sehen, warum sie meistens zum Scheitern verurteilt sind, oder nur eine dünne Verbindung zwischen den Partnern schaffen, ohne wirklich Intimität zu erzeugen. Und wenn die Partner einmal mit diesen alten Techniken Erfolg haben, dann oft nur, weil ihr Wille zum Erfolg schon zu Anfang so stark ist, daß er die Mängel ihrer Techniken ausgleicht.

Curt und Joyce haben sich drei- oder viermal auf den Elternabenden ihrer Kinder getroffen. Sie sind einander vorgestellt worden und finden sich beide sympathisch. Aber sie fanden noch keine Gelegenheit, miteinander ins Gespräch zu kommen. Curt weiß, daß Joyce eine Tochter in der Klasse hat und unverheiratet ist. Joyce weiß von Curt, daß er zwei Kinder, aber keine Frau hat. Darüber hinaus wissen sie kaum etwas voneinander.

Curt hat mehrfach versucht, mit Joyce in engeren Kontakt zu kommen, z. B. in den Kaffeepausen, dabei weiß er nicht, daß Joyce ihrerseits alles versucht hat, um das gleiche zu erreichen. In ihrer Situation sind sie natürlich ziemlich attraktiv füreinander. Aber ihre Versuche, aneinander heranzukommen, werden verhindert durch ihre persönliche Attraktivität. Denn kaum ist eine Pause während der Elternversammlung, drängt sich sicher ein anderer Mann an die Seite von Joyce, und sobald Curt sich in ihre Richtung wendet, sperrt irgendeine Dame beharrlich seinen Weg mit irgendeiner Frage an ihn als Bezirks-Staatsanwalt.

Aber heute hat es endlich geklappt. Sie saßen schon während des ganzen Abends nebeneinander und gehen jetzt zum Tisch mit den Erfrischungen, frei, um miteinander zu reden. Um zu zeigen, was sie eigentlich sagen wollen im Vergleich mit dem, was sie tatsächlich sagen, stellen wir ihre Unterhaltung als Quadrilog dar.

Sie sagen *(sie denken):*

CURT:
Sie sehen großartig aus mit Ihrer Hochfrisur.
Sie sieht immer so toll zurechtgemacht aus. Scheint guten Unterhalt von ihrem geschiedenen Mann zu kriegen.

JOYCE:
Danke sehr, ich war heute beim Friseur, weil ich morgen eine Verabredung habe.
Ich hab es selbst gemacht, und zwar für Dich! Fast zwei Stunden hab ich dafür gebraucht.
Ich muß sagen, Sie sehen aber auch nicht schlecht aus, mit Ihrem eleganten Jackett.
Diese rumschwirrenden Junggesellen können es sich natürlich leisten, sich sogar für einen Elternabend schick zu machen.

CURT:
Danke, danke, es ist mein Lieblingsjackett. Ich hab es passend zu meinem Wagen gekauft, der ist mein ganzer Stolz und einziges Vergnügen.
Verdammt, die guckt auch nur auf die Kleidung.

JOYCE:
Oh, was für 'ne Marke?
Das muß ein Sportwagen sein.

CURT:
Der kleine Panther Coupé.
Damit hab ich sicher Eindruck gemacht.

JOYCE:
Ah, ich erinnere mich. Letzten Sommer in Frankreich bin ich in einem gefahren.
Braucht er ja nicht zu wissen, daß mich meine Schwiegereltern zu der Reise eingeladen hatten.

CURT:
Ich wünschte, ich könnte auch mehr verreisen, aber bei meinem Beruf. Irgendwas kommt immer dazwischen.
Ich wußte doch, daß sie zu diesen Jet-Set-Leuten gehört. Ich sollte besser das Thema wechseln.

JOYCE:
Oh, was machen Sie denn?
Ich will nicht, daß er erfährt, daß ich mich schon längst erkundigt habe. Ich wette, er ist laufend auf großen politischen Veranstaltungen und so.

CURT:
(leichthin)
Staatsanwalt hier vom Bezirk. Der einzige Kämpfer für Recht und Ordnung in Benton County.

JOYCE:
Mein Großonkel war Bezirksstaatsanwalt – von Chicago.
Zwar hab ich ihn nie gesehen, und er war auch nur der Halbbruder meiner Großmutter.

CURT:
Oh Gott. Henry ist da und winkt. Sehen Sie? Das Telefon. Es ist immer das gleiche! Immer, wenn ich irgendwo in die Nähe einer hübschen jungen Dame komme, dann bringt irgend jemand einen um, oder raubt 'ne Bank aus. Würden Sie mich bitte entschuldigen? Ich hoffe, ich muß nicht in die Stadt rein.
Das hätte ich mir gleich denken sollen. Geld, Reisen und jetzt noch alte Familie. Und so wie sie aussieht. Die Konkurrenz muß mörderisch sein. Sieht ziemlich hoffnungslos für mich aus. Na ja, scheint nicht meine Kragenweite zu sein.

JOYCE:
Natürlich. Sie müssen sich um den Bezirk kümmern!
Na ja, das ist wohl hoffnungslos. Was sollte er auch an mir finden.

Curt muß wirklich ganz bis in die Stadt. Und Wochen vergehen, bis sie sich das nächste Mal sprechen. Sie hatten einen sehr schlechten Start. Sie haben sich beide darauf konzentriert, ein möglichst günstiges Bild von sich zu entwerfen, um einander näher zu kommen, und dabei Intimität verhindert. Sie haben sich gegenseitig umschlichen, wie Boxer, um jeweils möglichst viel über den anderen zu erfahren, aber ihre wirklichen Empfindungen und Gefühle für sich behalten.
Sie hatten eine Begegnung, die von beiden lebhaft gewünscht worden war und auf die sich beide sorgfältig vorbereitet hatten. Aber

dann nutzten sie diese Begegnung schlecht und schieden mit einem unsicheren und hoffnungslosen Gefühl.

Keiner von beiden hat sein Interesse und sein Angesprochensein deutlich werden lassen, und beide haben völlig falsche Eindrücke voneinander bekommen. Curt nimmt an, Joyce hat zuviel Geld und eine zu hohe gesellschaftliche Position. Er glaubt, sie sei geschieden und habe eine reiche Abfindung bekommen. Er weiß nicht, daß sie Witwe ist, seit ihr Mann als Marineoffizier in Vietnam gefallen ist. Und natürlich kann er nicht ahnen, daß sie sich durch seine Stellung als Politiker ein bißchen eingeschüchtert fühlt, und ihn für einen leichtsinnigen Junggesellen hält, statt einen einsamen überarbeiteten Mann, den seine alkoholsüchtige Frau verlassen hat, und der nun jedes bißchen Zeit zusammenkratzt, um sie mit seinen Kindern zu verbringen.

Später kamen beide in einen unserer Pairing-Kurse, und Curt wählte Joyce als Partnerin für eine Übung, die das miteinander Bekanntwerden behandelt. Diese Übung läuft so ungefähr allem konträr, was man sonst üblicherweise als Verhaltensregel für eine gegenseitige Vorstellung gelernt hat – und hat enormen Erfolg.

Offensichtlich brauchten beide einen Coach* als Hilfe, um ein wirklich dichtes Verhältnis zueinander zu bekommen. Wir sind nämlich der Meinung, daß gute Partnergespräche immer offen und ehrlich geführt werden müssen. Der Dialog zwischen beiden muß auch das enthalten, was zwischen ihnen wichtig ist, denn was bei einem solchen Gespräch gesagt wird, steht im wesentlichen für das, was man wirklich fühlt.

Für diese Kurse haben wir einen großen, komfortabel eingerichteten Raum. Die Teilnehmer sitzen in bequemen Sesseln, so wie jeder mag, mit Kissen oder ohne. Die Sessel haben Räder, so daß sich jeder selbst ohne große Schwierigkeit in genau die Position zu den anderen bringen kann, die ihm am angenehmsten scheint. Curt rollt seinen Sessel bis auf anderthalb Meter an Joyce heran. Sie weicht nicht zurück, sondern schiebt ihren - und das scheint sie selbst gar nicht zu merken - noch ein Stück näher.

So ein körperliches Distanznehmen kann dem Partner sehr viel sagen. Wenn man einen Kontakt aus etwas Entfernung beginnt,

* Coach = ausgebildeter Trainer als Helfer bei einer Übung.

dann kann man herauskriegen, ob der Partner näher kommt, oder sich ein Stück zurückzieht. Denn das ist oft ein Zeichen für das Interesse des anderen am Kontakt. Läßt man zu Beginn etwas Platz, dann kann der andere sein Interesse deutlich machen und außerdem zeigen, wie nah er anderen überhaupt kommen möchte. Viele der Teilnehmer mögen allzu engen Kontakt nicht, besonders bei Fremden und wenn Angst mit ins Spiel kommt.

CURT:
(zu dem Coach)
Dies ist doch ein Ritual für Bekanntschaftschließen, nicht? Nur so, um sich dem anderen vorzustellen?

COACH:
Sagen Sie nicht »nur so«. Sie sollten versuchen, möglichst viel von sich selbst zu sagen, gleich vom Beginn der Begegnung an.

CURT:
Okay. Also Joyce, mein Name ist Curt Borroughs. Und ich bin der Bezirksstaatsanwalt von Benton County. Und ich habe da einige Fragen, die ich Ihnen gern stellen würde. (Die Gruppe kichert.)

COACH:
Oh je, Curt. Das war sehr geschickt. Aber um Cleverness geht es hier nicht, es sei denn, Sie wollen lieber Ihre Cleverness vorführen als Ihre wirkliche Persönlichkeit. Es wär schon besser, wenn Sie Ihre ganz persönlichen Empfindungen für das erste Kennenlernen mitteilen könnten. Ihr Name und Ihre Rolle in der Gesellschaft sind hier nicht sehr entscheidend. Nicht einmal Ihr wirklicher Name ist wichtig. Sie wollen doch Ihr wirkliches Selbst anbieten. Ich will ein kleines Beispiel dafür geben, wieviel Fremde übereinander erfahren können, ohne die richtigen Namen zu kennen. Versuchen Sie es einmal. Stellen Sie sich einander vor, aber nicht mit Ihren wirklichen Namen, sondern mit einem Spitznamen, von dem Sie glauben, daß er genau für Ihre augenblickliche Situation paßt. Das heißt, niemand sollte seinen Vornamen nehmen, denn der sagt meistens nicht sehr viel über eine Person aus. Nehmen Sie den Namen eines Tiers oder vielleicht den einer Pflanze, ein Gefühl. Den-

ken Sie eine Minute darüber nach, denn Sie brauchen sicher einen Augenblick Konzentration, um die eigenen Gefühle genau zu erfahren, bevor Sie sie anderen mitteilen.

CURT:
(nachdem er nachgedacht hat)
Mein Name ist Jason.

COACH:
Nun versuchen Sie zu erklären, was für ein Gefühl Sie damit meinen.

CURT:
(grinsend)
Ich habe an den mythischen Jason gedacht. Ich fühle mich, als ob ich auf Abenteuer ausginge, auf Schatzsuche.

JOYCE:
Genau das glaubte ich, würden Sie meinen. Und als Sie das sagten, da hatte ich auch meinen Namen. Ich habe mich *Vlies* genannt, aber das wär ein schrecklicher Name. Flaum klingt albern, fürchte ich. Aber das fiel mir ein. (Sie wird ein wenig rot.) Mehr kann ich da nicht sagen. (Sie und Curt lachen sich an. Froh darüber, die offensichtliche Bedeutung der Namen klar aufgedeckt zu haben.)

COACH:
Sehen Sie, jetzt haben Sie wirklich Kontakt zueinander gehabt. Wenn Sie jemanden irgendwo treffen, dann sollten Sie versuchen, dieses Spiel zu erklären, so wie ich es tat, und erzählen Sie, Sie hätten diese neue Art, sich bekanntzumachen kennengelernt und wollten es jetzt ausprobieren. Versuchen Sie, den anderen zu hindern, seinen richtigen Namen zu nennen. Bitten Sie ihn, Ihnen einen Namen zu geben, und tun Sie es Ihrerseits. Das gibt Ihnen einen Einblick in die Beziehung und schafft eine Ebene für Offenheit. Aber nun fahren Sie fort, Curt.

CURT:
Ja - äh, leben Sie in diesem Teil der Stadt?

COACH:
Ich muß Sie wieder unterbrechen, Curt. Fragen Sie sie doch nicht so aus. Sie werden Intimität kaum über Geographie hervorlocken können. Das ist genau die Art, wie Sie es nicht machen sollten.

Fangen Sie damit an, daß Sie ein Gefühl äußern; dann werden Sie sicher eine Antwort auf der gleichen Ebene erhalten. Denken Sie mal tief in sich hinein, nicht nur so obenhin.

CURT:
Ich glaube, das wichtigste Gefühl, das ich gerade jetzt hier habe, ist, daß ich sehr froh bin über diese Gelegenheit, hier mit Ihnen zu sprechen, Joyce, und ich bin deshalb etwas nervös, ja.

JOYCE:
Warum Sind Sie deshalb nervös?

CURT:
Also, ich fühle mich so zu Ihnen hingezogen seit dem Elternabend, und ...

COACH:
So etwa habe ich es gemeint, Curt. Aber ich muß Sie unterbrechen, denn wir sind uns doch einig, daß der intensivste Kontakt kommt, wenn wir uns ans Hier - und - Jetzt halten. Ihre Gefühle jetzt in diesem Augenblick sind wichtig und schaffen den dichtesten Kontakt, nicht, was Sie früher einmal empfunden haben. Sie sollten versuchen, ein Gefühl der Offenheit und Unmittelbarkeit zu schaffen, was umgekehrt Joyce dazu bringen wird, an Ihren Gefühlen Anteil zu nehmen und Ihnen zu vertrauen.

CURT:
(mit einem Lächeln)
Ich bin jetzt noch genauso fasziniert wie damals auf dem Elternabend, Joyce. Und ich bin so nervös, weil ich Angst habe, ich komme nicht an Sie heran. (Es entsteht eine lange Pause. Dann wendet sich Curt an den Coach.) Kann ich nicht einfach nur Konversation machen, so einfach plaudern. Das mache ich normalerweise so.

COACH:
Gut, Curt. Wenden Sie sich doch mal einen Augenblick zu mir her, und wir werden mal Ihre Strategie beraten. Wir können zunächst überlegen, welche Möglichkeiten es alle gibt. (Joyce wendet sich ab, als ob sie Curt's Privatsphäre respektieren wollte.) Drehen Sie sich nicht weg, Joyce. Dies ist kein geheimer Kriegsrat. Alles geschieht hier in völliger Offenheit. Sie sind hier nicht der Feind

oder die Konkurrenz. Und wir schmieden keine finsteren Pläne, um Sie reinzulegen oder zu überrumpeln. Pairing geschieht in einem offenen Interaktionsfeld und ist kein Spiel, um jemanden reinzulegen. Und es ist auch nicht so eine Manipulationsübung wie »Spiele für Erwachsene« von Eric Berne. Nun, Sie können natürlich auch nur so Konversation machen. Aber das wird für eine Beziehung nicht viel bringen. Es würde auch lange Zeit in Anspruch nehmen. Stellen Sie sich vor, Joyce müßte jeden Augenblick weg, um noch ein Flugzeug zu erreichen; Sie versuchen deshalb, soviel wie möglich von sich zu sagen, eben einfach offen zu sein. Was können wir machen, damit Sie möglichst ehrlich von sich selbst sprechen?
Eine naheliegende Möglichkeit ist z. B., Joyce zu sagen, was Sie an ihr so reizvoll finden, möglichst genau und wahr. Das wäre gut. Aber wenn Sie nur das tun, dann werden Sie kaum eine wirklich echte Reaktion hervorrufen können, es sei denn, Sie sagen auch, wie Sie ihr jetziges Verhalten finden, und was es für Sie bedeutet. Das würde etwas in Bewegung bringen. Das würde ganz deutlich machen, was das Verhalten von Joyce wirklich für Sie bedeutet, und vielleicht würde das ihr helfen, sich ihre eigenen Gefühle bewußter zu machen, Gefühle, von denen sie selbst vielleicht noch gar nichts weiß. Eine andere Möglichkeit, die auch sehr viel bewirken kann, ist die, ihr zu sagen, was Sie empfinden bei den Antworten, die Joyce Ihnen gibt - zum Beispiel jetzt in dieser Übung. Aber nicht, was Sie denken, sondern was Sie fühlen! Oder Sie könnten ihr sagen, was Sie sich von dieser Übung erhoffen. Das würde Joyce die Möglichkeit geben, über zukünftige Möglichkeiten mit Ihnen nachzudenken, über die Beziehung zwischen Ihnen beiden. Und das würde neue Möglichkeiten eröffnen, miteinander zu sprechen. Etwa, was Sie tun müßten, um ihre Hoffnungen zu erfüllen. Aber jetzt sollten Sie über die Möglichkeiten nachdenken.

CURT:
(er denkt sehr angestrengt nach)
Es fällt mir schwer, genau zu sagen, was mich an Ihnen so fasziniert, Joyce. Vielleicht ist es das, daß eine so attraktive und anziehende Frau wie Sie irgendwie ein bißchen zurückhaltend, nicht direkt schüchtern, aber irgendwie scheu wirkt, nicht so arrogant oder über einen weg. Ich mag es, wie Sie die Augen niederschlagen

und etwas rot werden, wenn Sie mich dabei erwischen, wie ich Sie anstarre. Wissen Sie, was ich meine? Jetzt machen Sie es wieder so.

COACH:
Das war ganz ausgezeichnet als Anfang, Curt. Indem Sie ihre Reaktionen auf Sie nennen, bringen Sie sie ins Gespräch. Sie geben ihr damit die Möglichkeit, sich über die Gefühle Gedanken zu machen, die solche Reaktionen hervorbringen. Das läßt die Beziehung zwischen Ihnen deutlich werden. Das heißt also, wenn Sie genau die Details beobachten, wie sich ein anderer gibt und verhält, dann schafft das eine Beziehung zwischen Ihnen und diesem Menschen. Das macht Sie zu einer Person, die den anderen wahrnimmt, die auf den anderen achtet, und zwar ganz persönlich. Und das bedeutet, daß Sie den anderen ernst nehmen, ihn für wichtig halten.

CURT:
(nickt, daß er verstanden hat)
Was nun?

COACH:
Nun, Sie haben eine Reaktion beobachtet und Ihre Meinung dazu gesagt. Nun wollen Sie sie dazu ermutigen, ihre Gefühle ein wenig zu äußern, um mehr mit ihr ins Gespräch, in eine Beziehung zu kommen. Was, meinen Sie, könnte ihr Verhalten bedeuten, zum Beispiel?

CURT:
Ich nehme an, vielleicht bedeutet es - äh, ich hoffe, es heißt, daß Sie vielleicht ein wenig an mir interessiert sind, Joyce.

COACH:
Sehr gut. Nun überprüfen Sie diese Aussage, und Sie werden wissen, ob und wieweit Sie recht haben.

CURT:
Stimmt das? Sind Sie ein bißchen verlegen, weil ich Ihnen nicht völlig gleichgültig bin?

JOYCE:
Ja, das stimmt. Ein wenig. Ich habe gemerkt, daß Sie manchmal zu mir herschauen, und ich weiß nicht warum. Natürlich (sie lächelt), Sie schlagen die Augen auch nieder, wenn ich hochschaue und Sie mich gerade anschauen.

Coach:
Das war gut, Joyce. Aber ich finde, vielleicht sollten Sie einwenden, daß Curt »Gedankenlesen« gespielt hat. Weil man nicht sagen kann, was andere denken und fühlen, sollte man sehr vorsichtig sein, bevor man Vermutungen darüber anstellt. Wir sollten um Erlaubnis bitten, bevor wir etwas unterstellen, um sicher zu sein, daß das, was wir sagen, nicht verletzend wirkt. Das wäre sonst so, als würde man in ein Haus eindringen, ohne zu klopfen.
Okay, Joyce, nun haben Sie einige Möglichkeiten, darauf zu antworten. Wenn es Sie interessiert, warum er Sie so anschaut, dann können Sie ihn bitten, mehr darüber zu sagen. Das gleiche gilt, wenn Sie wissen wollen, warum er die Augen senkt, wenn Sie ihn auch ansehen.
Auf jeden Fall haben Sie jetzt eine Beziehung zueinander, auch wenn es nur eine schmale ist. Aber es ist eine personale Beziehung, und sie ist typisch für Sie beide und hat damit einen eigenen Wert. Sie haben eine Basis, um miteinander umzugehen, und diese Basis sollte vertieft werden.

Curt:
Sie meinen, jetzt soll ich ihr mehr über mich erzählen, meinen Namen, meinen Beruf und so weiter?

Coach:
Wenn solche Einzelheiten in das Gespräch einfließen, dann ist das nicht sehr wichtig, sobald erst einmal ein Kontakt hergestellt ist. Sie mögen manchmal sogar helfen, dem anderen näherzukommen. Aber normalerweise haben solche Dinge wenig Einfluß darauf, wie fest und tief die Begegnung wird. Statt dessen kann man die nächste Stufe auf der Skala der Intimität erstaunlicherweise am besten erreichen, indem man irgendeinen Vorbehalt formuliert. Deshalb sollten Sie, sobald es Ihnen möglich ist, etwas Negatives zu Joyce sagen, aber natürlich nur etwas, was Sie wirklich empfinden. Es sollte irgendein Bedenken sein, daß Sie wegen der Beziehung haben, etwas, das auf einem ersten Eindruck beruht, auf einem Wort, einer Bewegung, irgend etwas, was der andere tut, und was man selbst als wichtig ansieht. Aber diese Zweifel oder Ängste müssen wirklich erlebt sein und offen ausgesprochen werden. Sie teilen also Ihre Gefühle mit dem anderen. Aber Sie dürfen nicht versuchen, den anderen zu manipulieren. Sie könnten z. B.

das Gefühl haben und das dann auch sagen: Sie sind mir zu schnell und lassen mir nicht genug Zeit. Ich fühle mich eingeengt und möchte mich gegen Ihren Ansturm schützen. Ich mag mich nicht bedrängt fühlen. Es soll bestimmt mit uns weitergehen, aber bitte ein wenig langsamer.

CURT:
Ich glaube sogar, mein größter Vorbehalt gegen eine Annäherung ist, daß ich fürchte, Sie könnten einer anderen sozialen Schicht angehören, Joyce. Ich habe gesehen, wieviele andere Männer sich um Sie bemühen, und ich weiß, daß die Konkurrenz groß ist. Ich weiß noch, wie Sie von den Auslandsreisen erzählt haben und all das andere, und Ihre Kleider sehen ziemlich teuer aus. Und darum sind Sie dann wohl die ganze Zeit in der Stadt zum Einkaufen, ich meine, es würde ganz schön schwierig für mich sein, da mitzuhalten bei all den teuren Vergnügen, die Sie so gewohnt sind. Und Sie würden mich für einen hübschen kleinen Zeitvertreib halten.

COACH:
Zeit um, Curt. Ihre Vorbehalte waren sehr gut und sie sind offenbar auch echt. Aber Sie unterstellen Joyce eine ganze Menge. Und Sie haben auch wieder versucht, ihre Gedanken zu lesen, ohne zu versuchen, das, was Sie vermuten, von ihr zu erfahren.

CURT:
Ja, aber nicht überall. Schauen Sie doch zum Beispiel ihre Kleidung an.

COACH:
Ja, sie kleidet sich wirklich sehr geschmackvoll. Aber trotzdem brauchen wir nicht in fremden Gedanken zu bohren und allerlei zu unterstellen. Ihr Vater kann doch in der Textilbranche sein. Wir nennen das auch, dem anderen Gefühle und Gedanken unterschieben, ohne genaue Prüfung, und das ist Gedankenvergewaltigung, denn solche Unterstellungen haben nicht nur Illusionen und falsche Vorstellungen bei uns selbst zur Folge, sondern zwingen denjenigen, dem wir etwas unterstellen, sich dann auch damit auseinanderzusetzen statt mit sich selbst. Der andere hat das Gefühl, nicht verstanden zu werden und ist natürlich leicht ärgerlich über das Fehlen jeden Verständnisses und auch über den Angriff.

CURT:
Sie meinen, ich sollte nicht versuchen, zu erraten, was in Joyce vorgeht und was sie wohl denkt?

COACH:
Natürlich können Sie auch Vermutungen und Folgerungen anstellen, aber dann sollten Sie diese an der Wirklichkeit überprüfen und z. B. Fragen stellen. Und wenn Sie sagen wollen, was Sie meinen, was Joyce sagen will, dann sollten Sie dafür um Erlaubnis bitten. Wir empfehlen, immer um Erlaubnis zu bitten, bevor man einen Eingriff in die Privatsphäre eines anderen wagt - besonders bevor man irgendeine negative Aussage macht, wie z. B. einen Vorbehalt. Das gehört unserer Meinung nach zum Fair play. Würden Sie jetzt bitte Ihre Vorbehalte noch einmal formulieren?

CURT:
Ja, ist gut. Joyce, darf ich einen Vorbehalt äußern, den ich bei Ihnen und uns habe?

JOYCE:
Ja, gern.

CURT:
Ich fürchte, Sie kommen aus einer anderen Gesellschaftsschicht als ich. Ich fürchte einfach, Sie haben zuviel Geld oder eine zu gute soziale Position. Zum Teil liegt das an den Reisen, von denen Sie erzählt haben, zum Teil an Ihrer Garderobe, Ihrem anspruchsvollen Aussehen, der Frisur. Ich fürchte, ich bin zu langweilig für Sie.

JOYCE:
(wendet sich an den Coach)
Muß ich jetzt irgend etwas Bestimmtes tun?

COACH:
Es gibt da einige Möglichkeiten, wie Sie jetzt dichteren Kontakt zu Curt bekommen könnten, oder zumindest schnellere, bessere Verständigung mit ihm. Aber warum versuchen Sie nicht weiter, spontan und natürlich zu reagieren?

JOYCE:
In Ordnung. (Sie wendet sich an Curt.) Ich fühle mich sehr geschmeichelt. Sehen Sie, ich bin jemand, der sich irgendwie durch-

schlägt. Ich gehe nicht viel aus. Aber ich nähe sehr gern und ich stecke viel Zeit in meine Kleidung. Und auch was Sie über mein Haar sagten. Das hat mir richtig gut getan. Ich kann mir nämlich nicht leisten, regelmäßig zum Schönheitssalon zu gehen und mir die Haare machen zu lassen, deshalb habe ich heute Stunden gebraucht, sie so herzurichten.

CURT:
Trotzdem, Sie scheinen sehr viel herumgekommen zu sein und scheinen bei Männern viel Erfolg zu haben. Ich habe nur eine kleine Universität besucht und kam dann gleich zur Staatsanwaltschaft.

JOYCE:
Ich habe mein Studium auf dem College nie abgeschlossen und dann gleich geheiratet. Mein Mann war Marineflieger und fiel in Vietnam.

COACH:
Sehen Sie, wieviele Informationen Sie bekommen haben, nur weil Sie offen Ihre Gefühle Joyce gegenüber ausgesprochen haben? Stellen Sie sich vor, Sie hätten weiterhin nur mit Vermutungen gearbeitet und versucht, weiter clever und charmant zu wirken, was meinen Sie, wie Joyce sich verhalten hätte?

CURT:
Ich glaube - nein, warten Sie. Ich will Joyce selbst fragen.

COACH:
Jetzt, glaube ich, haben Sie es verstanden.

CURT:
(zu Joyce)
Ist es nicht so? Ich glaube, ich habe versucht, so zu tun, als wäre ich ungeheuer blasiert – rückte meinen Beruf ins rechte Licht, ließ die Namen von Politikern einfließen, mit denen ich zu tun habe, erwähnte meinen Sportwagen, den einzigen Luxus, den ich mir leiste - das wäre so genau das, was ich vor diesem Kurs getan hätte. Was hätten Sie dann wohl gesagt?

JOYCE:
Am liebsten würde ich die Frage beantworten, indem ich die Vorbehalte ausspreche, die ich Ihnen gegenüber habe. (Zum Coach.) Ist das möglich?

Coach:
Ganz genau richtig. Denn Curt müßte als nächstes nach Ihren Vorbehalten fragen. Das gäbe ihm die Möglichkeit, besser zu erkennen, wie Sie ihn sehen. Und das würde Sie beide in eine echtere Diskussion führen, eine, die mehr an den Realitäten zwischen Ihnen orientiert ist. Aber fahren Sie bitte fort, Joyce.

Joyce:
In Wahrheit habe ich einmal mit angehört, wie Sie, Curt, jemandem auf einem Elternabend erzählten, Sie konnten irgendwas nicht tun, weil Sie zu einer plötzlich einberufenen Sitzung ins Rathaus mußten - und das hat mich sehr beeindruckt. Ich wußte, was Sie von Beruf waren, weil Sie es beim ersten Mal, als wir uns sahen, erzählt hatten. Und nun, weil ich doch an Ihnen interessiert war, habe ich mir überlegt, was Sie wohl an einer dummen Hausfrau mit Kindern finden könnten. Ich dachte, vielleicht müßte ich dann mit zu offiziellen Essen und würde vielleicht die verkehrte Gabel benutzen, oder sowas. Andererseits gefallen Sie mir sehr gut und haben einen interessanten Beruf, und Sie sind frei wie ich - eigentlich der richtige Mann für mich. Sie haben Ihre Auswahlchancen, und Sie sind auf vielen Parties und müssen da so sein wie man es von Ihnen erwartet und auch sonst so ...

Coach:
Warten Sie, Joyce. Sie fangen an, Vermutungen zu äußern. Versuchen Sie zu wiederholen, was Sie am Ende sagten, aber so, daß Sie Ihre Vermutungen als Hypothesen formulieren, als Schwierigkeiten, die von Curt entweder ausgeräumt werden können, oder von ihm als unveränderliche Tatsachen festgestellt werden.

Joyce:
Ist gut. Also, Sie sehen sehr gut aus, und ich vermute, daß Sie frei sind, oder nicht? Ich meine, dies ist doch eine Gruppe von Ledigen, nicht?

Curt:
Ich bin nicht verheiratet, aber ich habe zwei Kinder, und sie beanspruchen im Grunde meine ganze freie Zeit. Und was nachbleibt, wenn die Haushaltskosten und Baby-sitting und der Unterhalt für meine geschiedene Frau bezahlt sind, ist nicht mehr viel, mit dem

man große Sprünge machen kann. Aber haben Sie gesagt (und er lächelt dabei), daß *Sie* fürchteten, *Sie* wären nicht interessant für *mich*?

JOYCE:
(nickt)

CURT:
Sagenhaft. Aber was wäre, wenn ich versucht hätte, clever zu scheinen und den tollen Kerl markiert hätte? Sie wollten noch sagen, wie Sie darauf reagiert hätten.

JOYCE:
Ich glaube, ich hätte 'ne Menge von Frankreich erzählt, aber dabei vermieden zu erklären, daß mein Mann zwei Jahre dort stationiert war und wir auf dem Fliegerhorst gewohnt haben. Ich hätte sicher versucht, ziemlich blasiert zu erscheinen.

CURT:
Das ist es genau, was micht gestört hätte. (Er schüttelt den Kopf.) Ich glaube, das hätte mich dann gehindert. Das hätte Sie noch mehr außerhalb meiner sozialen Schicht gestellt.

JOYCE:
Und ich wär völlig entmutigt worden, wenn Sie die Vorstellung, die ich von Ihnen hatte, auf diese Weise bestätigt hätten.

CURT:
Wir wären miteinander fertig gewesen, bevor wir überhaupt richtig angefangen hätten - und das ohne jeden wirklichen Grund.

COACH:
Es gibt noch mehr Möglichkeiten bei unserer Methode, wie man sich sofort wirklich und real kennenlernt, außer der jetzt praktizierten Methode, Gefühle möglichst deutlich und echt auszusprechen und die wechselseitigen Vorbehalte zu nennen, die man dem anderen gegenüber hat. Aber sagen Sie mir, Joyce, was hat diese Erfahrung soweit für Sie bedeutet?

JOYCE:
Ich glaube, eine ganze Menge. Curt ist für mich viel realer geworden. Ich sehe ihn jetzt viel mehr, wie er wirklich ist. Es ist schwer auszudrücken, aber es ist, als wär er irgendwie wie eine An-

sichtskarte gewesen, schablonenhaft, und nun ist er plötzlich dreidimensional.

CURT:
Ich verstehe, was Sie meinen. Sie sind für mich auch viel menschlicher geworden. Das ist etwa wie der Unterschied zwischen dem Photo von einem Menschen und diesem Menschen selbst. Man bekommt einen vielschichtigeren Eindruck.

COACH:
Ich denke, wir alle finden, daß genau dies geschieht. Durch diese Methode bekommt man das Gefühl, einem Menschen wirklich zu begegnen. Man bekommt ein Gefühl von Echtheit und Aufrichtigkeit, von Nähe. Und all die Illusionen und Vorstellungen, wie man dem anderen am besten näherkommt, statt von sich selbst auszugehen, sind plötzlich weg.

Es ist wohl sinnvoll, das Gespräch hier zu unterbrechen und sich noch einmal vor Augen zu führen, was in dieser Übung geschehen ist. Einzelheiten wie Name, Herkunft, soziale Stellung, Beruf und ähnliches haben sich als überflüssig erwiesen. Sie gehören zur Imagepflege, der man allerdings manchmal nur schwer widerstehen kann. Leute wie Curt wissen genau, daß bestimmte Attribute automatisch Interesse und Bewunderung einbringen. Ein Arzt, Priester oder Richter weiß, daß allein seine Zugehörigkeit zu einem bestimmten Berufsstand ihm den Status eines »besonderen Menschen« verleiht und auch einen gewissen Anschein von Macht. Leute mit viel Geld und aus alten Familien brauchen nur ihren Namen zu nennen, und schon haben sie die Aufmerksamkeit und das Interesse ihrer Umgebung.
Manche Leute geben sich besonders viel Mühe, um andere die Hälse recken zu lassen. Bemerkungen wie »Heute morgen beim Frühstück in Rom ...« erregen nun mal Aufmerksamkeit, genau wie »Gestern abend in der Opernpremiere ...« Andere benutzen Eigenschaften oder Attribute, die keine besondere Hochschätzung bringen, dafür aber selten oder einfach kurios sind, wie meinetwegen: »Ich bin als Vierling geboren«, oder »Ich heiße vorn wie hinten, Otto Otto.«
Ein solches Verhalten scheint beim Kennenlernen erfolgreich zu sein. Es ähnelt den todsicheren Witzen, die man auf Parties er-

zählt. Aber sie haben eine andere Wirkung als man eigentlich möchte. Dies Verhalten führt nur dazu, daß man zu einem »Ding« wird, zu einem Witzeerzähler oder eben bestaunten Mitglied der Society, aber nicht ein Mensch.
Das Leben ist schnell geworden. Begegnungen werden immer kürzer. Und die Leute gewöhnen sich daran, nur noch Fernsehgefühle zu haben, mit schnellen, oberflächlichen Eindrücken.
Der Spannungsbogen ihrer Aufmerksamkeit wird immer kürzer. Präsentiert sich einer als Symbol oder »Ding«, dann verlangsamt er natürlich den Vorgang des Sichkennenlernens. Und hat man sich erst einmal mit dieser Art des Verhaltens identifiziert, dann muß man nicht nur die ganz natürliche Unsicherheit beim anderen durchbrechen und sein natürliches Widerstreben, sondern auch noch die Fassade, die man selbst in der Vorstellung der anderen aufgebaut hat, nämlich nur ein Witzbold oder sonst was zu sein.
Versuche, mit jemanden zum ersten Mal in Kontakt zu kommen, indem man kleine Tricks anwendet - vom Fragen nach der Zeit bei einem Mädchen am Strand bis zum Fallenlassen eines Taschentuchs - führen meist lediglich dazu, daß der andere ganz besonders auf der Hut ist. Und er beschäftigt sich dann natürlich hauptsächlich mit der Frage, ob das eine ernstgemeinte Aufforderung ist, oder er fühlt sich durch eine offensichtliche Masche sogar beleidigt. Und der Argwohn gegen den Fremden wird noch größer.
Das sind einige der Gründe, weshalb es der erfolgversprechendste Weg zu wirklicher Intimität ist, seine wahren Gefühle auszudrükken. Es ist darüber hinaus der sicherste Weg, eine Vertrauensbasis zu schaffen, die es dem anderen erlaubt, seine Gefühle zu zeigen.
Aber es geht nicht um Effektivität allein, wenn wir dafür sind, diese Gefühle so schnell wie irgend möglich auszudrücken. Sondern es ist wichtig, Vertrauen zu schaffen, bevor Imageaufbau oder Symbol- und Manipulationsverführung Mißtrauen bewirken können. In einem unmittelbaren Kontakt kommen beide Partner in ein intensives Verhältnis zueinander, bevor die Angst vor Zurückweisung sie dazu bringt, problematische Illusionen beim anderen und bei sich selbst aufkommen zu lassen. Das Bedürfnis, durch illusorische Imagepflege vom anderen akzeptiert zu werden, wird entscheidend reduziert, denn indem man jemandem seine echten Gefühle zeigt, empfängt man ebenfalls Zutrauen und Anerkennung.

Dieses Potential an Vertrauen, Anerkennung und Intimität besteht zwischen fast allen Menschen, die einander begegnen. Denn eigentlich hat jeder die Möglichkeit, ein gewisses Maß an Intimität anzubieten. Einsamkeit, Angst, Freude und viele andere Gefühle sind so universal, daß sie mit jedem geteilt werden können - zumindest auf einem schmalen aber gegenseitig befriedigenden Weg.

Es kann also jeder, der nur ein wenig die Fähigkeit hat, sich offen und echt zu geben, mit einiger Wahrscheinlichkeit jedem anderen näherkommen. Und diese Wahrscheinlichkeit macht jeden frei, das Potential aller nur denkbaren Beziehungen zu erproben. Denn in philosophischem wie psychologischem Sinn leben alle Menschen in dem gleichen Pairing Village und können sich alle als Nachbarn bezeichnen und behandeln.

10. Ablehnung ohne Angstgefühle

Dieser Zustand war für unsere Pairing-Mitglieder wirklich alarmierend. Als wir sie aufforderten, Angst nicht gelten zu lassen, wenn sie neue Kontakte herstellen, bekamen viele Magenschmerzen, Schwindelgefühle, Kopfschmerzen oder verspürten einen starken Drang, zu urinieren.

Wenn andere sich ihnen näherten, überkam einige der ganz simple Wunsch, wegzulaufen, in der Hoffnung, der andere würde ihnen folgen. Andere körperliche Erscheinungen sind Erblassen oder Erröten oder angespannte Körperhaltung als Vorbereitung zu schneller Flucht. Diese Reaktionen sind sicher etwas übertrieben, obwohl sie als Überfunktionen verständlich sind. Jedenfalls sind sie real, und darum muß man sich mit ihnen beschäftigen. Das war der Grund, weshalb wir »Ablehnungs«-Übungen entwickelten, mit dem Ziel, die Angst, abgelehnt zu werden oder anderen Ablehnung gegenüber zu äußern, zu überwinden.

Die Aufgabe besteht darin, daß sich jedes Mitglied einen gegengeschlechtlichen Partner wählt. Einer der beiden wird die Rolle des sich Annähernden, der andere die des Ablehnenden übernehmen. Später werden die Rollen getauscht, so daß beide die Erfahrung des Ablehnens und des Abgelehntwerdens machen; Lernziel ist die Erkenntnis, daß beide Verhaltensformen keine unerträgliche Qual sein müssen. Vielleicht freuen sich auch unsere Leser über diese Übung und werden sie einmal probieren.

Zunächst sollen die Teilnehmer kurze Zeit über ihre positiven und negativen Gefühle dem Partner gegenüber meditieren. Es ist sehr empfehlenswert, sich mit geschlossenen Augen zu konzentrieren. Voraussetzung ist, daß alle geäußerten Gefühle real und aufrichtig sein müssen.

Wenn der Partner, der die Aufgabe hat, den anderen abzulehnen,

merkt, daß er ihn eigentlich akzeptieren möchte, so muß er dies tun. Wenn der Partner, der sich dem anderen nähern soll, merkt, daß er das Interesse daran verliert, so muß er aufhören. Gewöhnlich lassen wir zunächst weibliche Personen die Rolle des sich Nähernden übernehmen, um das alte Vorurteil der weiblichen Rolle gegenüber abzubauen. Valerie hat sich Glen als Partner gewählt, der ihr ablehnend begegnen soll. Der Coach instruiert sie: »Denken Sie darüber nach, was Sie an Glen wirklich mögen und was Sie von ihm möchten. Äußern Sie dann Ihre Wünsche und sagen Sie ihm, was Sie attraktiv an ihm finden und warten Sie die Antwort ab. Wenn er Ihre Annäherung mit der Begründung »Viel zu schnell« ablehnt, beginnen Sie noch einmal, aber vorsichtiger. Fragen Sie ihn, welches Angebot er Ihnen machen könnte. Dann versuchen Sie, sich mit ihm abzustimmen und das zu akzeptieren, was im Augenblick möglich ist.«
Ein anderer Trainer oder auch ein erfahrenes Mitglied unseres Kurses beobachtet den Prozeß, korrigiert Mißverständnisse oder gibt immer dann Hilfen, wenn sie gewünscht werden. Für den Leser werden die grundsätzlichen Bemerkungen der Trainer von besonderer Bedeutung sein, denn diese Grundregeln gelten für das gesamte Pairing-System.
Valerie ist eine sehr attraktive, gepflegte Dame. Sie ist 45 Jahre alt und geschieden. Glen ist 35 Jahre alt und war noch nie verheiratet. Er ist ein scheuer, sehr ruhiger Mann von durchschnittlichem Aussehen, der große Angst hat, anderen zu mißfallen. Es fällt ihm ausgesprochen schwer, nein zu sagen.

VALERIE:
(befeuchtet nervös ihre Lippen)
Ich komme mir dabei ganz albern vor, Glen, und natürlich weiß ich auch, daß Du sehr viel jünger bist als ich und –

COACH:
(unterbricht)
Halt! Was hat das Alter damit zu tun? Sie machen doch keinen Heiratsantrag? (Valerie schüttelt den Kopf.) Denken Sie an irgend etwas, was Ihnen an Glen wirklich gefällt und was Sie von ihm haben möchten? (Valerie nickt.) Dann sagen Sie ihm ganz einfach, was das ist. Erzählen Sie ihm von Ihren aufrichtigen Empfindungen. Ich habe nämlich den Eindruck, daß Sie die Situation im vor-

aus so gestalten, daß Sie schon jetzt versuchen, eine mögliche Ablehnung später zu erklären.

VALERIE:
Ja, aber ich ich fühle mich wirklich lächerlich. Unter realen Bedingungen würde eine Frau einen Mann nicht um eine Verabredung bitten und außerdem ist Glen ja nun mal wirklich jünger als ich.

COACH:
Sie als Frau werden einen Mann nur dann um eine Verabredung bitten, wenn Sie das wirklich wünschen. Vergessen Sie nicht, daß es an Ihnen liegt, worum Sie fragen. Sie haben doch darüber nachgedacht und sich auf das konzentriert, was Sie sich wünschen. Denken Sie ganz allein daran und versuchen Sie, ernsthafte Gefühle dafür aufzubringen. Aber erwarten Sie nicht, etwas zu bekommen, wonach Sie nicht gefragt haben.

VALERIE:
Mir scheint, daß das, was wir hier tun, überhaupt nicht mit dem üblichen Leben in der Gesellschaft übereinstimmt. Eine Frau fragt nicht -

COACH:
Ja, unsere frühere Höflichkeitsetikette untersagte einer Frau, so zu handeln; aber diese Etikette erfährt schon eine Wandlung. Vergessen Sie nicht, daß wir Intimität zum Ziel haben und sie auch erreichen wollen. Wenn eine Frau um das bittet, was sie möchte, erfährt sie Aufmerksamkeit und Interesse. Dennoch sprechen Sie in diesem Augenblick Ihre wahren Empfindungen aus. Immer, wenn das geschieht, wird das Anliegen, aufrichtig zu sein, deutlich und das ist schon sehr überzeugend. Das Risiko ist nicht so groß.

VALERIE:
Na schön. (Sie seufzt.) Glen, ich habe Dich hier in dieser Gruppe beobachtet. Du sagst nicht sehr viel, aber das, was Du sagst, äußerst Du mit großer Ernsthaftigkeit. Ich empfinde Dich daher als gebildeten Menschen. Verstehst Du, ich bin das Don-Juan-Spiel der meisten Männer so überdrüssig. Sie alle möchten sich wie Filmstars verhalten und versuchen, Frauen zu verführen, nur um bestätigt zu werden.

COACH:
Schluß damit, Valerie. Glauben Sie nicht, daß genauso viele Frauen versuchen, ein Sex-Wesen zu sein? Und falls Sie meinen, daß die Frauen es nicht aus Bestätigungsdrang tun, dann haben Sie nur noch nicht richtig zugeschaut. Vergessen Sie nicht, daß Glen ein Mann ist. Deshalb würde ich seine Gruppe nicht auf so unfaire Weise angreifen.

VALERIE:
Verzeihung, aber ich glaube, ich sehe es genau so. Glen, eigentlich ist es ganz einfach. Ich - ich meine, daß es riesig nett sein würde, mit einem so reizenden Menschen wie Dir einen Sonntag zu verbringen, an dem wir uns unterhalten oder sonst irgendwas zusammen unternähmen.

GLEN:
(ausdruckslos)
Ich habe Dich auch beobachtet, Valerie, und ich glaube, daß Du ein interessanter Mensch bist. Sicherlich werde ich gern einige Zeit mit Dir verbringen und mich mit Dir unterhalten, aber - aber -

COACH:
Glen, empfinden Sie das wirklich? Sind Sie sehr, sehr aufrichtig?

GLEN:
Mehr oder weniger. Ich möchte nicht so grob sein. Ich möchte Valerie wirklich nicht verletzen, zumal in so einem Spiel.

COACH:
Aber das ist kein Spiel. Der ganze Zweck ist, vollkommen aufrichtig zu sein. Falls Sie jetzt einen Kompromiß schließen, kann er nur für diese Situation real sein. Selbstverständlich wollen wir dabei auch taktvoll sein. Aus Ihrer Aussage kann ich aber nicht heraushören, daß Sie sich Valerie widersetzen möchten, sondern ich höre eher, daß es Ihnen nicht möglich ist, etwas abzulehnen.
Oder verstehe ich das falsch?

GLEN:
Ich versuche höflich zu sein, das ist alles. Könnte ich denn offen sagen, daß ich nicht an ihr interessiert bin? (Der Coach nickt.) Ich meine, ich kann es nicht. (Der Coach lächelt, Glen seufzt schwer.) Nun ja, Valerie, ich finde, daß Du eine sehr attraktive Frau mit

einer ausgezeichneten Figur bist. Um aber aufrichtig zu sein, muß ich Dir sagen, daß Du für mich bisher ein Gruppenmitglied unter vielen warst. Das, was du äußerst, ist mir schon sympathisch, aber ich empfinde keine weiteren Beziehungen zwischen uns. Meist redest Du über Männer, die Dich übervorteilen oder Du erzählst höflich konventionelles Zeug. Ich finde das alles ziemlich uninteressant. Es erscheint mir alles sehr unrealistisch.

VALERIE:
(sie sieht niedergeschlagen aus)
Das habe ich vermutet.

COACH:
Sie werden doch nicht schon aufgeben? Glen hat Ihnen einen Hinweis gegeben. Er sagt, daß Sie Ihre Empfindungen verdecken, so daß Sie ihm nur als halber Mensch erscheinen. Darum bedrängen wir Sie also, Ihre echten Gefühle zu offenbaren. Das ist die beste Möglichkeit, die Aufmerksamkeit eines anderen zu gewinnen. Außerdem haben Sie Glen noch nicht Ihren vollständigen Wunsch genannt.

VALERIE:
Nun gut, ich werde noch einmal beginnen. Glen, ich habe Dir schon gesagt, daß ich an Dir als Mensch interessiert bin und das ist richtig. Die ganze Woche, und manchmal auch samstags, arbeite ich hart in meinem Beruf, so mag ich es furchtbar gern, wenn ich mich sonntags richtig entspannen kann und dabei Gesellschaft habe. Ich hatte vor, uns ein richtig schönes Picknick vorzubereiten – ich koche sehr gern, und ich hätte uns die schönsten gegrillten Hähnchen mit einer speziellen Füllung mitgenommen – so wären wir mit einer guten Flasche Wein und selbstgebackenem Kuchen in den Park im Zoo gegangen. Ich würde den Samstagabend gern damit verbringen, für uns zu kochen.

GLEN:
Die Idee mit dem Picknick ist gut. Aber sonntags besuche ich immer meine Mutter.

VALERIE:
Du könntest sie vielleicht schon morgens besuchen.

GLEN:
Wenn ich das mache, gehe ich mit ihr zur Kirche und anschließend

bereitet sie das Mittagessen vor. Das ist schon eine Art Ritual bei uns.

VALERIE:
Ich fürchte, daß Dich meine Idee doch nicht besonders reizt, Glen, und –

COACH:
Valerie, Sie haben gerade zwei unserer wichtigsten Pairing-Regeln verletzt. Erstens haben Sie versucht, Glens Gedanken zu lesen. Sie haben lauter Vermutungen über die Gedanken eines anderen angestellt. Das wollen wir nicht. Wie können Sie wissen, was Glen meint, wenn er es Ihnen noch nicht gesagt hat? Wenn Sie Ihre Vermutungen nicht aufgeben, wird Ihr Verhalten immer an Ihre Vorstellungen gebunden sein, nie aber mit den vorgegebenen Tatsachen übereinstimmen. Zweitens ließen Sie sich von Ihrem Wunsch abbringen und deuteten Glen ein negatives Ergebnis an. Damit verhalten Sie sich gegen Ihr eigenes Interesse. Sie möchten sich doch Glens Interesse so lange wie möglich erhalten und es nicht selbst lahmlegen.

VALERIE:
Ja (sie atmet noch einmal tief), Glen, hat dieser Vorschlag von mir gar keinen Reiz für Dich? Ich möchte eine ganz offene Antwort von Dir.

GLEN:
Doch, die Idee als solche reizt mich sehr – wenn ich nur wüßte, wie ich meine Mutter dadurch nicht zu enttäuschen brauchte. Sie ist wirklich sehr alleine, und Sonntag ist der einzige Tag, an dem ich mich etwas um sie kümmern kann. Aber so gegen drei Uhr nachmittags gehe ich dann auch gern wieder weg.

VALERIE:
Ich glaube, den Sonntag können wir streichen (dann lächelt sie ein wenig), es sei denn, Du hättest Lust, gleich von Deiner Mutter aus zum Zoo zu kommen und dort mit mir ein Picknick am Abend zu machen?

GLEN:
Meine Mutter wohnt ungefähr vierzig Kilometer vom Zoo entfernt, und Du kennst selbst den Sonntagsverkehr.

Valerie:
Oh je (und zieht sich zurück).

Coach:
Valerie, ich verstehe Glen so, daß er zu einem Abendessen nicht unbedingt nein sagen würde.

Valerie:
(zu Glen)
Wäre es Dir möglich, mit mir zu Abend zu essen?

Glen:
(man hört, daß er sich nicht sehr wohl fühlt dabei)
Nun ja – ich meine –

Coach:
Glen, zeigen Sie all Ihren Widerstand, den Sie haben? Machen Sie wirklich alles deutlich, was Ihnen dabei widerstrebt?

Glen:
Mehr oder weniger. Sie haben doch auch gesagt, daß wir taktvoll sein sollen.

Coach:
Ja, taktvoll, aber nicht durch falsche Anpassung. Sie brauchen sich nicht verpflichtet fühlen, das Angebot anzunehmen. Falls Sie das tun, werden Sie sich auf die Dauer nur unwohl und ärgerlich fühlen. Haben Sie immer noch verborgene Widerstände, so daß Sie lieber nein sagen möchten?

Glen:
(zu Valerie)
Ja, das Ganze klingt schon sehr reizvoll. Aber, Du bist nun einmal älter als ich, und da bin ich ganz offen; wenn andere Menschen mich mit Dir sähen, würde mich das sehr stören. Es ist sicher mein Fehler, ich lasse mich leicht in Verlegenheit bringen.

Valerie:
(sie sieht recht betreten aus)
Wenn das so ist –

Coach:
Moment, Valerie. Sie wissen, daß Sie älter sind. Sie selbst haben es erwähnt, nicht wahr? Versuchen Sie mal genau zu hören, was Glen

gesagt hat. Er möchte gern mit Ihnen zu Abend essen. Der Altersunterschied stört ihn nur, wenn Sie zusammen in der Öffentlichkeit gesehen werden.

VALERIE:
Das ist ja lächerlich! Ich habe es nicht nötig, mich so zu bemühen, um einen Mann zu bekommen. Diese Idee hier ist wirklich absurd. Wenn ein Mann eine Frau treffen möchte, kann er ja fragen. So ist es jedenfalls nicht richtig.

COACH:
Das ist die herkömmliche Art, das eigene Unwohlsein zu beenden. Aber denken Sie noch mal ein wenig nach. Sie sind daran erinnnert worden, daß Ihr Alter wirklich eine Schwierigkeit bildet. Doch wissen Sie jetzt auch um alle aufrichtigen Empfindungen von Glen. Ohne Gesprächsleitung hätte er dem Picknick allein aus Höflichkeit und der Angst, Sie zu verletzen, zugestimmt. Sonntag wäre er dann mißgestimmt und ärgerlich, und das Essen würde ein Reinfall. Aus diesem Grunde versuchen wir im Pairing alle Zweifel zu erfragen, so daß das nicht zu passieren braucht. Ich glaube, daß Sie selbst sehen, daß Glen gern mit Ihnen zusammen essen würde, und Sie könnten ihm so begegnen, wie Sie es wollten –

VALERIE:
Stimmt das, Glen? (Er nickt.) Wunderbar, hättest Du Lust, zu mir in die Wohnung zu kommen? Ich meine, zum Abendessen, ich stelle mir dabei keinen leidenschaftlichen Abend vor.

GLEN:
Gut, daß Du alles klargestellt hast. Ich werde gern kommen.

VALERIE:
(lächelt ein wenig)
Das ist gut, das Hähnchen wird so auch besser warmzuhalten sein. Ich habe ein altes französisches Rezept und –

COACH:
Glen, haben Sie wirklich keine ablehnenden Gefühle mehr?

GLEN:
Ich ärgere mich, es zu sagen, aber ich mag keine Hähnchen.

VALERIE:
(plötzlich ist sie ganz in ihrem Element)
Was magst Du lieber? Wirklich, wenn Du alle Lebensmittel der Welt haben könntest, was würdest Du wählen? Vielleicht etwas, was Du im Restaurant nicht bekommen kannst?

GLEN:
Selbstgemachte Gemüsesuppe mit kräftiger Brühe und dicken geschmorten Rindfleischstücken.

VALERIE:
Oh, dazu habe ich auch große Lust. Da es kein richtiges Gesellschaftsessen ist und als nicht so kultiviert gilt, habe ich es schon seit Jahren nicht mehr gekocht. Ja, das ist herrlich. Wir werden selbstgemachten Eintopf essen, und dazu besorge ich französisches Weißbrot mit Knoblauchbutter.

GLEN:
Wie wäre es mit einem Apfelkuchen?

VALERIE:
Mit Schlagsahne? Ich werde meine Diät vergessen, mich nur entspannen und gut essen. Ach, ich bin ein richtiger Schlemmer. Ein ausgiebiges Essen, dabei ein warmes Feuer im Raum, eine gute Musik und genügend Wein und – vielleicht wird es regnen. Ich habe noch große Eichenholzscheite. Ich bin nicht stark genug, sie zu heben, aber Du könntest vielleicht –

GLEN:
(lacht)
Bisher dachte ich, daß Du romantische Abende nicht ausstehen könntest. (Die Gruppe lacht.)

VALERIE:
(ein wenig verstimmt)
Warum sollte ich nicht, wie jeder andere auch, romantische Abende mögen? Ich habe nur keine Lust, lediglich als Bettwärmer betrachtet zu werden. (Zum Coach.) Ein Bettwärmer wäre eine ›Sache‹, nicht wahr? Ich möchte aber Gesellschaft haben. Ich möchte einen Gedankenaustausch mit einem Menschen, mit dem ich gut umgehen kann. Darum habe ich Glen gewählt.

Glen:
(aufrichtig überrascht)
Du meinst, ich wäre warmherzig? Die meisten Menschen halten mich für kühl, da ich nicht viel sage. Ganz egal, ich habe mich gerade damit angefreundet, einen romantischen Abend zu erleben.

Valerie:
(ihre Angst vor diesem Problem hatte sich verringert, und so konnte sie nun auch darüber sprechen; sie sagte richtig heiter)
Ich mag für Dich wie eine alte Frau aussehen, aber ich sagte schon die Wahrheit, als ich erzählte, daß die meisten Männer etwas ganz Bestimmtes von mir wollen.

Glen:
Versteh mich richtig, Du siehst äußerlich keineswegs alt aus. Wie ich schon vorhin sagte, hast Du eine blendende Figur. Ich glaube, daß Du verdammt attraktiv bist. Schließlich fasziniert mich das auch sehr – besonders jetzt, wo Du über Dich und Deine Gefühle sprichst und ich Deine Gefühle in Deinem Gesichtsausdruck wiederfinden kann. Den Sonntagabend allein mit Dir zu verbringen, klingt jetzt wunderbar.

Valerie:
(errötet ein wenig vor Freude)
Ist das wahr?

Glen:
Ja, das ist so.

Wie Sie sehen, ist während dieses Dialogs viel mehr geschehen, als daß zwei Personen miteinander eine Verabredung treffen. Valerie und Glen haben gelernt, daß sie sowohl echte Zuneigung als auch Ablehnung einem noch unbekannten Menschen gegenüber äußern können. Ihre Angst, andere abzulehnen oder selbst abgelehnt zu werden, konnte vermindert werden. Beide haben auch aneinander erfahren, daß mißverständliche Ausflüchte oder als Taktgefühl getarnte Anpassung an den anderen verletzender sein können als die einfache Wahrheit. Sie konnten feststellen, daß Ausflüchte noch lange Zeit danach verborgene Ängste und Ärger hervorrufen können. Außerdem haben sie die Erfahrung gemacht, daß sie ihre Ängste und Zweifel aussprechen und später ausführlich erfragen konnten, ob ihre Gefühle der Realität entsprachen. Sie lernten, daß sie das »Gedankenlesen« – ihre Vermutungen über das, was andere empfinden oder denken – aufgeben müssen, da diese Vermutungen völlig in die Irre führen können.

Valerie und Glen haben eine grundlegende wichtige Umgangsform aneinander entwickelt, sie haben sich gegenseitig immer wieder ihren Standpunkt dargelegt, so daß sie sich genau miteinander abstimmen konnten. Als sie schließlich beide ihre echten Wünsche und Ängste geäußert hatten, erwuchs zwischen ihnen ein weites Feld voller Möglichkeiten. Als die Spannung zunahm, wuchs auch auf menschlicher Ebene die Anziehungskraft zwischen ihnen. Spannung und Konflikt spielen bei der Entstehung von Intimität eine entscheidende Rolle. (Siehe Kap. 11, 12 und 14). Sie wurden aufmerksam füreinander und so über das Werben hinaus zu Partnern.

Das ist kein zufälliges Ergebnis. Fast jedes Paar, das diese Übung macht, erlebt dieselbe Verbundenheit mit dem Partner, und das ist ein erster Schritt zu Intimität. Die Sonntagsverabredung von Valerie und Glen führt vielleicht nicht zu einer dauerhaften Verbindung, aber beide haben gelernt, wie man bei anderen Menschen Intimität wecken kann. Das kann auch nur ein angenehmes Gefühl oder ein Empfinden von Wärme sein. Jedenfalls ist es real. Dieses Phänomen ist bisher immer durch diese Übung entstanden, so daß es noch nie zu einer völligen Ablehnung des anderen kam. Es entsteht ein bestimmter Grad von Verbundenheit und gewisse noch unbestimmte sexuelle Empfindungen. Wir nennen es die Intimität des Augenblicks. Wir möchten unsere Leser ermutigen, diese Übung ebenfalls einmal zu versuchen, um die gleiche Realitätsbezogenheit zu erleben und ihre Partnerbeziehung dadurch flexibler zu gestalten.

Falls Sie von einem unbekannten Menschen erfahren wollen, ob er Ihnen gegenüber irgendwelche ablehnenden Gefühle hegt, so erzählen Sie ihm zunächst von Ihrer Angst vor Ablehnung, selbst bei Ihnen vertrauten Menschen. Wer weiß? Vielleicht interpretieren Sie den »offensichtlichen Mangel an Interesse« eines möglichen Intimpartners falsch. Sie müssen immer nachfragen, wenn Sie sicher sein wollen. Sie könnten sich zunächst damit an einen Menschen wenden, zu dem Sie am meisten Vertrauen haben und sagen: »Ich möchte gern mit Dir eine Übung machen. Du kennst mich sehr gut,

und ich vertraue Dir. Ich glaube, daß ich noch mehr Vertrauen zu Dir bekomme, wenn Du Deine ablehnenden Gefühle mir gegenüber einmal aussprichst. Ich werde mich nicht rechtfertigen, aber später werde ich Dir sagen, was ich dabei empfunden habe. Um gerecht zu sein, werden wir die Zeitdauer bestimmen, in der Du Deine ablehnenden Gefühle äußern kannst, und ich werde es anschließend mit Dir genauso machen.
Ich möchte diese Übung aus zwei Gründen mit Dir machen: Ich werde mich noch viel wohler bei Dir fühlen, wenn ich weiß, was Dir an mir oder an unserer Beziehung nicht gefällt. Außerdem möchte ich widerstandsfähiger werden. Ich reagiere überempfindlich auf jede Ablehnung, besonders bei unbekannten Menschen. Immer, wenn ich kritisiert werde, bekomme ich einen roten Kopf und ich ärgere mich dann hinterher darüber. Ich möchte lernen, ablehnende Gefühle ohne Angst und Schuldgefühle zu äußern. Falls Du damit einverstanden bist, werde ich Dich jetzt um Verschiedenes bitten, und Du wirst meine Wünsche entweder annehmen oder ablehnen, ja?«
»Wunderbare Menschen« haben es besonders nötig, diese Übung durchzuführen, um ohne Schuldgefühl »nein« sagen zu lernen. Falls sie nicht fähig sind, einige der Angebote, die man ihnen macht, abzulehnen, so werden sie leicht zu einem »Objekt«, das jeder gebrauchen kann, der es reizvoll findet. Wenn man gelernt hat, wie man ablehnende Gefühle äußert oder von anderen entgegennimmt, dann hat man sich damit einen guten Schutz vor Ausbeutung geschaffen.

11. Intimität durch Aggression

Valerie und Glen hatten nur einen kurzen Augenblick lang Intimität erlebt. Und das bewirkte bereits, daß sie sich gegenseitig nicht mehr nur als bloße Gruppenmitglieder, sondern als vollständige Persönlichkeiten erlebten. Menschliche Sympathie – »Mit–fühlen« – war eine notwendige Folge dieser Begegnung. Sie betrachteten einander nicht mehr als Ding, sondern als Menschen. Sie brauchten sich nicht mehr in kleinste Einheiten zu zergliedern (sie – alt; er – scheu).

Die Aufgliederung eines Menschen in kleine Funktionseinheiten ist unrealistisch und voller Illusion. Oft bedient man sich der Rechtfertigung, man könne ja gar nicht alle Menschen - also auch die, denen man nur flüchtig begegnet - wirklich kennenlernen. Und deshalb bemüht man sich nicht um den einzelnen, sondern beschäftigt sich mit Gemeinplätzen, den angeblichen Gefühlen von »Jedermann«. Aber wie gesagt, hierbei handelt es sich nur um eine Rechtfertigung. Und die ist leicht zu widerlegen.

Nehmen wir einmal an, daß die Chefsekretärin Myra, die Sie bisher nur funktional benutzten, weil sie Ihnen Zugang zum Chef ermöglichte, plötzlich in Tränen ausbricht, während Sie an ihrem Schreibtisch vorbeigehen. Sie werden stehenbleiben und sie fragen, was mit ihr los ist. Sie erzählt Ihnen nun, daß ihre Mutter gestorben ist und weint weiter. Sie holen ihr einen Kaffee. Dann erzählen Sie ihr, wie niedergeschlagen Sie selbst waren, als Ihr Vater im letzten Jahr starb. Sie teilen also mit ihr die Bitterkeit ihrer Trauer. Sie legen einen Arm um ihre Schulter. Von diesem Tag an wird zwischen ihnen immer eine ganz bestimmte Verbindung bestehen, eine Form von Intimität. Sie haben sich einem *Menschen* geöffnet.

Es könnte noch etwas anderes geschehen. Eines Tages weigert sich Myra, weiterhin Ihr Handlanger zu sein und Ihnen einen Termin beim Chef zu verschaffen. Nun haben Sie Gelegenheit, sich in vielen Bereichen mit Myra abzustimmen. Sie können ihr Ihre wirklichen Gefühle in diesem Augenblick darlegen und Sie können Ihre Gründe benennen, warum Sie zum Chef wollen. Erstaunlicherweise können Sie von nun an mit einer viel größeren Hilfsbereitschaft von Myras Seite rechnen als früher, wo Sie ihre Gunst mit kleinen Geschenken kaufen mußten. Voraussetzung ist nur, daß Ihre geäußerten Bedürfnisse wahr sind und der Realität entsprechen.

In den meisten althergebrachten Beziehungen wird das nur funktional miteinander Umgehen, der nur auf einen Teilaspekt der Persönlichkeit gerichtete Kontakt, erst durch einen besonderen Vorfall oder erst nach sehr langer Bekanntschaft durchbrochen. Ein Beispiel: Ed ging mit Cassie nur ein- oder zweimal in der Woche aus. Er sah sie als das ›nette kleine Ding‹, das im selben Appartementhaus lebte wie er. Er ließ sich sehr gern mit ihr zusammen sehen und er schäkerte gern mit ihr. Genau dieselben Empfindungen bestimmten Cassie, die Verabredungen mit Ed anzunehmen. Beide lebten allein und freuten sich darüber, gelegentlich Gesellschaft beim Essen oder auch nur auf dem Weg zur Wäscherei zu haben. Sie fühlten sich als gute Freunde; sie wußten schon viele Einzelheiten voneinander, und seit kurzer Zeit schliefen sie auch gelegentlich miteinander. Bisher bestand ihre Beziehung lediglich aus bestimmten Einzelsegmenten, erfaßte also Fragmente und nie die ganze Persönlichkeit. Dann, eines Nachts auf einer Party, trank Ed zuviel. Er war noch nicht betrunken, aber seine gewohnte äußere Hülle bekam einen Knacks. Es bricht richtig aus ihm hervor. Er erzählt von all den Frustrationen, die er bei seiner Arbeit ertragen muß, erzählt Cassie von seinen wirklichen Hoffnungen und Träumen, seinem Hunger nach einer bedeutungsvollen Stellung im Leben. Plötzlich erlebt Cassie Ed als ganzheitliche Persönlichkeit. Sie empfindet Wärme und Vertrauen und beginnt, ihm von ihrer Ernüchterung als Karriere-Mädchen zu erzählen und offenbart ihm ihre Sehnsucht, verheiratet zu sein und eine Familie zu gründen. Dieser ›Alkohol-Unfall‹ gab ihnen die Chance zur Intimität.

Bei noch zufälligeren Kontakten können diese täuschenden Einzelmerkmale eines Menschen zur Fessel werden. Viele Menschen bilden sich unfaire Urteile aufgrund solcher Merkmale, selbst bei Menschen, mit denen sie zusammenleben möchten. Als Cassie Ed

Als Paar leben …

... ist längst kein Sparleben mehr. Daß die Mark in der Ehe nur noch fünfzig Pfennig wert sei, ist ein gestriger Witz.

Aber Sparen ist bei Paaren immer noch beliebter als bei Singles. Kein Wunder: Man weiß halt, daß Vermehrung Freude macht.

noch nicht kannte und ihn nur zufällig in der Wäscherei sah, lehnte sie ihn spontan ab, weil er rotes Haar hatte und rothaarige Männer hatten ihr noch nie gefallen; weil er unrasiert und ungepflegt war und Cassie auf Körperpflege sehr viel Wert legte; und weil er eine Naturkunde-Zeitschrift las, Cassie aber mochte keine Wandertypen.

In Wirklichkeit las Ed aber nur einen Artikel in dieser Zeitschrift, von dem er wußte, daß einer seiner Geschäftskunden daran interessiert war, und er war noch nicht rasiert, weil er zum Essen mit diesem Kunden verabredet war und die empfindliche Haut eines Rothaarigen nur eine Rasur am Tag verträgt. Als Cassie ihn wirklich kennenlernte, wurde diese Vielzahl der Einzeleindrücke durchbrochen, da sie erfuhr, daß er weder ein Wandervogel noch ungepflegt war. Als sie Ed nun näher kennenlernte und ihn sehr gern mochte, fand sie »rothaarige Männer sehen so lebendig und männlich aus«.

Aber so viele Zufälle gibt es nicht, daß diese Vorurteile immer gerade noch im richtigen Augenblick abgebaut werden könnten. Wir haben bei unseren Forschungen im Institut festgestellt, daß es eine gute Möglichkeit gibt, diese illusionäre Segmentierung eines Menschen aufzugeben, um Intimität zu erreichen - nämlich mit Hilfe von Aggression. Und dazu möchten wir auch unsere verehrten Leser ermuntern.

Für viele Menschen ist eine Liebesbeziehung unvereinbar mit Aggression. Als der Hauptautor dieses Buches zum ersten Mal sein Konzept zur Streit-Therapie öffentlich vortrug, wurde er unter anderem von Menschen angesprochen, die sich aufrichtig liebten, und sie sagten ihm, daß man diese Veränderungen nicht brauche, daß Aggression vielmehr Angst, Angriff und Strafe bedeute und das sei ja nun das Gegenteil von Liebe. All diese Unliebsamkeiten sind jedoch ein realistischer Teil der Liebe. Aggressionen entstehen ja immer nur dann, wenn Wünsche und Bedürfnisse nicht erkannt oder akzeptiert werden. Immer, wenn Menschen sich lieben oder sich danach sehnen, geliebt zu werden, entstehen unausweichlich Frustrationen bei ihrem Bemühen um Nähe, um Verständnis oder durch den Wunsch, andere zu verstehen und an ihnen teilzuhaben.

Diese Frustrationen - und das hat die Psychologie längst erforscht - müssen notwendigerweise zu Aggressionen führen.

Als Karen in eine unserer Pairing-Gruppen kam, war sie zuvor auf einer geschäftlichen Tagung gewesen. Während einer der Cocktail-Parties fiel ihr ein attraktiver Mann auf, der sie in gewissen Abständen immer wieder betrachtete, aber sofort wegsah, wenn er bemerkte, daß sie zu ihm hinüberschaute. Nach einer halben Stunde entschloß sich Karen, die nach vielen Jahren nun endlich dieser Gesellschaftsspiele und der Etikette müde geworden war, ihre Hemmungen zu vergessen und diesen Mann einfach anzusprechen.

KAREN:
(gab sich einen Ruck)
Sie haben mich die ganze Zeit angeschaut, und ich habe Sie beobachtet. So dachte ich, daß ich besser ein wenig zu Ihnen herüberkomme und mich mit Ihnen unterhalte. Ist Ihnen das recht?

VINZENT:
(flüsternd und errötend)
Nein, nein, ich finde das sehr mutig. Das ist wunderbar.

KAREN:
Ich weiß nicht, wie Sie darüber denken, aber ich bin dieses unsinnige Verhalten zwischen Männern und Frauen so leid. Ich meine einfach, es würde mir vielleicht gefallen, Sie kennenzulernen, und ich könnte mir vorstellen, daß es Ihnen genauso geht.

VINZENT:
Wissen Sie, eigentlich hatte ich genau dasselbe vor. Aber, um aufrichtig zu sein, ich hatte nicht genügend Mut. Ich verstehe sehr gut, was Sie eben sagten. Mich macht dieses alberne Versteckspiel ganz krank, und Sie müssen schon ein sehr patentes Mädchen sein, die Initiative in dieser Form zu ergreifen. Sie müssen wirklich sehr viel Mut haben.

KAREN:
(errötet)
Danke schön. (Beide sehen sich an und lachen selbstbewußt.) Aber jetzt weiß ich nichts mehr zu sagen. Es geht mit schon Verschiedenes durch den Kopf, aber das ist alles noch sehr wirr und noch nicht real. Verstehen Sie, was ich meine?

VINZENT:
(er blickt einen Augenblick starr vor sich hin, dann nickt er mit dem Kopf)
Ja, ich verstehe.
(Sie fallen wieder in Schweigen und ihnen wird dabei immer unwohler zumute.)
Ich fühle mich wie ein Sechzehnjähriger.
(Und schon kam die nächste noch unangenehmere Pause.)
Jetzt hab ich's. Wie machen die das doch in den psychologischen Camps in Nord-Kalifornien? Wissen Sie, dort schwimmt man nackt und eine Gruppe völlig unbekannter Menschen übt, sich gegenseitig zu berühren!

KAREN:
(errötet wieder)
Tun sie das wirklich? Ich meine, sie müßten sich dabei lächerlich vorkommen.

VINZENT:
Ich habe gelesen, daß sie es genauso machen. (Er zwinkert ihr zu und lacht breit.) Würden Sie vielleicht zu mir kommen und das in meiner Badewanne probieren?

KAREN:
(ihr Lächeln schwindet und ihre Stimme ist ängstlich)
Wieso denn? Warum sollte ich eine so reizende Einladung ablehnen?

VINZENT:
(er beobachtet sie ängstlich, versucht aber, den leichten Ton beizubehalten)
Sicher, warum nicht? Selbstverständlich wollte ich nicht damit sagen, daß Sie so aussehen, als würden Sie ein Bad benötigen -

KAREN:
(ärgerlich und enttäuscht)
Warum muß jeder Mann in diese verlogene alte Sexrolle zurückfallen? Können Sie nicht mal ein Mann sein, der an mir noch etwas anderes wahrnimmt als lediglich einen Körper, den man bedrängt. Ich weiß nicht ganz, warum ich so ärgerlich bin - ich weiß sogar, daß Sie in gewisser Weise nur damit scherzen. Aber mich macht das richtig krank.

VINZENT:
(seine Angst wird sichtbar)
Das ist doch typisch! Erst kommen Sie zu mir herüber und prahlen damit, wie frei und direkt Sie sind und was geschieht dann? Warum wollen Frauen immer wieder Männer zu Strohpuppen machen? Wie soll da ein Mann unbefangen sein und sich geben, wie er ist?

KAREN:
(noch ärgerlicher)
Unbefangen? Falls ich mich bei Ihnen unbefangen geben würde, würde ich wahrscheinlich spätestens nach zehn Minuten flach auf dem Rücken liegen und kann noch dankbar sein, wenn ich von Ihnen ein freundliches Dankeschön dafür bekomme. Sicher, ich hatte angenommen, wir würden offen miteinander sein. Aber was machen Sie daraus? Sie bleiben verlogen, wie alle Männer das machen würden, um das zu bekommen, was sie wollen.

VINZENT:
(auch sehr ärgerlich)
Nun tragen Sie aber Ihren Ärger über alle Männer, die Sie kennen, auf meinem Rücken aus! Ich bin ich, Vinzent – ich – (er unterbricht sich) das ist doch lächerlich. Wir haben gar nichts, worüber wir streiten könnten. Wir verhalten uns so, als würden wir uns schon mindestens sechs Monate kennen! (er lächelt)

KAREN:
(beginnt verstört zu lächeln)
Sicher. Sie haben recht. Mindestens sechs Monate. Es tut mir leid, daß ich Sie so heftig angegriffen habe. Ich vermute, ich war viel zu nervös; allein schon, weil ich einfach zu Ihnen herüberkam, verstehen Sie.

VINZENT:
(besänftigt sie)
Sicherlich, das verstehe ich. Es war genau mein Fehler. Ich war auch ganz nervös, zunächst brachte ich kein Wort heraus und wußte auch nichts zu sagen, und so versuchte ich, ganz schlau zu sein. Es tut mir leid, daß ich zu weit ging.

Hören Sie, ich werde uns jetzt einen Drink holen und dann setzen wir uns zusammen und können wirklich miteinander reden. Ich weiß ja noch gar nichts über Sie, Ihren Namen, wo Sie arbeiten, was Sie gern mögen und was nicht...

Dieses Paar war einer echten Intimität bemerkenswert nahe gekommen, nicht aus Wissen oder besonderer Geschicklichkeit, sondern allein durch Frustration. Die Frustration bedingte ihre Aggression, die dann ein starker Antrieb zur gegenseitigen Begegnung wurde.

Die meisten Menschen halten Aggression für das Gegenteil von Liebe oder für eine Kraft, die Intimität zerstört. Für sie beschwört dieses Wort Bilder von Wut und Gier, Rücksichtslosigkeit und Angriffslust herauf.

Wir bezeichnen diese Aggressionsform als H-Aggression (H = hostile = feindlich), und wollen Ihnen zeigen, wie sie zustandekommt: Falls Sie etwas stark begehren und mit viel Kraftaufwand versuchen, es endlich zu bekommen, dann sind Sie frustriert, wenn das nicht gelingt, und Sie entwickeln selbstverständlich feindliche Gefühle. Ihre Bemühungen mögen durch irgend etwas gestört worden sein oder durch irgend jemanden, der Ihnen diese Bedürfnisbefriedigung mißgönnt. Ihre Feindlichkeit wird sich gegen die Sache oder die Person richten, die Sie hinderte, Ihr Bedürfnis zu befriedigen. Man kann sich auch selbst blockieren und sich selbst ein Bedürfnis versagen. In diesem Falle führt die Frustration zu einer unterschwelligen Feindlichkeit, die sich häufig als Verstimmung äußert. Falls Sie diese Feindlichkeit gegen sich selbst richten, kommt es zu Depressionen. Oder aber Sie richten Ihre Feindlichkeit gegen die Person, von der Sie annehmen, daß sie schuld daran ist, daß Sie sich selbst ihre Wünsche verweigern.

Die meisten Menschen wollen es nicht begreifen, daß allein die Anstrengung selbst, die zur Bedürfnisbefriedigung aufgebracht wird, die reinste Form der Aggressivität ist. Wenn diese Anstrengungen für eine menschliche Beziehung geleistet werden, mit dem Ziel, die Beziehung zu verändern oder eine Reaktion des Partners abzuwehren, so ist das Ziel dabei im allgemeinen nicht, daß derjenige etwas vom Partner haben oder ihn verletzen will. Meistens möchte er nur erreichen, daß der Partner sich von ihm beeinflussen läßt. Das nennen wir die I-Aggression (I = Impakt = Einfluß

ausüben). Der Impakt ist eine Form der leidenschaftlichen Selbstbehauptung, das Verlangen, als ganzheitlicher Mensch erkannt zu werden und nicht als Objekt. Der starke Einsatz eines Menschen mit seiner ganzen Persönlichkeit, seiner Identität und der Einfluß auf einen anderen Menschen sind die schönsten Erlebnisse beim Pairing.
Es bleibt das Gefühl, einen echten, gültigen Kontakt geschaffen zu haben. Und man erkennt, daß man sich durch Impaktieren seine eigene Existenz beweist, und daß dadurch die eigene Männlichkeit oder Weiblichkeit verstärkt wird. Das Ergebnis ist das Gefühl, stark zu sein. Man erlebt sich real und lebendig.
Als Karen Vinzent plötzlich und überraschend mit sich konfrontierte, impaktierte sie! Er spürte diese Kontaktform und antwortete in seiner eigenen persönlichen Art. Aber dann wußten beide nicht weiter. Diese Umgangsform und diese Empfindungen waren für beide ungewohnt. Vinzent begann sich so unwohl zu fühlen, daß er in einen nur allzu bekannten Stil zurückfiel. Er nahm die klassische Männerrolle ein: Sexuelle Aggressivität mit rauhem Humor vorgetragen.
Von diesem Augenblick an fühlte sich Karen zu einem Sexualobjekt verdinglicht. Ihre persönlichen Bemühungen, ihr Impakt, schienen blockiert zu sein. Die erlittene Frustration führte zur H-Aggression. Sie griff an. Sie rächte sich, indem sie Vinzent zum Symbol »wie alle Männer« machte. Dies wiederum löste bei ihm Feindlichkeit aus. Solch ein Wortabtausch ist aber viel mehr als ein Desaster, es ist eine Chance für wirkliche Intimität. Vinzent und Karen mußten beide das unangenehme Gefühl, sich unschicklich verhalten zu haben, überwinden. »Ich war überhaupt nicht mehr ich selbst«, erinnerte sich Karen später, »als ich mit einem unbekannten Menschen in einen solchen Streit geriet. Erst jetzt erkenne ich, daß wir eigentlich nicht wie Fremde miteinander umgingen, da wir beide aufrichtig waren. Und das war das Wunderbare daran.«
Obwohl diese plötzliche Gesprächsstockung bei Vinzent zu dem Wunsch führte, dann wenigstens zu den alten Verhaltensweisen der vorgeschriebenen Etikette zurückzukehren, wurde es nur durch Karens Aufrichtigkeit möglich, mit dem banalen Gerede über bevorzugte Platten oder Filme gar nicht erst anzufangen. Obwohl beide durch ihren Sprung in die Intimität verängstigt und mit

Konflikten belastet waren, schrieb sich Vinzent doch ihre Telefonnummer auf, und nach wenigen Tagen rief er sie an, um sie weiter kennenzulernen. Dieser Sprung aus all dem üblichen Gehabe, dieser Geheimnistuerei und Sprödigkeit in die »Intimität des Augenblicks« ist ein ausgezeichnetes Gegengift gegen die Verdinglichung von Menschen. Die Verhaltenstechnik dazu ist leicht erlernbar und sie hilft jedem, Beziehungen schneller aufzunehmen und besser einzuschätzen.

12. Die reizvollen Unterschiede

Ein weiterer Schlüssel zur Intimität ist die Gegensätzlichkeit zweier Menschen, die immer wieder als starke Anziehungskraft erfahren wird.

Es ist mit der Gegensätzlichkeit nicht so einfach, wie der alte Spruch besagt: »Gegensätze ziehen sich an«. Völlig unterschiedlichen Persönlichkeiten empfehlen wie keine Partnerbeziehung; das gleiche gilt bei völlig unterschiedlichen Lebensformen. Diese Unterschiede können das gegenseitige Verständnis so einschränken, daß eine Vertrauensbeziehung sehr schwer zu erreichen ist und zumindest über längere Zeit hinweg nicht aufrechterhalten werden kann.

Gleichzeitig aber wird eine Begegnung mit einem Menschen, der im großen ganzen den gleichen Hintergrund und die gleichen Einstellungen hat, wenig Spannung erzeugen. Wahrscheinlich ist eine solche Begegnung beruhigend und schön wie die mit einem Jugendfreund. Aber sie ist wenig aufregend und schließlich wahrscheinlich langweilig.

Wir sind vielmehr der Meinung, daß man nach Gegensätzlichkeiten Ausschau halten soll, die Interesse und Anregung bewirken. Stellen Sie sich ein Treffen zwischen einem Landwirt und einer Dichterin vor. Sie könnten viele Vorlieben gemeinsam haben: die Schönheit der Natur, die Fülle und das Geheimnis des Wachstums und die Fruchtbarkeit des Landes. Dennoch zeigt jeder dem anderen eine faszinierende neue Welt. Wenn beide wach und aufgeschlossen sind, können sie eine anregende Partnerschaft erleben. Ihre Gegensätzlichkeit bestünde im Städtisch-Ländlichen, im Gegenüber von abstraktem Wort und konkreter körperlicher Tat oder auch nur im Denken und Fühlen.

Selbst wenn zwei Leute z. B. den gleichen Beruf und die gleichen

Lebensgewohnheiten haben, aber in verschiedenen Städten leben, können sie durch den anderen neue Perspektiven entdecken.

Manche Menschen, die möglicherweise miteinander vertraut werden könnten, brauchen gar nicht nach solchen Gegensätzlichkeiten zu suchen. Die Unterschiede zwischen Nord- und Südländern, Juden und Katholiken, Alten und Jungen, Schwarzen und Weißen, Eingeborenen und Fremden, Reichen und Armen, Konformisten und Nonkonformisten, Konservativen und Radikalen sind schon groß genug.

Wir wollen niemanden dazu bringen, unbedingt solche Unterschiede zu suchen. Aber wir wollen Sie ermutigen, vor möglichen Partnern nicht deshalb zurückzuschrecken, weil große Gegensätze da sind. Wenn es diese Gegensätze gibt, empfehlen wir, sie nicht vom Tisch zu wischen und nur mit den Gemeinsamkeiten zu leben. Wenn die Unterschiedlichkeiten deutlich gemacht werden, entsteht daraus eine lebendige und anregende Beziehung. Es kann eine bereichernde Erfahrung sein, wenn man dabei nicht nur mit einem anderen Individuum, sondern auch mit einer anderen Welt Kontakt aufnimmt.

Die Fremdheit einer solchen Partnerbeziehung kann beängstigend oder beunruhigend sein. Z. B. haben eine Italienerin und ein Brite wahrscheinlich unterschiedliche Vorstellungen von der optimalen Distanz, die zwischen ihnen eingehalten werden sollte. In einer solchen Partnerbeziehung muß man starke Spannungen ertragen können. Die Toleranz kann im Laufe der Zeit wachsen, aber wir raten: »Wenn Sie es in der Gegensätzlichkeits-Küche zu heiß finden, kochen Sie nicht darin!«

Die auffälligste und wichtigste Gegensätzlichkeit ist natürlich die zwischen Mann und Frau. Man könnte erwarten, daß dieser Gegensatz am leichtesten zu einer Paarbeziehung führt. Aber die Sache ist nicht so einfach wie sie aussieht.

Um das zu zeigen, führen wir Übungen durch, die wir als »Geschlechter-Club« bezeichnen. Wir gehen von einem zum anderen und fragen, welche Eigenschaften des anderen Geschlechts er gut und welche er schlecht findet. Versuchen Sie das einmal, vielleicht mit ein paar Freunden. Aber seien Sie nicht erstaunt, wenn es plötzlich zu heftigen Auseinandersetzungen kommt. Denn indem jeder seine Meinung sagt, verdinglicht er automatisch den Mann oder die Frau, und der andere reagiert entsprechend erbost.

Es ist wissenschaftlich erwiesen, daß es nur ganz wenige angeborene geschlechtsspezifische Unterschiede gibt, außer natürlich auf körperlichem Gebiet. Früher einmal waren sich die Psychologen einig, daß Aggression eine männliche Eigenschaft ist. Neuere Untersuchungen haben gezeigt, daß diese Ansicht sehr fragwürdig ist. Aggression scheint in der weiblichen Erziehung nur unterdrückt worden zu sein. Der Hauptautor dieses Buches hat Auseinandersetzungstechniken von Männern und Frauen klinisch untersucht und ist zu dem Ergebnis gekommen, daß sie sich nicht auf ein Geschlecht festlegen lassen. Eine Frau mag schreien oder kratzen und ein Mann mag schlechte Laune zeigen oder schlagen – die psychologischen Unterschiede zwischen diesen Auseinandersetzungstechniken sind minimal.

Die üblichen Formen der Werbung verfestigen die Männlichkeits- und Weiblichkeitsstereotypen immer mehr. Viele Männer und Frauen bedienen sich folglich dieser falschen Fremdbilder, um das andere Geschlecht zu beeinflussen. Das bedeutet aber gleichzeitig, jede Möglichkeit zur Intimität zu unterbinden. Diese Technik kann man leicht durchschauen, weil die Gegensätzlichkeit der Geschlechter für die meisten Männer und Frauen so wichtig und bedeutsam ist, daß sie häufig vermuten, der andere könnte die Rolle ausnutzen.

Die meisten Männer ärgern sich über Aussagen wie: »Sie sind so groß und stark, und ich bin eine so schwache, kleine Frau, könnten Sie mir vielleicht helfen?«

Solche falschen Schmeicheleien und besonders solche sexuellen Annäherungen erzeugen beim Angesprochenen sofort das Gefühl, manipuliert zu werden. Das führt dann dazu, daß er auf die Bitte negativ reagiert. Männer wie Frauen, die spezifische Geschlechtsunterschiede ausspielen, beabsichtigen gewöhnlich auch nicht die Aufnahme einer Beziehung. Die meisten sind »kühle Eisberge«, die ihre »Vorteile« nur nutzen, um das andere Geschlecht auf Distanz zu halten. Dabei verhalten sie sich aber verführerisch und einladend.

Männer und Frauen, die solche Techniken anwenden, haben meist große Angst vor körperlicher sexueller Ausbeutung. Eine charakteristische männliche Form von Sexualangst ist die Angst vor Kastration, die sich manchmal in einer Angst, verschlungen und umgarnt zu werden, zeigt. Der Mann, der allen fremden Frauen auf

einer Cocktail-Party den Hof macht, weckt damit die eigene Angst, umgarnt zu werden, und hält dadurch zugleich Abstand von den Frauen.
Frauen haben gewöhnlich Angst davor, daß Männer aggressiv werden könnten. Eine Frau, die Angst vor männlicher Sexualität hat, reagiert auf den Versuch, mit ihr zu schlafen, wahrscheinlich mit Vaginismus, einem Verschließen der äußeren Vaginalmuskulatur, die die Einführung erschwert oder unmöglich macht. Gefühlsmäßig kann sie dieses Eindringen durch den Mann auch befürchten, wenn er, ohne daß schon eine Beziehung zustande gekommen ist, an der Bar vorschlägt, sie solle die Tür zu ihrem Zimmer offen lassen. Auch er begibt sich hier auf Distanz.
Wegen dieser Angst bezeichnen Männer häufig eine einschmeichelnde Art als negativ weibliches Verhalten, und Frauen bezeichnen häufig die aggressive Art als negativ männliches Verhalten. Männer und Frauen projizieren die Ängste, die sie selber empfinden, aufs andere Geschlecht. Das ist die übliche Form, andere Menschen zu verdinglichen.
Gewöhnlich haben es Männer und Frauen mit festgefahrenen Stereotypen über Männer- und Frauenrollen schwer, intime Beziehungen einzugehen. Wir ermutigen daher zu Versuchen, diese Fixierung abzubauen. Der beste Weg dazu ist, jede Situation auf das, was dahintersteht, zu überprüfen.
Nur wenn ein Mann seine Angst benennt, z. B.: »Wenn ich Sie nahe an mich herankommen lasse, fürchte ich, Sie wollen mich gleich ganz mit Beschlag belegen!«, kann eine Frau ihm darauf antworten: »Aber ich will Sie ja gar nicht mit Beschlag belegen!«
Wir erinnern Menschen, die Beziehungen eingehen wollen, daran, nachzudenken, bevor sie Vorbehalte oder geschlechtsgebundene Vorurteile äußern (»Ihre Bluse sieht wie ein Männerhemd aus«). Wir erinnern sie daran, daß jeder Mensch, gleich, ob Mann oder Frau, ein Individuum ist. Immer wieder besteht die Tendenz, diese ganz einfache Tatsache aus den Augen zu verlieren und statt dessen einem anderen mit Rollenerwartungen zu begegnen. Sexuelle Wünsche und Befürchtungen sind so stark, daß immer wieder der Versuch gemacht wird, darüber hinwegzutäuschen.
Ein Geschlechtsunterschied, der den meisten Ärger hervorruft, ist die unterschiedliche körperliche Stärke. Um die weibliche Angst vor der männlichen Kraft und das männliche Schuldgefühl auf-

grund körperlicher Überlegenheit abzubauen, machen wir in unseren Gruppen einfache körperliche Spiele.

Eines der besten ist »Fettball«, das bei schönem Wetter draußen gespielt wird. Man braucht dazu einen weichen Ball und eine freie Grasfläche mit zwei Stützpunkten und einem Zielpunkt.

Die Teilnehmer können nun mehr voneinander erfahren über Sensitivität, Reaktionsgeschwindigkeit, Durchhaltefähigkeit, Sinn für Humor, Mut, Bereitschaft zum Wettbewerb, Erfindungsgabe, Einsatzbereitschaft, Kleinlichkeit und die Fähigkeit, sich an Regeln zu halten. Das sind hilfreiche Informationen darüber, ob jemand als intimer Freund zuverlässig ist. Ein Paar spielt die »Gegner«, das andere Trainer und Schiedsrichter. Der Trainer verhandelt anfangs mit über die Handicaps, er kann den Kampf unterbrechen, um neue Verhandlungen darüber aufzunehmen. Der Schiedsrichter trifft jedesmal die letzte Entscheidung.

Handicaps werden eingeführt, um körperliche Unterschiede zwischen Mann und Frau auszugleichen. Auf diese Weise kann die Frau mit dem Mann mit echter Aussicht auf Gewinn spielen. Außerdem kann der Mann, wenn Handicaps eingeführt sind, ohne Schuldgefühle seine ganze Kraft einsetzen. Wenn einer der beiden zu leicht gewinnt, liegt das daran, daß die Handicaps nicht richtig verteilt wurden und nicht daran, daß einer »besser« ist.

Die Partner kämpfen in Badekleidung, und das Mädchen fettet – als erstes Handicap – ihren Körper ein. Andere Handicaps können eingeführt werden, z. B. daß die Frau den Ball immer zuerst bekommt, usw.

Auf ein Zeichen des Schiedsrichters laufen beide zum Ball und versuchen, ihn in die Hand zu bekommen. Derjenige, der ihn zuerst hat, läuft damit zum ersten Stützpunkt. Der andere versucht, den Ball wegzunehmen. Wenn der Ballbesitzer den Stützpunkt erreicht hat, ist er für höchstens 2 Minuten in Sicherheit. Während dieser Zeit überlegt er sich, wie er den zweiten Stützpunkt erreichen kann. Der andere versucht, die geplanten Tricks schon vorher zu durchschauen. Auf erreichte Vorsprünge kann man zurückkehren. Wenn man z. B. den Ball verliert, ihn dann aber wieder zurückbekommt, kann man zu dem zuletzt erreichten Stützpunkt zurückkehren. Man muß den Zielpunkt erreichen. Das Spiel ist vorbei, wenn beide Partner wenigstens einmal den Ball hatten, und wenn der erste den Zielpunkt erreicht hat.

Wenn Sie das einmal probieren, werden Sie sehen, wie wichtig es ist, gleiche Bedingungen auszuhandeln. Außerdem ist es lehrreich, weil man bei sich selbst und dem Partner ähnliche Ansätze zur Grausamkeit erkennt. Manche Frauen versuchen mitten im Spiel, Karate anzuwenden, manche Männer hingegen können der Versuchung nicht widerstehen, mit den Frauen einen Ringkampf anzufangen. Dieses Verhalten läßt Voraussagen auf künftiges verbales Verhalten zu (das sollte allerdings nicht auf Psychoanalyse hinauslaufen). Außerdem macht Fettball Spaß, das Beobachten fast noch mehr als das Spielen.

Dasselbe gilt für »Bacata«, ein Schlag- und Ausweichspiel, das mit weichgepolsterten Schlägern gespielt wird – eine Abart der Kissenschlacht. Obwohl eine Verletzung in diesem Spiel fast ausgeschlossen ist, dringen wir darauf, daß vorher Handicaps ausgemacht werden und daß man sich auf ein Zeichen des Aufgebens einigt.

Frauen lernen schnell, welche Handicaps sie dem Mann auferlegen müssen, so daß für die Auseinandersetzung gleiche Kräftebedingungen vorhanden sind. Der Bewegungsraum des Mannes kann z. B. auf ein kleines Feld eingeschränkt werden. Die Frau kann eine »Verteidigungszone« fordern. Das Spiel geht so lange, bis einer der beiden Partner aufgibt. Man sollte dabei seine Freude an aggressivem Verhalten und seine Gefühle beim Gewinnen oder Verlieren beobachten.

Ein anderer Kräfteausgleich ist »Stoß mich«. Wiederum werden Handicaps vereinbart, diesmal, um ein Kräftegleichgewicht herzustellen, denn die Frau muß den Mann durch den Raum stoßen und ihn an die Wand nageln.

Die Gegensätzlichkeit der Geschlechter ist immerhin so groß, daß sie sich nach einiger Zeit immer wieder ganz von selbst bemerkbar macht. Einer unserer Teilnehmer setzte sich im Flugzeug neben eine junge Dame, konnte dann aber kaum ein Wort sagen. Er äußerte vorsichtig einige Gefühle, über Nervosität beim Start des Flugzeugs, über ihren Ring, über die Wolken.

Aber er wußte nicht, wie er sein eigentliches Anliegen vorbringen sollte. Für Anfänger ist das auch nicht leicht. Sie können nur abblocken oder aufgeben. Aber wenn sie es weiter versuchen, wird es Ihnen bald so selbstverständlich wie das Gefühl selbst; ein geübtes Auge findet sehr leicht eine Möglichkeit, sich dem anderen zuzu-

wenden, und dann kann man auch durch die Beobachtung erlebte Gefühle mitteilen.
Nach einer halben Stunde war der Mann frustriert und böse auf sich selbst. Das hinderte ihn, weiter Anknüpfungspunkte zu suchen. Er schob seine langen Beine unbehaglich hin und her und starrte aus dem Fenster, bis sie das Problem für ihn löste.
»Entschuldigen Sie, Sie fühlen sich anscheinend nicht sehr wohl«, sagte sie. »Sie sind ein so großer Mann. Vielleicht würden Sie sich etwas entspannter fühlen, wenn Sie sich auf meinen Platz am Gang setzen würden?«
Er lachte, denn sie hatte viel besser als er die Unterschiedlichkeit herausgebracht. Er hatte seine Unbequemlichkeit verleugnet, sie hatte aus der Unterschiedlichkeit einen Anknüpfungspunkt gemacht.
Ganz ruhig und entspannt konnte er nun über seine wirklichen Gefühle sprechen. Er sagte zu ihr: »Ich habe gelacht, weil ich hier seit einer halben Stunde sitze und darüber nachdenke, wie ich Sie auf mich aufmerksam machen und in ein Gespräch mit Ihnen kommen kann. Ich habe fast drei Leute niedergetrampelt, um neben Ihnen zu sitzen und ...«
Welche Frau könnte da widerstehen?
Eine bedeutende Gegensätzlichkeit wird häufig als Streitfrage angesehen, die man betonen und diskutieren müßte. Viele Menschen glauben, sie müßten genau so sehr lieben wie sie selbst geliebt werden. Das ist ein weiterer unrealisierbarer Traum, denn wir leben auf der Erde und nicht im Himmel. Tatsächlich gibt es in einer Partnerschaft zu jedem Zeitpunkt, von Anfang an, einen, der stärker interessiert ist, sehnsüchtiger, gefangener und engagierter als der andere. Wir lehren unsere Teilnehmer, diesen Unterschied zu akzeptieren und nicht aufzuheben.
Der Bruch kann sogar verstärkt werden, wenn man darauf dringt, daß jeder das gleiche einzuhalten hat. Dieser Druck wirkt entfremdend. In einer guten Partnerschaft ist es möglich, daß nur einer sehr viel Wert auf die Beziehung legt und dem anderen weniger daran liegt. Wenn man sich selbst darum bemüht, kann die Liebe lebendig bleiben. Hingabegefühl ist wichtig für Leben. Diejenigen, die es haben, sollten es sich nicht durch den unrealistischen Versuch verderben, andere ebenfalls zu dem gleichen Verhalten bringen zu wollen.

Das Phänomen der Gegensätzlichkeit hat für unsere Teilnehmer einen hohen Erziehungswert, denn viele von ihnen gehen davon aus, daß Gleichartigkeit in einer Beziehung wichtig ist. Sie lernen, daß sowohl Ähnlichkeiten als auch Unterschiede Wasser auf die Mühle dessen sind, der sich um Partnerschaft bemüht. Es ist einzig und allein erforderlich, daß er sich mit allen Kräften um eine Beziehung um ihrer selbst willen bemüht, so wie er sie möchte.

13. Erste Eindrücke, erste Illusionen

Werden die Techniken, die zu schneller Intimität führen, einmal eingesetzt, und ist ein erster Kontakt hergestellt, so tut der kluge Partnersuchende gut daran, gelegentlich zu überprüfen, ob sich Fehlwahrnehmungen in die Beziehung eingeschlichen haben. Werden solche Fehlwahrnehmungen nicht sofort überprüft, so können sie mit der Zeit ins Riesenhafte wachsen. Der gute Partner tauscht folglich seine ersten Eindrücke mit dem anderen aus.

Es gibt über den ersten Eindruck zahlreiche Sprichwörter, im wesentlichen sagen alle etwas richtiges aus.

Wir haben Untersuchungen über diese Frage durchgeführt, wie Eindrücke von anderen Personen entstehen und wie wichtig erste Eindrücke tatsächlich sind. In einem Experiment wurden Studenten in Wohnheimen neuen Mitbewohnern vorgestellt, mit denen sie im nächsten Semester zusammenwohnen sollten. Danach wurden sie gebeten, ihre ersten Eindrücke niederzuschreiben. Einige Zeit später wurden ihnen diese Notizen wieder ausgehändigt. Sie sollten sie nunmehr unter dem Eindruck längerer Erfahrungen und längeren Kontakts redigieren. Später wurden sie noch mehrmals aufgefordert, falsche Eindrücke durchzustreichen, neue Einfälle einzufügen oder bestätigte Eigenschaften zu unterstreichen.

Schon nach kurzer Zeit änderte sich die Meinung nicht mehr. Nach drei Durchgängen gab es nur noch wenige Veränderungen, abgesehen davon, daß Nebensächlichkeiten aufgebauscht wurden. Oft beschreiben die Veränderungen einen Kreis: die erste Revision brachte Modifikationen, spätere Versionen kehrten zur ersten Darstellung zurück. Lew Hart, Dr. Bachs Forschungsberater, unterwarf alle Versionen einer Computeranalyse, zwei Drittel der Informationen des letzten Eindrucks fanden sich bereits im ersten Eindruck wieder.

Andere Arbeiten stützen diese Befunde. Menschen neigen dazu, erste Eindrücke einzufrieren. Details zum Für und Wider werden hinzugefügt. Einige verborgene Schwächen und Eigenschaften werden sichtbar. Im wesentlichen denkt man aber über Personen so wie beim ersten Kennenlernen. Anfängliche Fehlwahrnehmungen bleiben leicht erhalten.
Die meisten Menschen wollen sich schnell ein Bild machen, ein Urteil abgeben und die Unsicherheitsphase beenden. Auch unsere Kursteilnehmer haben die Tendenz, den fließenden Eindruck in ein festes Urteil zu verwandeln. Sie bereiten sich aber selbst Schwierigkeiten, wenn sie versuchen, unrealistischen Erwartungen des Partners gerecht zu werden – im stillen Einverständnis mit oder ohne ihn. Früher oder später wird dem Paar sehr unwohl dabei werden. Um weiter Zuneigung und Billigung zu erhalten, müssen sie sich ihren unrealistischen Bildern annähern.
Die Bedeutung solcher Verstellungen wird durch die folgende Klage in einer langjährigen Partnerbeziehung illustriert:

DOUGH:
Ich verstehe nicht, warum Du nicht mit Hal und Gwen an der Wochenendwanderung teilnehmen willst. Du weißt doch, wir sind seit drei Monaten nicht mehr im Wald und in den Bergen gewesen. Mir fehlt das sehr.

HELEN:
Na ja, ich hatte für Freiluftfreizeit nie viel übrig, d. h., ich mag die Landschaft, aber Camping ist für eine Frau ziemlich anstrengend. Für einen Mann ist das ganz anders.

DOUGH:
Aber Du erinnerst Dich doch an das, was Du sagtest, als wir uns im Sierra-Wanderverein trafen.

HELEN:
Was habe ich denn da gesagt? Daß ich die Landschaft liebe? Daß ich die Natur liebe? Natürlich tue ich das! Aber einen Rucksack zu schleppen ist wirklich anstregend für mich!

DOUGH:
Aber es schien so gut zu uns zu passen – das Leben zu zweit in der Wildnis. Denk' doch daran, wie wir uns zu zweit einfach davon-

machten! Unsere Mahlzeiten selbst kochten! Im Freien miteinander schliefen!

HELEN:
Was soll ich denn eigentlich sagen?

DOUGH:
Ich weiß nicht. Irgendwie scheinst Du jetzt anders. Es ist einfach nicht mehr dasselbe. Deshalb möchte ich wieder mit Dir in die Berge. Um es wieder so zu haben wie früher. Und Dich wieder so zu sehen wie früher.

Helen hatte einfach zugelassen, daß Dough annahm, sie liebe das Leben in freier Natur. Tatsächlich war das aber nicht der Fall. Ihre erste Erfahrung konnte sie kaum durchstehen. Sie war zwar von Dough bezaubert, aber vom Rucksackschleppen und Leben in Provisorien hielt sie nichts. Dough seinerseits würde, wenn er nur könnte, jede freie Minute in den Bergen verbringen. Helen wäre froh, wenn sie nie wieder im Schlafsack schlafen oder über offenem Feuer kochen müßte. Wie vorauszusehen war, wird Doughs ursprüngliche Erwartung von ihrer Gemeinschaft ständig enttäuscht. Er denkt aber fortwährend an das »Früher« und bedauert, daß Helen so anders geworden ist. Er hält das für eine »Charakterentgleisung«.
Ähnliche Probleme können sich auch auf ganz andere Weise entwickelt haben. Nehmen wir einmal an, Dough sei zuerst ein sehr gelöster, experimentierfreudiger Liebhaber gewesen, seine ersten sexuellen Erfahrungen mit Helen hätten sich über ganze Tage und Nächte hingezogen. Für ihn wäre das aber eine einzigartige Erkundung zu Beginn gewesen, eine Übung in sinnlicher Neugier, ermutigt durch Helens ungewöhnlich mutiges Interesse und ihre Experimentierfreude im Sexuellen. Nehmen wir aber an, das wäre gar nicht sein üblicher Stil, sich sexuell zu verhalten.
Allmählich fühlt sich Dough durch Helens Erwartungen auf längere Sexualspiele beunruhigt. Daraufhin fängt Helen an zu grollen. Sie findet, daß Dough ihre Sexualität allmählich vernachlässigt. Sie beklagt sich über seine Potenz und über sein schwindendes sexuelles Interesse.
Helen und Dough werfen sich dieselben Dinge vor: »Du hast mich betrogen! Du hast geschauspielert! Du hast andere Vorstellungen von unserer Beziehung als ich!«

Falsche erste Eindrücke und Vorstellungen können sich später verheerend auswirken. Aber sie lassen sich leicht korrigieren, wenn man immer wieder bereit ist, sie zu überprüfen und zu berichtigen. Sobald die Partner den Schritt in echte Intimität gewagt haben, müssen sie ihre Standorte miteinander abklären. Das geht ganz einfach. Zunächst einmal sollte die erste Begegnung nicht zu Ende gehen, ohne daß eine Rückmeldung erfolgt ist und ohne daß man gemeinsam festgestellt hat, was geschehen ist.
Chad sagt bei der Verabschiedung zu Doris: »Wissen Sie, ich habe an einem Abend noch nie so häufig getanzt. Ich kann es eigentlich gar nicht so gut, und es macht mir eigentlich auch gar nicht so viel Spaß. Wenn ich nicht immer mit Ihnen getanzt hätte, wären Sie mir vielleicht weggelaufen. Sicherlich wären Sie nicht für mehrere Stunden mit mir zusammen geblieben. Ich finde es schön, Ihnen nah zu sein. Aber ich würde lieber mit Ihnen reden und Ihnen nah sein, ohne ständig den Takt zählen zu müssen. Auf dem Tanzboden bin ich, glaube ich, ein ziemlicher Tölpel.«
Sie antwortet: »Sie sind gar nicht so tölpelhaft! Es hat mir Spaß gemacht, mit Ihnen zu tanzen. Ich tanze sehr gern. Sie könnten es sicher auch ganz gut, wenn ich Ihnen einige Tanzschritte zeigen würde. Aber ich möchte auch reden, und zugegeben, es hat auch mir Spaß gemacht, Ihnen nahe zu sein. Ich bin froh, daß Sie mich aufgefordert und zwei Stunden mit mir getanzt haben. Es wäre schön, wenn wir uns Freitag zum Tanzen wiedersehen könnten.«
»Klar!« antwortet Chad. »Wir können tanzen gehen oder sonst irgend etwas machen, ich will es gerne mit Ihnen probieren, wenn es Ihnen recht ist. Ich hole Sie Freitag abend um sechs Uhr ab, und dann fahren wir zu einem Restaurant am Meer, wo es Fische und Muscheln gibt. Dort können wir mehr reden. Dort kann man warm sitzen, mit Blick aufs Meer. Hinterher können wir dann noch woanders hingehen.«
Dieses Paar hat eine eindeutige Standortbestimmung vorgenommen. Doris hatte sich auf eine Weise unterhalten, die sie gern hatte – sie hatte getanzt. Bei Chad war das anders. Deshalb war es klug von ihm, darüber zu sprechen. Nun war klar, daß sein Verhalten beim Kennenlernen nicht sein normales war, es konnte nicht als Richtschnur für die künftige Beziehung gelten. Deshalb kann es auch keine Schwierigkeiten mehr geben, wenn man nun von diesem Verhalten abweicht.

Chad hat deutlich gemacht, daß er das nächste Mal mehr reden und ihr auch körperlich nahe kommen möchte. Doris hat deutlich gemacht, daß sie damit einverstanden ist, daß sie aber auch ein bißchen tanzen möchte.

Das sind nur kleine Beispiele einer direkten, aufklärenden Offenheit. Chad und Doris haben einander wissen lassen, was sie vom anderen erwarten und erhoffen, und jeder gab dem anderen die Chance, erste Eindrücke zu objektivieren und zu korrigieren.

Diese wenigen Beispiele zeigen, daß aufklärende Offenheit und ein Vergleichen der eigenen Wahrnehmung mit der Realität Fehlwahrnehmungen verhindert oder sie abbaut, wenn sie sich bereits eingeschlichen haben. Erklärende Offenheit ist eine Form von ständigen Zusammenstößen, die Intimität aufbauen und entwikkeln helfen. Zusammen mit ständiger Realitätsüberprüfung, die wirklich nicht mehr als deutliches Aussprechen eigener Eindrücke bedeutet, ist die erklärende Offenheit ein sicherer, aber selten begangener Weg zu größerer Intimität.

14. Konflikt — der Schlüssel zur Realistik

Mit Hilfe aggressiver Durchsetzung eigener, aufrichtiger Empfindungen kann viel mehr bewirkt werden als durch ständig hemmende schädliche Illusionen. Beispielsweise können kleine Sticheleien und Verärgerungen, die aus Achtlosigkeit und durch Mißverständnisse entstehen, dadurch aufgefangen werden und verborgene Verstimmungen, die ein Paar an der Verwirklichung seiner Intimität hindern, gar nicht erst aufkommen. Wenn Sie nicht »Au« sagen, kann Ihr Partner nicht wissen, daß er Ihnen auf den Fuß getreten ist. Es läßt sich nicht vermeiden, daß Partner auch mal etwas tun, was den anderen verletzt, daß sie Verhaltensweisen und Ansichten entwickeln, die den anderen stören und herausfordern. Die meisten normalen Liebenden, die sehr aufmerksam füreinander sind, wären glücklich, wenn sie immer die Verhaltensweisen verändern könnten, die den Partner stören. Aber die meisten Menschen lieben den Frieden. Sie überschätzen sich selbst in der Annahme, daß man fast alles schlucken und vergessen kann. Niemand »verdirbt« gern einen schönen Tag oder Abend. Aber genauso wie das DDT konnten auch Gereiztheiten noch nicht aus der Welt geschaffen werden; im Gegenteil, sie wachsen ständig an. Durch konstruktive Aggression jedoch haben Partner die Gelegenheit, eine Verhaltensänderung voneinander zu erbitten, noch bevor ihr Ärger überhaupt aufkommt.

Wenn Sie es schaffen, Ihre Identität zu wahren, indem Sie sich durchsetzen, so werden Sie sich diese auch erhalten und weiterhin Einfluß auf Ihre Partner nehmen können, so daß diese Ihren Standpunkt genau kennen und Sie damit respektieren können. Falls Sie Ihre Identität aber ständig aufgeben, wird sie immer unfaßbarer und eventuell sogar zerstört. Sie haben das Gefühl, zu erstikken. Die übliche Reaktion ist die Trennung vom Partner, um endlich Raum zum Atmen zu gewinnen. Die wichtigste Aufgabe von Aggression ist, daß Partner sich auf eine angenehme, von beiden gleichermaßen akzeptierte Entfernung voneinander einigen können, denn es ist ungemein wichtig, daß beide Partner ihren individuellen Lebensraum beanspruchen. Jeder benötigt einen Raum, in dem er frei atmen kann, in dem er sich frei bewegen kann und er braucht Zeit für sich, um aufzutanken – falls das nicht so ist, kann aus dem begehrten Geliebten schnell ein verdrossener Gefängniswärter werden. Die einzig wirksame Art, in das Leben eines anderen Menschen einbezogen zu werden und für sein Erleben, seine Gedanken und Gefühle zentrale Bedeutung zu gewinnen, entsteht in der Durchsetzung konstruktiver Aggression (womit keine Ausschließlichkeit gemeint ist; nur ein neurotischer Mensch wird von einem angeblich geliebten Menschen verlangen, daß er allein für ihn die Welt ist).

Es gibt sehr viel mehr Anwendungsbereiche für Aggression. Manchmal bedeutet sie nicht mehr als eine offene Klärung und Abstimmung zwischen den Partnern, ein Impakt. Ein andermal soll sie nur die Aufrichtigkeit und Transparenz des Partners beweisen, die zu Beginn eines Partnerkontakts so starke Anziehungskraft hat und ihre Stärke während des gesamten Lebens meist nicht mehr verliert.

Diese Offenheit und Selbstbehauptung, dieser Hunger, anerkannt, respektiert und vor allem aber echt zu sein, all dies versucht der Hauptautor dieses Buches aus erzieherischen Gründen mit seinem »Kampf für Intimität« zu vermitteln. Sein viel praktiziertes Fair-Fight-Trainings-Konzept (konstruktive Aggression) gibt die Möglichkeit, die Durchsetzungsstärke zu kontrollieren, so daß es ein fairer unschädlicher Kampf wird, der nicht in sinnlose Zankerei oder Quälerei ausartet.

Ein leidenschaftlicher Kampf ist nur dann sinnvoll, wenn beide Partner ihre Ansprüche und Bedürfnisse deutlich machen. Diese Äußerungen sind aber mit Konflikt verbunden. Dieser Konflikt ist solange hilfreich, wie er unter Kontrolle stattfindet und nicht sinnlos verletzt. Durch die faire Kampftechnik wird den Partnern ihre Identität transparenter, und beide beginnen langsam wieder lebendiger zu werden, so daß alles, was einmal zu einem harten Schlag führen könnte, schon vorher durch einen starken Einsatz von Vernunft und gutem Willen bearbeitet werden kann. Ein konstruktiver Streit führt zu einer dichteren Beziehung zwischen Partnern. Er gibt ihnen wieder Sicherheit und Vertrauen, weil beide aufrichtig und gegenseitig verständlich bleiben. Die Absicht besteht also keineswegs darin, zu verletzten oder zu siegen, indem man seinen Partner übertrifft. Diese Streittechnik macht Menschen zu gleichberechtigten Partnern, so daß nie einer schwach, der andere dagegen stark ist. Liebe und Intimität können nur erhalten bleiben, wenn beide Partner sich als gleichberechtigt verstehen.

In einem früheren Werk des Hauptautors dieses Buches, dem Buch »The Intimate Enemy« (deutsch: Streiten verbindet) ist diese Streittechnik bis ins Detail beschrieben. Wir brauchen hier deshalb nicht so ausführlich darauf einzugehen. Aber immer, wenn wir daran arbeiten, Intimität unter den Menschen zu verstärken, wenn wir mit ihnen Probleme und Konflikte lösen oder Partnerbeziehungen beurteilen, kommen wir sehr häufig auf die Bedeutung von Aggressivität zu sprechen. Wir werden alle grundlegenden Prinzipien, die für einen Partnerkonflikt wesentlich sind, anführen, um so auch unseren Lesern die Möglichkeit zu geben, ihre Konflikte selbständig auszutragen.

Eines Tages kamen Peter und Cathy in unser Institut. Sie wollten ihre, von beiden geschätzte, aber fast schon zum Scheitern verurteilte Beziehung unter unserer Kontrolle überprüfen, und waren bereit, alles zu versuchen, um sie zu retten.

Gerade kürzlich hatten sie einen schrecklichen Streit miteinander, den sie nach der alten Art erboster Liebender führten: »Keiner gibt nach«. Sie waren beide noch immer sehr böse aufeinander und sehr mißtrauisch. Sie berichteten Dr. Bach von ihrem Streit und er leitete dann denselben Streit, jetzt aber in einer systematischen, nicht verletzenden fruchtbringenden Form.

Wir wollen Ihnen zunächst den ursprünglichen Streit zwischen Cathy und Peter darstellen. Beide lebten seit einigen Monaten in einer dichten, aber isolierten Beziehung zusammen. Schon seit einem Monat fühlten sich beide sehr unbehaglich und unzufrieden. Sie waren über die Abnahme ihrer zu Beginn so leidenschaftlichen Beziehung bestürzt. Teilweise versagten sie, wenn sie miteinander schliefen. Manchmal konnten sie einander nicht mehr sehen, aber das verheimlichten sie sich. Sie merkten, daß sie aufs äußerste angespannt waren, wenn sie zusammen waren.

Cathy war damals sechsundzwanzig Jahre alt und noch nie verheiratet gewesen. Peter war fünfunddreißig und geschieden. Da Cathy sexuell sehr ansprechbar war, hatte sie schon verschiedene Liebesbeziehungen erlebt. Peter war sexuell, besonders durch die letzte Zeit in seiner brüchigen Ehe, verunsichert und mißtraute seiner sexuellen Erlebnisfähigkeit. Er neigte dazu, schnell eifersüchtig zu werden, so daß er auch Cathy, scheinbar taktvoll, immer befragte, was sie in den Tagen machte, an denen er geschäftlich unterwegs war.
Er war von einer Verkaufsreise zurückgekehrt, als der Streit losbrach. Sie hatten gerade zu Mittag gegessen:

PETER:
Ich habe die guten Nachrichten bis zum Nachtisch aufgespart. Ich habe die Verkaufsverhandlungen erfolgreich abgeschlossen. Tyler kam heute persönlich zu mir und beglückwünschte mich. Er meinte, noch ein weiterer so guter Abschluß und man würde mir die gesamte Abteilung für den Maschinenbau-Verkauf überlassen. Für uns sind das ganz neue Aussichten.

CATHY:
(freut sich aufrichtig für ihn)
Das ist wunderbar, Liebster! Wirst Du eine erhebliche Gehaltserhöhung bekommen? Du hättest es wirklich verdient.

PETER:
Ich weiß noch nicht, wieviel es sein wird, aber eine Gehaltserhöhung werde ich schon bekommen. Aber es ist nicht das Geld, obwohl ich weiß, daß Du es gewohnt bist, exklusiver auszugehen, als ich es bisher ermöglichen kann mit meinen Alimenten und der Unterhaltsverpflichtung für mein Kind.

CATHY:
Das macht mir nichts aus, Liebling. Mir reicht es, wenn ich davon erzählen kann. Aber ich wünschte mir, daß Du die Wochenenden nicht auch noch geschäftlich unterwegs wärest. Ich werde ganz unruhig, wenn ich hier allein zu Hause 'rumsitze.

PETER:
(wissend)
Nun, gestern Abend hast Du ja wohl nicht allein zu Hause gesessen. Ich habe zweimal vergeblich versucht, Dich telefonisch zu er-

reichen, einmal um vier Uhr nachmittags und um ein Uhr nachts. (Er blickt sie prüfend an.)

CATHY:
O Gott, fang doch nicht wieder damit an! Was glaubst Du denn, was ich mache? Ja, ich war fortgegangen. Ist denn das ein Verbrechen?

PETER:
Wahrscheinlich warst Du nachmittags einkaufen ... (wird immer angespannter).

CATHY:
Ja (ungeduldig), und dann war ich beim Friseur.

PETER:
Und dann gingst Du vermutlich essen.

CATHY:
(richtet sich auf, um endlich reinen Tisch zu machen)
Ja.

PETER:
(versucht sachlich zu bleiben)
Mit Deiner Schwester?

CATHY:
Nein, möchtest Du noch Kaffee?

PETER:
Nein danke, mit Johanna?

CATHY:
Wie wäre es noch mit einem Drink? Ich habe uns einen Grand Marnier besorgt.

PETER:
Ja, ich sehe nur Deine Angeberei. Das überschreitet unsere normalen Ausgaben, ist es nicht so? Und Du hast schon getrunken. Trinkst Du auch alleine?

CATHY:
Verdammt nochmal, Peter, hör jetzt auf!

PETER:
(klingt verletzt)
Aufhören mit was?

CATHY:
Du weißt verdammt gut, was Du da wieder anfängst. Ich habe den Cognac nicht gekauft. Es war ein Mitbringsel. Verstanden. Und nun hör auf, Detektiv zu spielen. Es macht mich wahnsinnig.

PETER:
(er geht in die Küche und dreht Cathy zu sich herum und hält sie fest)
Wogegen wehrst Du Dich eigentlich so? Wo warst Du gestern abend, während ich in Cleveland arbeitete?

CATHY:
Würdest Du es mir überlassen, was ich tue?

PETER:
Verdammt, hör auf, mir auszuweichen!

CATHY:
Nun gut, Herr Staatsanwalt, die Flasche stammt von einem alten Freund, der mich zum Essen einlud und mit mir ins Theater ging. Ich wußte doch, daß Dich das verärgern würde. Mußtest Du das unbedingt wissen?

PETER:
(weicht einen Schritt zurück, sein Gesicht verfinstert sich)
Was für ein alter Freund? Das muß ja ein schöner Freund gewesen sein.

CATHY:
Das geht Dich nichts an. (Sie guckt ihn kalt an.)

PETER:
Und ob mich das was angeht. Wer war es?

CATHY:
Ich bin doch nicht mit Dir verheiratet. Laß mich doch in Frieden! Ich habe mich gestern zu Tode gelangweilt. Man gab mir die Chance, etwas anderes zu erleben und diese Chance habe ich genutzt. Das ist alles. Und es war völlig harmlos.

PETER:
Erlebst Du mit mir keinen Spaß mehr?

CATHY:
Nicht, wenn Du in Cleveland bist, zufrieden?

PETER:
(kalt)
Wer war es?

CATHY:
Niemand, den Du kennst.

PETER:
(voller Ärger)
Cathy ich habe ein Recht, es zu wissen.

CATHY:
Nein, das hast Du nicht. Ich habe das Recht, neben Dir andere Freunde zu haben. Ich bin jung. Und ich habe das Recht, Samstagabend auszugehen. Außerdem gehe ich jede Wette ein, daß Du auch ausgegangen bist und eine hohe Trinkrechnung hattest.

PETER:
Verflucht, Du weißt genau, daß unsere Kunden auch unterhalten sein wollen.

CATHY:
Und was machen deren Frauen?

PETER:
Joe und Ted hatten ihre Ehefrauen dabei. Ich ging mit ihnen essen und noch in eine Bar. Lange Zeit sprachen wir über Geschäfte, und die drei Mädchen unterhielten sich.

CATHY:
D r e i Mädchen? Warum — läßt Du mich hier schmoren, wenn Du dann mit jemand anderem ausgehst! Ich könnte Dich umbringen! Du scheinheiliges Geschöpf -

PETER:
(schreit)
Um Gottes willen, hör auf und hör doch endlich zu! Joe's Frau brachte ihre Schwester mit, und ich — mit wem warst Du aus?

CATHY

Mit Cliff Richards! Er kam von Chicago und rief mich an. Jetzt ist es mir egal. Du kannst es ruhig wissen, Du Heuchler.

PETER:

War das einer der Jungs in Chicago, denen Du den Kopf verdreht hast?

CATHY:

(schreit)

Du Bastard! Schließlich habe ich meine Frau ja nicht zweigeteilt wie Du. Ich habe Cliff mal geliebt, und —

PETER

Und jeden anderen Mann in Chicago auch. Rufen sie Dich alle an, wenn sie hierherkommen und mal wieder ins Bett steigen wollen?

CATHY:

Mach, daß Du wegkommst! Raus!

PETER:

Darum hast Du Dich neulich im Bett von mir abgewendet, weil Du so müde von all den anderen Männern warst, von Cliff, von Tom, Dick und –

CATHY:

Ich hasse Dich, Du Bastard! Ich hatte Dir so vertraut. Ich habe Dir alles erzählt – geh hier endlich 'raus!

PETER:

Du Schlampe! Und mir bietest Du sein Gesöff an, um mich zu einem Dreck zu machen (er nimmt sich die Flasche und beginnt, sie in den Ausguß zu schütten. Sie nimmt sie ihm weg und wirft damit nach ihm, trifft ihn zwar nicht, aber bespritzt ihn). Warum denn Du kleine Hure (er hebt seine Hand, dann keucht er, knallt die Tür zu und ist weg).

Dieser Streit enthält viele der allgemein üblichen Probleme einer Partnerschaft, wobei die Rechte der Partner, das Schwinden des Vertrauens, das Distanzproblem der Partner und deren Individualität angesprochen werden und die Frage, wie zentral jeder für das Leben des anderen ist. Dadurch ist so ein Streit zwar informativ, aber zugleich schafft er auch Bestürzung und Verwirrung zwi-

schen den Partnern. Beide versuchen, wichtige eigene Empfindungen auszusprechen, aber sie werden so verworren formuliert, daß keiner von beiden hört, was der andere wirklich sagt.
Jedoch diese Form des »Sich-Luft-Machens« muß nicht unbedingt das Ende einer Beziehung signalisieren, sie zeigt zunächst nur, daß eine Veränderung der Beziehung und ein besseres Kommunikationssystem notwendig sind. Die Streitenden sagen zueinander: »Es war zuviel auf einmal und zu quälend. Wir wollen uns erst mal ein wenig davon erholen und dann wollen wir die Dinge erst mal ordnen.«
Die verschiedenen Streitinhalte, die Cathy und Peter ansprachen, können geordnet und unter Kontrolle behandelt werden. Mit Hilfe eines Coach werden diese Konflikte fair bearbeitet, so daß beide die Erfahrung machen, daß ein solcher Prozeß nicht verletzend zu sein braucht und die Beziehung kaputt macht, sondern ihre Beziehung fruchtbar erweitert. Peter und Cathy sind jetzt im Büro von Dr. Bach und sehen sich immer wieder flüchtig und nervös an.

DR. BACH:
Nun wir wollen mal sehen. Wer von Ihnen möchte anfangen? Unsere Gesprächsform besteht darin, daß zunächst einer von Ihnen dem jeweiligen Partner seine Beschwerde vorträgt.

CATHY:
Er hat damit angefangen, mit seiner schmutzigen Phantasie.

PETER:
Meine schlechte Phantasie! Schließlich habe ich ja nicht —

DR. BACH:
Hören Sie auf damit. Wir tragen hier keinen Boxkampf aus; wir möchten zusammen den Versuch machen, real zu sein und offen zu kommunizieren. Sind Sie damit einverstanden? Gut. Peter beginnen Sie mit Ihrem Vorwurf, und –

PETER:
(unterbricht)
Das würde mindestens eine Stunde dauern. Aber grundsätzlich dreht es sich alles um die Unverantwortlichkeit und Unreife von Cathy und die –

DR. BACH:
(hebt seine Hand, um ihn aufzuhalten)
Nein, nein. So geht es nicht. Wir sind weder Preisrichter noch sitzen wir in einem Gerichtssaal. Wir wollen uns speziell damit befassen, woher Ihre Unzufriedenheit kommt. Zunächst werden wir eine Minute still meditieren, um selbst die Ursache Ihrer Belastung herauszufinden. Versuchen Sie es, Peter, und sagen Sie es dann Cathy.

PETER:
(hält sich an die Regel)
Gut. Es ist wirklich unerträglich für mich, wenn Du andere Männer triffst. Ich liebe Dich sehr, und Du sagst, daß Du mich liebst, aber Du bist nicht bereit, nur für mich dazusein.

DR. BACH:
Ah, eine Forderung nach Ausschließlichkeit. Nun Cathy, ich nenne Ihnen eine weitere Regel. Wenn wir den Vorwurf gehört haben, wiederholen wir ihn, so genau wir können. Das verlangsamt den Prozeß. Außerdem können wir so besser zuhören und warten nicht nur darauf, daß der andere seine Aussage beendet, um dann selbst etwas anderes zu sagen. Bitte versuchen Sie es.

CATHY:
Das scheint mir ziemlich albern, aber ich bin einverstanden. Peter, es stört Dich also, wenn ich irgendwelche Freunde habe, und —

DR. BACH:
Nein, nein. Sie sollen ihn wörtlich wiederholen. Durch Ihre geringfügige Änderung der Aussage haben Sie schon die inhaltliche Bedeutung verändert.

CATHY:
Es ist Dir unerträglich, wenn ich mich mit anderen Männern treffe. Du sagst, daß Du mich liebst und daß ich auch sage, daß ich Dich liebe, aber nicht nur für Dich dasein will.

DR. BACH:
Sehr gut. Wenn Sie dies speziell belastet, Peter, würde es sicherlich besser gehen, wenn sich daran etwas verändern ließe. Sagen Sie, Cathy, welche Änderung Sie sich wünschen.

PETER:
Aber das ist doch ganz klar, oder nicht?

DR. BACH:
Im Pairing ist nichts eindeutig. Erzählen Sie es ihr.

PETER:
Cathy, ich möchte, daß Du Dich nicht mehr mit anderen Männern verabredest.

CATHY:
Du möchtest, daß ich mich nicht mehr mit anderen Männern verabrede.

PETER:
Es ist zu lustig; ich hatte so vieles im Kopf als ich hierherkam, Cathy, über Deine Eigenschaften und vieles andere, es war schrecklich kompliziert, und nun bleibt nur dieser Vorwurf übrig.

DR. BACH:
Das ist gar nicht komisch. Das geschieht immer, wenn wir uns ruhig hinsetzen und darüber meditieren, was unsere wirklichen Forderungen an den Partner sind und was wir genau an der Beziehung ändern möchten. Cathy, Sie haben Peters Änderungsvorschlag gehört und haben ihn wiederholt. Können Sie diese Änderung akzeptieren?

CATHY:
Nein, ich möchte mich weiterhin mit anderen Männern verabreden.

DR. BACH:
Peter, wiederholen Sie das. Dann hat das Gesagte Wirkung auf Sie.

PETER:
Du möchtest nicht damit aufhören, andere Männer zu treffen.

DR. BACH:
Im Augenblick sieht es so aus, als wären wir in einer Sackgasse. Aber vielleicht finden wir eine Einigung. Peter, glauben Sie, daß Ihre Forderung geändert werden kann? Sind Sie bereit, in irgendeiner Form einen Kompromiß zu schließen?

PETER:
Wie soll ich da einen Kompromiß schließen?

Dr. Bach:
Nun, Sie können z. B. überdenken, wie viele Verabredungen Cathy bisher wünscht, und vielleicht können Sie sich darauf einigen, die Verabredungen zu begrenzen, so daß Sie beide befriedigt wären.

Cathy:
Ich will mich aber auf keine Einschränkungen einlassen. Ich möchte frei sein. Ich glaube, daß das hier auch das Entscheidende ist. Peter möchte mich besitzen. Er wird wütend, wenn sein Eigentum ihm nicht sicher ist.

Peter:
(protestiert)
Das ist nicht wahr.

Dr. Bach:
Haben Sie das gehört, Cathy? Peter sagt, daß Sie Unrecht haben. Sie stellen gerade Vermutungen an. Sie versuchen gerade in seinen Gedanken zu lesen, oder vielmehr ihm diese Gedanken richtig zu entlocken. Das kann ihn doch nur verärgern. Wir können nur das feststellen, was wir wirklich wissen. Falls wir merken, daß wir über den anderen Vermutungen anstellen, müssen wir diese Vermutungen durch Fragen überprüfen. Es ist nichts dagegen einzuwenden, die Gedanken eines anderen Menschen lesen zu wollen, aber nur dann, wenn der andere damit einverstanden ist. Falls wir einfach einem anderen Menschen sagen, was er vermutlich denkt oder fühlt, praktizieren wir etwas, was wir »den anderen wahnsinnig machen« nennen. Das ist sinnlos und aufreibend.

Cathy:
Gut, Peter, bist Du einverstanden, ich möchte gerne Deine Gedanken lesen?

Peter:
Ich glaub schon.

Cathy:
Ich glaube, daß Du mich besitzen möchtest. Du möchtest immer das tun, was Du gerade möchtest, ohne irgendeine Verpflichtung mir gegenüber, mich aber möchtest Du immer fest am Gängelband führen.

Peter:
Das ist nicht wahr. Ich kann Dir treu sein. Diese Geschäftsreise

nach Cleveland verlief wirklich so, wie ich sie Dir erzählte. Ich gebe gern zu, daß auch andere Mädchen manchmal verführerisch auf mich wirken. Ich bin ja auch ein Mann. Aber ich würde sie alle lassen, wenn wir ausschließlich miteinander leben würden.

DR. BACH:
Was war eben mit der Verpflichtung gemeint, von der Cathy annimmt, daß Sie sie nicht eingehen würden, Peter.

PETER:
Ja, das ist es ja. Ich möchte nur dann ausschließlich mit ihr leben, wenn sie auch bereit dazu ist.

DR. BACH:
Wir können, glaube ich, ein Verhandlungsangebot machen. Cathy, was meinen Sie?

CATHY:
Was mich betrifft, so habe ich mit der Verpflichtung etwas anderes gemeint.

PETER:
Gut, worin bestünde denn Deine Verpflichtung?

CATHY:
Es gibt nur eine dauerhafte Verpflichtung zwischen Mann und Frau, auch wenn ich weiß, daß sie nicht immer so dauerhaft ist.

PETER:
Du meinst die Ehe?

CATHY:
(schlägt die Augen nieder)
Ja, das meine ich.

PETER:
Möchtest Du damit sagen, daß Du mich heiraten möchtest?

DR. BACH:
Überprüfen Sie, Peter, ob sie das meint.

PETER:
Meinst Du das?

CATHY:
Ja.

PETER:
Aber Du hast doch gesagt, daß Du mich nicht heiraten willst.

CATHY:
Aber nur, weil Du sagtest, daß Du mich nicht heiraten willst.

PETER:
Nein, ich sagte, nicht könnte. Ich habe Dir erzählt, daß ich Alimente und den Unterhalt für ein Kind zahle. Bevor ich nicht befördert werde und eine Gehaltserhöhung bekomme, könnten wir mit meinem jetzigen Einkommen nicht gut leben.

CATHY:
Wenn Du keine Verpflichtung eingehen willst, wüßte ich nicht, warum ich es dann sollte.

PETER:
Ich behaupte immer noch, daß es auch andere Formen der Verpflichtung geben kann, daß zwei Menschen sich z. B. ein Versprechen geben –

CATHY:
Diese Versprechungen habe ich in meiner Vergangenheit in Chicago zur Genüge kennengelernt, letztlich blieb ich verletzt und einsam zurück. Ich verpflichtete mich selbst, aber wenn der Mann dann ein Mädchen fand, das ihm ein bißchen besser gefiel, wurde ich fallengelassen. Ich glaube, ich möchte entweder alles oder gar keine Verpflichtung. Ich werde sonst zu abhängig. In Wirklichkeit möchte ich gar niemand anderes, Peter. Ich habe mit Cliff auch nicht geschlafen. Ich wollte es gar nicht. Aber es tat mir ungemein gut, mit ihm auszugehen. Frei. Unabhängig von Dir.

PETER:
(betroffen)
Ich habe nie gemerkt, daß Du das Gefühl hattest, daß ich Dich an eine Kette lege. Das tut mir leid.

DR. BACH:
Peter, Sie lesen gerade, ohne Erlaubnis, Cathys Gedanken.

PETER:
Ja, Cathy, siehst Du mich so?

CATHY:
Ja und nein. Ich wollte sagen, daß es mir Angst macht, von Dir zu sehr abhängig zu sein. Ich fürchte, Dich dann zu verlieren.

PETER:
(strahlt)
Wirklich? Und ich habe Angst, Dich zu verlieren. Deshalb war ich auch so verstört, als Du mit einem anderen Mann ausgingst. Ich habe immer die Befürchtung, Dir nicht genügend bieten zu können, um Dich zu halten.

CATHY:
Warum möchtest Du mich dann aber nicht heiraten?

PETER:
Das habe ich Dir doch immer und immer wieder erzählt. Das liebe Geld. Ich möchte Dich gern heiraten.

CATHY:
(heiter und erfreut)
Das meinst Du wirklich?

PETER:
Ja.

CATHY:
Warum hast Du es mir nie gesagt?

PETER:
Weil Du in all den letzten Monaten von nichts anderem als von Deiner Unabhängigkeit sprichst. Ich dachte, das würde Dich zurückschrecken lassen. Möchtest Du mich wirklich heiraten?

CATHY:
Oh, ja. (Sie macht eine Pause.) Einerseits möchte ich es sehr gerne. Aber dann, wenn Du so besitzergreifend wirst ...

DR. BACH:
Cathy, das klingt so, als möchten Sie einen Vorwurf machen und Peter vielleicht um eine irgendwie geartete Veränderung bitten. Meinen Sie nicht auch, daß Sie es ihm sagen sollten? (Sie nickt.) Gut, denken Sie zunächst darüber nach, vielleicht gelingt es uns, die Dinge bei den bestehenden gegenseitigen Forderungen wirklich zu klären.

CATHY:
Ich bin mir noch nicht ganz klar darüber, Dr. Bach. Ich weiß, was ich fühle, aber es ist so schwer auszudrücken. Ich kann nicht so gut formulieren wie Peter. Immer wenn wir uns unterhalten, scheint es, als habe er recht. Er überredet mich förmlich. Schließlich bin ich so erschöpft, daß ich nachgebe.

DR. BACH:
Das kommt sehr häufig vor, Cathy, wenn einer der Partner im verbalen Ausdruck geübter ist als der andere. Wir müsesn also versuchen, die Situation zu einem Ausgleich zu bringen. Wir geben dem verbal weniger geübten Partner die Möglichkeit, seine Empfindungen nonverbal auszudrücken, ohne daß ihn der verbal geschicktere Partner durch Argumentationen verwirren kann. Haben Sie Lust, das zu versuchen, Cathy? Bei dieser Übung darf überhaupt nicht gesprochen werden.

CATHY:
(guckt ungläubig, aber auch etwas erleichtert)
Ich würde es sehr gerne versuchen. Ich bin jedesmal so fürchterlich frustriert, wenn ich Peter gegenüber meine Ideen vertreten will.

DR. BACH:
Sehr gut. Eine unserer nonverbalen Ausdrucksübungen heißt „bildhauern«. Ein Partner, er oder sie, modelliert den anderen Partner in einer Haltung, die er sich von ihm sich selbst gegenüber wünscht. Dann stellt der Bildhauer – wir nennen ihn auch Pygmalion – sich selbst in der Position dar, die er in dieser Beziehung einnehmen möchte. Dadurch wird deutlich, welche Form der Beziehung er sich wünscht. Wenn Sie diese Übung machen möchten, Cathy, müssen Sie Peter zunächst um Erlaubnis bitten. Wir setzen nie ein Recht voraus, einander zu beeinflussen, zu modellieren oder mit etwas zu überfallen.

CATHY:
Peter, bist Du damit einverstanden, daß ich diese Übung mit Dir mache?

PETER:
Ja, Du Liebe. Ich möchte gerne wissen, was Du empfindest, und häufig war es schon sehr frustrierend, zu spüren, daß Du es mir nicht mitteilen konntest.

Dr. Bach:
Gut, Peter, dann stehen Sie auf und schließen Sie die Augen. Bitte äußern Sie sich überhaupt nicht, bis die Übung abgeschlossen ist. Dann dürfen Sie die Augen öffnen und dann können Sie beide über das Ergebnis sprechen.
Cathy, Sie können Peter in jede Haltung bringen, die Sie wünschen. Sie können seine Kleidung verändern und falls er nichts dagegen einzuwenden hat, können Sie ihn auch hinlegen, setzen, stellen oder knien, wie immer Sie es möchten. Sie können sogar seine Mimik verändern.
Cathy führte Peter an der Hand bis in die Mitte des Raumes. Sie sieht zu ihm auf. Er ist zwanzig oder dreißig Zentimeter größer als sie. Entsprechend der Anweisung von Dr. Bach schließt sie die Augen und meditiert einen Moment, so daß sie ihre aufkommenden Gefühle deutlich und klar erleben kann. Dann lächelt sie so, als habe sie gefunden, was sie darstellen möchte. Sie nimmt Peters Hände und steckt sie ihm in seine Taschen. Dann betrachtet sie ihn aufmerksam. Sie geht auf ihn zu und richtet seine Mundwinkel zu einem freundlichen Lächeln nach oben. Sie geht einen Schritt zurück und sieht wieder zu ihm auf; sie sieht dabei noch nicht ganz glücklich aus. Dann nähert sie sich ihm wieder und läßt ihn knien.
Nun kniet Cathy sich vor ihn. Sie richtet sich dabei so hoch auf wie sie nur kann. Nun sind sie beide fast gleich groß, doch sie schüttelt noch immer mit dem Kopf, dann rutscht sie etwas weg von Peter. Jetzt erst lächelt sie befriedigt und streckt Peter beide Arme entgegen, aber berührt ihn nicht.

Cathy:
Du kannst Deine Augen wieder aufmachen, Peter.

Peter:
(macht die Augen auf und sieht etwas verdutzt aus)
Ich weiß nicht, ob ich das verstehe.

Cathy:
Denk doch mal darüber nach.

Peter:
Du hast uns so gesetzt, daß wir fast gleich groß sind, daß unsere

Augen sich näher sind. Soll das heißen, daß Du, daß wir uns auf einer ähnlichen Ebene befinden, einander eher gleichen sollen?

CATHY:
Ja, aber es ist mehr. Mir liegt an einem wichtigeren Teil.

PETER:
(sieht sich alles genau an)
Warum hast Du mir meine Hände in die Taschen gesteckt? (Er denkt darüber nach.) Hast Du es getan, damit ich Dich nicht berühren kann?

CATHY:
(etwas unbehaglich)
Ja.

PETER:
Aber Du streckst Deine Hände nach mir aus. Du bist doch aber so weit entfernt, daß Du mich noch nicht berühren kannst. Ich glaube nicht, daß ich den Sinn herausbekomme. Meinst Du damit wirklich, daß Du unsere körperliche Beziehung ablehnst? (Er fragte ängstlich.)

CATHY:
Oh, nein. Das weißt Du doch, ich liebe körperliche Nähe. Sie ist für mich sogar die beste Möglichkeit, Dir zu zeigen, wie ich mich fühle. Außerdem bist Du ein wunderbarer Liebhaber. Du bist so zärtlich und liebevoll.

PETER:
Was aber denn? Ich weiß, daß ich Dich sehr häufig berühre, mehr als Du es vielleicht möchtest.

DR. BACH:
Hat sie das gesagt?

PETER:
Verzeihung, ja, Cathy, berühre ich Dich zu häufig?

CATHY:
Nein, ich mag das sehr gern, wenn Du mich berührst. Es ist noch etwas anderes, was ich meine.

DR. BACH:
Peter, wenn Sie nicht sicher sind, was Cathy mit ihrer Darstellung ausdrücken möchte, so fragen Sie sie besser.

PETER:
Ja, Cathy, was bedeutet alles übrige?

CATHY:
Du wirkst auf mich häufig so bedrängend. Merkwürdig, jetzt kann ich plötzlich darüber sprechen. Manchmal gibst Du mir das Empfinden, umzingelt zu sein. Darum habe ich Dir auch die Hände in die Tasche gesteckt. So konntest Du mich nicht festhalten, ich aber hatte die Möglichkeit, mich Dir zuzuwenden. Darum habe ich mich auch etwas von Dir zurückgesetzt.

DR. BACH:
Ich glaube, wir sollten uns nun alle wieder hinsetzen, vielleicht ist es Ihnen jetzt auch möglich, Peter um eine Verhaltensänderung zu bitten, Cathy.

CATHY:
Es ist immer noch schwer, das deutlich zu machen. Aber es hängt immer damit zusammen, daß Peter mir zu lange Zeit so nah sein will.

DR. BACH:
Erzählen Sie es Peter und versuchen Sie dabei ganz genau zu sein.

CATHY:
Mein Vorwurf besteht wohl darin, daß Du sehr viel mehr Zeit mit mir zusammen sein möchtest als ich mit Dir.

PETER:
Du glaubst, ich will mehr Zeit mit Dir verbringen als Du mit mir.

CATHY:
Ja, und ich habe Angst, Dir zu sagen, daß es mich stört, weil ich befürchte, daß Du dann in meiner Zuneigung an Dir zweifeln würdest.

PETER:
(wiederholt es und sagt dann)
Wann mache ich das?

CATHY:
Beispielsweise am Wochenende, wir weichen uns nicht von der Seite. Freitag nacht schlafen wir zusammen, und dann bleiben wir auch das Wochenende zusammen. Ich brauche aber Zeit, mich wieder zu

entspannen, zu atmen. Einerseits bin ich sogar richtig erleichtert, wenn Du auf Geschäftsreisen bist.

PETER:
(wiederholt das Gesagte zunächst und sagt dann)
Ich dachte immer, daß Du diese starke Nähe liebst. Ich weiß sogar, daß ich Dich schon danach gefragt habe.

CATHY:
Du hast mich gefragt, ob ich all das mag, was wir zusammen tun; ob ich gern mit Dir schlafe, mit Dir esse, Museen besuche und vieles mehr. Ich mag dies alles wirklich gern mit Dir. Aber ich mag es nicht ständig und nicht so viel auf einmal.

DR. BACH:
Welche Forderung möchten Sie an Peter stellen, da er Ihren Vorwurf zu akzeptieren scheint?

CATHY:
Es ist so schwer, etwas Bestimmtes zu sagen. Aber wenn Peter bereit wäre, mich manchmal für ein paar Stunden allein zu lassen, damit ich ganz ruhig manches für mich tun kann, Haare waschen, Wäsche waschen und lauter kleine Hausarbeiten, zu denen ich in der Woche nicht komme. Meine Wohnung sieht seit Monaten schon ganz verwahrlost aus. Oder ich hätte Lust, zu lesen oder fernzusehen. Peter, Du bist einfach zu anstrengend für mich. Montagmorgen bin ich dann völlig erschöpft, wenn ich wieder zur Arbeit gehe.

PETER:
Ja, ich weiß. Und wenn ich ehrlich bin, ermüdet es mich genauso. Ich merke, daß Du unruhig wirst, und dann bekomme ich schreckliche Angst, daß Du nicht gern mit mir zusammen sein möchtest, und dann verstärke ich meine Angebote und klammere mich um so mehr an Dich. Vielleicht wären Ruhepausen für uns beide sehr gut. Ich war z. B. schon vier Monate nicht mehr bei einem Fußballspiel.

CATHY:
Dann wärst Du gar nicht dagegen, daß ich mal einen Morgen oder Nachmittag nur für mich allein hätte? Du wärst dann nicht verletzt? Ich glaube, daß dies mit ein Grund dafür ist, daß ich

manchmal zu jemand anderem fliehen möchte. Ich fühle mich einfach zu eingeengt.

PETER:
Wir wollen es ausprobieren und sehen, ob es uns hilft. Meinen Sie, daß es uns nützen könnte, Dr. Bach?

DR. BACH:
Ich denke schon. Das Distanzproblem bildet eine der häufigsten Schwierigkeiten zwischen Menschen überhaupt: wieviel Raum gestehe ich meinem Partner oder mir selbst zu. Sie scheinen mehr Nähe zu suchen, Peter, als Cathy es ertragen kann. Liebende befürchten häufig, verschlungen zu werden, von ihrem Partner erdrückt und ausgebeutet zu werden, wenn sie zuviel von sich selbst aufgeben müssen. Cathy hat ihre Befürchtung, ausgebeutet zu werden, schon formuliert, was teilweise an schlechten vorangegangenen Erfahrungen in der Vergangenheit liegt, aber auch durch ihr Wissen um ihre jetzige Position. Ich vermute, daß Cathy davon schon vorhin sprach, als sie die Verpflichtung erwähnte, die Sie von Ihnen wünscht. Stimmt das Cathy?

CATHY:
(nickt)
Seitdem Peter mir mehr über seine eigenen Empfindungen gesagt hat, erlebe ich das schon etwas anders.

DR. BACH:
Sie wissen beide, daß die Auseinandersetzung, die Peter vorhin begann und die eine Verhaltensänderung bei Cathy herbeiführen sollte, noch nicht beendet ist. Ich ließ es extra ungelöst, weil ich es für notwendig hielt, daß Cathy zunächst mehr über ihre Empfindungen sprechen sollte, bevor wir dieses erste Problem sinnvoll behandeln können. Aber was wollen Sie nun damit machen? Sie hatten beide in der Frage, ob Cathy mit anderen Männern ausgehen darf, auf Ihrem Standpunkt beharrt.

PETER:
Cathy, ich hatte den Eindruck, daß Du Deine Einstellung dazu schon etwas verändert hast.

DR. BACH:
Das ist Gedankenlesen, Peter! Das haben Sie nicht nötig. Überprüfen Sie Ihre Vermutung.

PETER:
Hast Du Deine Einstellung dazu verändert?

CATHY:
Nein, noch nicht richtig. Dr. Bach hat recht. Immer, wenn ich mich mit Dir auseinandersetze, habe ich das Gefühl, unter Druck zu sein. Aber ich möchte doch so frei bleiben, daß ich weiterhin meine Freunde besuchen kann und sie auch als solche behalten darf. Es kann sein, daß ich sie sehen möchte, es kann auch anders sein.

PETER:
Aber Cathy –

CATHY:
Verstehst Du, falls ich Dir das versprechen würde, könnte ich nie selbst darüber bestimmen, ob ich es möchte oder nicht. Sondern es wäre von vornherein klar, daß ich niemanden sehen darf.

PETER:
Meinst Du damit, daß ich Dir einfach vertrauen muß?

CATHY:
Nicht mehr als ich Dir vertraue, wenn Du z. B. in Cleveland bist.

DR. BACH:
Peter, könnten Sie Ihre ursprüngliche Forderung jetzt, wo Sie mehr Informationen und Einsichten haben, verändern?

PETER:
Ich verstehe jetzt Cathys Standpunkt besser.

CATHY:
Ich möchte gern wissen, ob Du ihn wirklich akzeptieren kannst. Oder wirst Du Dich dann doch über alles ärgern. Es bliebe ja offen, was ich in der Zeit mache, die Du mir zugestehst; ob ich dann Freunde sehen möchte oder nicht.

PETER:
Wir können es versuchen. (Er denkt einen Moment nach.) Etwas würde mir sehr helfen. Wenn ich wüßte, daß Du mir gegenüber immer ganz offen sein könntest und mir erzählst, was Du gemacht hast. Das gälte besonders dann, wenn Du lieber mit jemand ande-

rem zusammen sein möchtest als mit mir, weil er Dir mehr bedeutet.

DR. BACH:
Verzeihung, Peter, aber wäre es Ihnen nicht möglich, diese Frage genauer zu formulieren – daß Sie vielleicht Cathy darum bitten, daß sie Ihnen immer vollkommen offen gegenüber ist und immer neu dazu bereit ist, sich mit Ihnen darüber auseinanderzusetzen?

PETER:
Ja, genau das meine ich. Wärst Du dazu bereit, Cathy?

CATHY:
Selbstverständlich, zumal ich jetzt merke, daß ich mich mit Dir abstimmen kann, ohne daß Du ärgerlich wirst oder mich zurückstößt. Wenn Du mir gegenüber offen bist, gibt mir das viel mehr Zutrauen zu Dir.

Dieses Streitgespräch war sehr weitschweifig. Und zwar deshalb, weil sich so viele Probleme bei diesem Paar angesammelt hatten, die ungelöst waren. Innerlich brodelte es schon bei beiden, sie überdeckten aber jedes Problem mit Emotionen. Gleichzeitig aber bietet dieser Streit eine Vielzahl von Anregungen, wie man mit Hilfe des eigenen Durchsetzungsvermögens und der Bereitschaft, sich mit dem Partner abzustimmen, Schwierigkeiten handhaben kann.
In diesem Streit wurden folgende grundlegenden Prinzipien angesprochen:
1. Wenn man einen Vorwurf macht, so soll er eindeutig und genau sein.
2. Beklagen Sie sich nicht nur, sondern bieten Sie gleich eine vernünftige Möglichkeit zur Verhaltensänderung an. Das entschärft auch den Vorwurf.
3. Lassen Sie sich die wichtigsten Punkte vom Partner wörtlich wiederholen, damit Sie sicher sind, daß er Ihnen zugehört hat, oder damit Sie die Möglichkeit haben, Ihrem Partner zu versichern, daß Sie verstanden haben, was er möchte.
4. Beschränken Sie sich selbst auf die jeweilige Streitfrage. Sonst springen Sie ohne Leitung eines Coach ständig hin und her, ohne zu den wirklich wichtigen Problemen vorzustoßen.

5. Vermeiden Sie Intoleranz und aalglattes Verhalten. Versuchen Sie eigenen Gefühlen gegenüber genauso offen zu sein wie denen Ihres Partners.

6. Überlegen Sie sich immer eine Einigungsform. Vergessen Sie nicht, daß Ihre verschiedenen Standpunkte zur selben Sache dennoch im gleichen Maße real sein können. Es gibt so gut wie keine objektive Realität zwischen Menschen.

7. Lassen Sie keine Zwischenfragen zu, bis Ihre ursprünglichen Forderungen richtig verstanden sind und Sie darauf eine ganz klare Antwort erhalten haben.

8. Glauben Sie nie, wissen zu können, was Ihr Partner denkt, bis Sie Ihre Vermutungen überprüft haben. Stellen Sie auch keine Vermutungen darüber an, wie er reagieren wird, was er akzeptieren oder zurückweisen wird. Hellseherei ist nichts für Pairing.

9. Unterstellen Sie nichts, sondern fragen Sie. Korrigieren Sie nie die Aussagen Ihres Partners über seine eigenen Empfindungen. Sagen Sie nie zu Ihrem Partner, daß er das eigentlich wissen, tun oder fühlen müßte.

10. Versuchen Sie nie, Ihrem Partner einen Stempel aufzudrücken. Nennen Sie ihn weder einen Feigling, einen Neurotiker oder ein Kind. Falls Sie wirklich glauben, daß Ihr Partner unverträglich ist oder daß er einen grundlegenden Bruch hat und Ihnen nun alles hoffnungslos erscheint, dann überlegen Sie, ob Sie immer noch mit ihm zusammen sein wollen, wie Sie es wahrscheinlich ja noch sind. Geben Sie keine weitreichenden abwertenden Urteile über die Gefühle Ihres Partners ab, insbesondere nicht darüber, ob sie echt oder wichtig sind.

11. Sarkasmus als Streitform ist hinterhältig.

12. Vergessen Sie Vergangenes und bleiben Sie bei der »Hier-und-jetzt«-Situation. Alles, was einer von Ihnen letztes Jahr, im letzten Monat oder gerade am Morgen tat, ist im Verhältnis zu dem, was er jetzt empfindet oder tut, unwichtig. Die Veränderungen, die Sie sich erbitten, können sich ja auch höchstwahrscheinlich nicht mehr auf Vergangenens beziehen. Verletztsein, Vorwürfe, Ärger sollten als erstes geäußert werden, sonst könnte der Partner zu Recht annehmen, daß Sie sie sorgfältig als Waffen bereithalten.

13. Überhäufen Sie Ihren Partner nicht mit Vorwürfen. Falls Sie es doch tun, muß er sich hoffnungslos fühlen und annehmen, daß Sie entweder ständig Vorwürfe angesammelt haben oder daß Sie

sich nicht überlegt haben, worunter Sie leiden und was Sie ihm wirklich vorwerfen wollen.
14. Meditieren Sie. Nehmen Sie sich Zeit, um Ihre echten Gedanken und Gefühle herauszubekommen, bevor Sie sprechen. Voreilige Reaktionen können oft die Sache nur verschlimmern oder sie bedeutender erscheinen lassen, als sie wirklich ist. Schließen Sie ungestört Ihre Augen und denken Sie in Ruhe nach.
15. Vergessen Sie nie, daß es in einem aufrichtigen Streitgespräch zwischen Intimpartnern nie nur einen Gewinner geben kann. Entweder gewinnen beide mehr Intimität oder sie verlieren sie beide.

Während einige Partner sich sehr darum bemühen, Spannungen und Konflikte zu unterdrücken, um ihre Beziehung zu zementieren, planen andere wohlüberlegt ein fruchtbringendes Streitgespräch.
Es ist bezeichnend, daß gerade Partner einer jungen Liebesbeziehung, die sich des anderen noch nicht so sicher sind, viele Dinge zusammen erörtern, die ziemlich bedeutunglos erscheinen. Bewußt oder unbewußt geschieht dies, um »Einsicht« in den anderen zu bekommen. Es ist nicht selten, daß sie ganz hypothetische Konflikte vorgeben, nur um herauszubekommen, wie sich der jeweilige Partner in solchen Situationen verhalten würde, z. B. wenn ein Rivale auftauchen würde.
Es kann auch sein, daß sie sich gegenseitig wegen ihres Geschmacks kritisieren, egal, ob in Kleidungsfragen oder in unterschiedlicher Auswahl von Filmen etc. Erst wenn diese imaginären oder auch überzeichneten Konflikte in einer eher monotonen als geladenen Art abgehandelt worden sind, erwachsen wirklich innere Spannungen, die sich aus der Ich-Du-Beziehung ergeben.
Sie behandeln grundsätzliche Dimensionen der Intimität in einer ganz bestimmten Form z. B.: »Ich bin für dein Leben nicht wichtig genug; ich habe keine Lust, irgendwo auf einem Nebengleis zu rangieren.« Oder die Art, wie sie z. B. Abmachungen darüber treffen, wie weit Freunde in ihre Beziehung miteingeschlossen werden (»Merkwürdig, daß du mich nicht mal Weihnachten mit zu deinen Angehörigen nimmst«). In realistischen Partnerschaften können beide Arten der Beziehung, die, die sich primär mit oberflächlichen und eher äußeren Konflikten beschäftigt, und die, die sich mit schwerwiegenderen inneren Konflikten auseinandersetzt,

durch unsere Methode der Konfliktlösung zu einer Vertiefung der Intimität führen.
Wir können sogar verallgemeinern, daß Konfliktlosigkeit praktisch nur unter solchen Partnern möglich ist, die sich ausschließlich an festgelegten Bedingungen orientieren und die entsprechende vorgeschriebene Rolle übernehmen. Beispiele dafür sind: schicke Tenniskameraden und hoch stilisierte Freunde zum Zeitvertreib, Beziehungen zwischen Playboys und Playgirls etc.
Manchmal bewirkt und verstärkt ein Partner Minderwertigkeitsgefühle. Das bringt Spannungen und Konfrontationen, die nicht auf völlig legitimen »Ich-und-Du«-Konflikten beruhen, sondern auf Entfremdung. Sie setzen das Selbstgefühl herab und mindern die Ich-Stärke eines Menschen. Beispiele dafür sind: »Mein Gott, wenn Du gehst, stolperst Du bloß so herum«; oder Bemerkungen »wie Du immer Deine Stirne verziehst« oder »daß Du nie irgendein Buch in die Hand nimmst.«
Es gibt viele weitere Einzelheiten in diesem System der Aggressionen bei Intimpartnern. Aber dieser Überblick mag für die Partner schon ausreichen, die die konstruktiven Möglichkeiten der Aggression nutzen wollen, um ihre Illusionen zu überwinden und um real zu leben.

15. Liebe oder Ausbeutung

Eine der häufigsten Fragen, die Psychotherapeuten von ihren Klienten gestellt wird, ist folgende: »Doktor, glauben Sie, daß ich ihn (oder sie) auch wirklich liebe?»
Wie viele Ernergien werden gerade zu Beginn einer Freundschaft auf diese Frage verschwendet. Unglücklicherweise läßt sich diese Frage aber nicht wissenschaftlich beantworten. Wie Rollo May nachweisen konnte, gibt es unendlich viele Formen und Ebenen der Liebe, die aber alle mit demselben Wort – Liebe – bezeichnet werden.
Der Therapeut könnte z. B. fragen: »Fühlen Sie sich verliebt und wenn ja, so sind Sie es auch.« Die entscheidenden Fragen aber sind wohl: Ist diese Liebe wirklich befriedigend oder wird sie bestraft und immer wieder entzogen? Ist diese Liebe so tragfähig, daß man durch sie wahre Intimität erreichen wird, oder wird das Ergebnis lediglich Ausbeutung der eigenen Person heißen? Sicherlich wird die Frage: »Liebt er mich denn?« noch häufiger an den Psychotherapeuten gestellt. Die Antwort ist gewöhnlich dieselbe wie vorher. Aber es bleiben wiederum Fragen offen: Wird er mich nur lieben, um mich auszunutzen? Ist er aufrichtig, oder ist er ein Hochstapler? Verfügt er über die Voraussetzungen, ein guter Intimpartner zu werden, und hat er überhaupt den Wunsch, ein solcher zu werden? Diese Fragen können beantwortet werden. Im allgemeinen dadurch, daß Sie die Realität auf bestimmte Kriterien hin überprüfen. Achten Sie genau darauf, was Sie sehen und hören, was Sie über ihre Beziehung und den Partner denken. Mit Hilfe konstruktiver Aggression können Sie erfahren, welche Illusionen in Ihrer Beziehung eine Rolle spielen. Falls Sie Ihre echten Gefühle in einer verständlichen Art durchsetzen und all Ihre Vermutungen gewissenhaft überprüfen, werden Sie auch erkennen, was real und

was illusorisch ist, oder Sie werden zu dem Ergebnis kommen, daß Sie beide bisher ängstlich darauf bedacht waren, Ihre Schwierigkeiten zu leugnen.

Andrea merkte sehr lange überhaupt nicht, daß sie ausgebeutet wurde. Sie lernte Fred auf einer Antiquitätenversteigerung kennen – beide waren Liebhaber von Kostbarkeiten aus früheren Kulturen – und stellten bald fest, daß sie einen ähnlichen Geschmack hatten. Da sie beide glaubten, daß diese Entsprechungen zuverlässige Träger einer zukünftigen Beziehung seien, trafen sie sich von nun an regelmäßig.
Andrea und Fred verbrachten die meiste Zeit damit, sich wunderbare Dinge auszumalen – z. B. daß sie auf dem Land ein altes Bauernhaus suchen würden, das sie zusammen renovieren wollten. Sie verbrachten ihre Nachmittage damit, von einem Altwarenhändler zum anderen zu laufen, um Antiquitäten zu finden, die andere bis dahin nicht als solche erkannt hatten, und die sie dann reparierten und neu überholten. Sie hatten das Gefühl, gute Kameraden zu sein, die alles teilen, und sie überlegten sich, ob sie nicht ein Geschäft eröffnen sollten.
»Alles sah so aus, als müßte das eine gute, reale Partnerschaft werden«, sagte Andrea zu Dr. Bach, als sie zu unserem Institut kam. »Oh, es zerbrach so vieles. Irgendwann schliefen wir dann miteinander, aber keinen von uns erregte das besonders, obwohl wir es auch nicht unbefriedigend fanden. Es war behaglich und wohltuend, sehr süß und warm.
Wir bestätigten uns gegenseitig, wie glücklich wir darüber wären, daß unsere Sexualität nicht so übertrieben war, wie man es sonst oft hört (ich kann keine Minute verbringen, ohne Dich anzufassen). Wir waren uns darin einig, daß wir einander sehr ähnlich waren und so sehr füreinander bestimmt waren, daß es selbstverständlich war, daß unsere Gefühle füreinander so ruhig und ausgeglichen waren wie bei einem langjährigen Ehepaar.
Fred freute sich, daß ich ihn versorgte, und ich verwöhnte ihn gerne – Sie wissen schon, ihn bekochen und alles in Ordnung halten. Ich freute mich immer wieder darüber, daß er meine Gedanken und Meinungen so hoch schätzte; er fragte mich bei allem, was ihn beschäftigte; welchen Anzug er kaufen sollte, was er gegen eine Erkältung einnehmen müßte und Ähnliches. Er war schon ein-

mal lange Zeit verheiratet und konnte sich einfach nicht selbst versorgen.
Vor wenigen Monaten, kurz vor Weihnachten, mußte ich mit einer Leberentzündung ins Krankenhaus. Fred kam nur einmal, um mich dort zu besuchen. Er rief mich jeden Tag an und erzählte mir, daß er zu viel zu tun habe. Er versuchte alles aufzuarbeiten, so daß er nach Iowa zu seinen Eltern fahren konnte, um dort die Ferien zu verbringen.
Eigentlich wollte ich mit ihm gefahren sein, aber je näher der Abreisetag kam, um so klarer war es, daß ich nicht mitfahren konnte. Schließlich rief Fred mich an, seine Stimme klang nervös und abgespannt, und er sagte mir, daß es doch unsinnig sei, seine Eltern zu enttäuschen; er selbst würde ja gerne dableiben. Seitdem ich aber krank sei, ginge es ihm miserabel. Was für ein Weihnachten würde das sein, wenn wir beide zu Hause blieben? Ob ich ihm sehr böse wäre, wenn er dieses Mal nur an sich dächte?
Ich sagte ihm, daß er fahren solle. Es war typisch, daß er bei allem zunächst mich fragte, bevor er sich letztlich entschied. Genau diese Art scheint bei mir immer bewirkt zu haben, daß ich ja sagte. Sicher, seine Gründe waren sehr einleuchtend und wir können noch so viele Weihnachtsfeste zusammen erleben. Dann rief er wieder an und sagte, daß er ein wunderschönes Geschenk für mich habe, das er an einem Tag vor Heiligabend ins Krankenhaus bringen würde. An jenem Nachmittag rief er mich wieder an und sagte, daß etwas mit seiner Platzreservierung im Flugzeug schiefgegangen sei und daß er nun sofort zum Flughafen müsse. Ob ich es ihm verzeihen könnte, wenn er mir das Geschenk durch einen Boten zuschickte? Da plötzlich ging mir erst richtig auf, daß mich Fred in den zwölf Tagen, die ich schon im Krankenhaus war, nur einmal besucht hatte, obwohl der Weg dorthin ein Katzensprung war. Als ich Fred noch fröhliche Weihnachten wünschte und ihn seine Eltern grüßen ließ, unterbrach ich mitten im Satz, alles brach in mir zusammen, und ich schrie ihn an »Geh doch zur Hölle!« und legte knallend den Telefonhörer auf.
Sobald Fred wieder zurück und ich wieder gesund war, rief er mich mehrmals am Tag an. Ich wollte ihn nicht mehr sehen, da ich das Gefühl nicht loswerden konnte, daß er mich zum Narren hielt. Aber, ehrlich gesagt, verstehe ich immer noch nicht, was da geschehen ist. Ich weiß nur, daß das nicht, ja – normal war.«

Mehrere Monate ging Andrea mit jedem Menschen aus, der sie darum bat, aber sie konnte Fred nicht vergessen. Er rief sie ständig an, schrieb Briefe, schickte Blumen, mal entschuldigte er sich, dann drohte er ihr wieder. Nach einiger Zeit nahm sie an den Pairing-Seminaren teil und die Teilnehmer bedrängten sie, Fred doch mitzubringen. Aber es gelang nie, die beiden in ein reales Streitgespräch zu führen. Keiner von ihnen war bereit, seine Forderungen an den anderen zu verbalisieren.

Wir versuchten es wieder mit nonverbalen Übungen. Wir ließen sie die Übung »Sklavenhandel« durchführen, da wir uns vorstellen konnten, wo das Problem lag. In dieser Übung wird einer der Partner der »Herr« und der andere »Sklave«. Nach zwei bis drei Minuten werden die Rollen getauscht. Der Herr kann dem Sklaven alles befehlen, was vernünftig ist, etwas besorgen oder tragen lassen oder sonstige kleine Dienstleistungen. Diese Übung läßt die Partner erkennen, daß sie sich lieber auf eine Vereinbarung hin dem Partner unterstellen als durch Anpassung oder Schwäche. Diese Übung zwingt Partner dahin, ganz deutlich zu machen, was sich einer vom anderen wünscht. Und manchmal können wir dadurch bisher verborgene Fähigkeiten entdecken, die der Partner nicht mehr nutzt.

Mit ihrem gegenseitigen Einverständnis wurde Fred zuerst »Herr«. Viele Menschen scheuen sich davor, »Herr« zu sein, aber Fred machte es mit Leichtigkeit. Er nahm sofort seine Rolle an und gab Befehle.

FRED:

Andrea, zieh mir die Schuhe aus. Nun massiere meine Füße. Kräftiger. Ich habe den ganzen Morgen gestanden. Nun nimm dieses Tuch und poliere meine Schuhe. Schnell doch. Jetzt die Flecken an den Hacken. Gut. Nun stell Dich hinter mich und massiere meine Schultern. Ah, ja, das ist ein herrliches Gefühl. Und – Fred sah wirklich enttäuscht aus, als das Zeitzeichen gegeben wurde und nun Andrea der »Herr« sein sollte. Andrea setzte sich zunächst hin und dachte nach, um herauszubekommen, was sie Fred tun lassen wollte. Schließlich zuckte sie die Achseln und begann.

ANDREA:

Fred, würdest Du mir bitte meine Tasche vom Tisch dort herüberbringen. Fred, beweg Dich nicht so langsam, das ist nicht fair; denn das geht von meiner Zeit ab. (Fred lachte verschmitzt und ging daraufhin noch langsamer.) Beeile Dich doch, Fred. Bitte. (Er gibt ihr die Tasche.) Danke schön. Da ich nun der »Herr« bin, mußt Du nun zu meinen Füßen sitzen. (Sie macht eine lange Pause.) Dr. Bach, mir fällt überhaupt nichts ein.

DR. BACH:
Entspannen Sie sich, und achten Sie auf Ihre inneren Empfindungen als »Herr«.

ANDREA:
(hat den Rat befolgt):
Bitte, wärme meine Füße, Fred. Sie sind so kalt. (Er tut es.) Ja, so war es gut. Halte meine Füße einfach fest und bleibe vor mir auf dem Fußboden sitzen. Ah, das ist schön. Nun wollen wir weitersehen. Mir fällt nichts ein. Oh doch. Leg Deinen Kopf in meinen Schoß, Fred. Das ist so beruhigend. (Die übrige Zeit bleibt sie in dieser Haltung sitzen.)

DR. BACH:
Wie hat Ihnen diese Erfahrung gefallen, Andrea?

ANDREA:
Eigentlich gefällt es mir nicht sehr, »Herr« zu sein, obwohl es eigentlich schon angenehm war, daß Fred zu mir ein wenig aufmerksam war. Die Sklavenrolle hat mir nichts ausgemacht. Wahrscheinlich (sie lächelt Fred an), weil Du es warst. Es machte wirklich Spaß.

DR. BACH:
Und Sie, Fred?

FRED:
Mir hat die Rolle des »Herrn« zugesagt. Ich empfand es als sehr natürlich, daß Andrea für mich sorgte. Sie tat es sehr viel. Ich habe nie darunter gelitten, daß Andrea für mich so viel tat. Aber ich habe die Sklavenrolle nicht sehr ernst genommen. Um aufrichtig zu sein, ich versuchte sie zu umgehen, und machte mir sogar einen Spaß daraus. Immer wenn Andrea mir etwas befahl, spürte ich eine innere Abwehr dagegen, ich muß schon sagen eine Art Verärgerung.

Nach dieser Übung gelang es etwas besser, Fred und Andrea miteinander kommunizieren zu lassen. Wir baten sie, jetzt ein Streit-

gespräch miteinander zu führen, wobei sie Verhaltensänderungen vom anderen verlangen sollten. Die Veränderungen sollen aufgrund aufrichtiger Gefühle und Wünsche und ihrer realen Lebensbedingungen gewünscht sein. Fred warf Andrea vor, daß sie sich von ihm so stark zurückgezogen hätte. Seine Forderung bezüglich einer Verhaltensänderung war, daß sie ihn regelmäßiger und häufiger aufsuchen sollte.
Andrea stimmte dem zu, allerdings unter dem Vorbehalt, daß Fred weiterhin mit ihr zu den Pairing-Seminaren käme, um mit ihr zusammen die Gründe herauszufinden, warum sie sich in ihrer Beziehung unzufrieden fühle. Es fiel Andrea sehr schwer, Fred einen bestimmten Vorwurf zu machen und ihn um eine bestimmte Verhaltensänderung zu bitten. Nach längerem Nachdenken –

ANDREA:
Fred, mir fällt plötzlich etwas ein. Teilweise liegt es daran, daß ich Dich nach so langer Zeit wieder neu sah, zum anderen auch an der »Herr-Sklave«-Übung. In mir hat sich ein schreckliches Gefühl festgesetzt, das genau dem gleicht, was ich im Hospital erlebte – ich fühle mich ärgerlich und ängstlich zugleich. Ich spürte es auch immer, wenn Du mich am Telefon batest, Dich wiederzusehen. Es kann sein, daß dies eher ein Vorbehalt von mir ist. Jedenfalls habe ich immer das Gefühl, gebraucht und ausgebeutet zu werden. Ich ärgerte mich, daß Du dazu fähig warst und fürchte, daß das zwischen uns immer so bleiben könnte, und ...

DR. BACH:
Andrea, bleiben Sie bei der Jetzt-Situation.

ANDREA:
Verzeihung, aber ich erlebe es heute noch so. Darin besteht auch mein Vorwurf an Fred.

FRED:
Ich habe Dich nicht ausgebeutet, Liebling – Du mußt nicht so empfindlich sein.

DR. BACH:
Sie weigern sich, für diesen Vorwurf verantwortlich zu sein, stimmt das? Aber Sie wollen ihr doch zugestehen, daß ihr Gefühl aufrichtig ist, oder?

Fred:
Ich höre, daß Du dich so empfindest – akzeptiert. Welche Veränderung möchtest Du?

Andrea:
Ich möchte, daß Du nicht darauf besteht, daß ich Dich in Deiner Wohnung besuche, damit ich nicht wieder in die Rolle falle, Deine Haushälterin zu sein. Ich könnte mir vorstellen, daß ich dann nicht mehr das Gefühl habe, daß Du mich nur ausnutzt.

Fred:
(nachdem er das wiederholt hat)
Guter Gott, Andrea, Du hast immer wieder gesagt, wie gerne Du mich versorgst. (Er schien wirklich beleidigt.) Ich verstehe überhaupt nicht, warum wir uns solche Einschränkungen selbst auferlegen sollten. –

Dr. Bach:
Fred, Sie streiten unfair. Sie haben nicht das Recht, die Einschränkungen, die Andrea wünscht, als unfair zu bezeichnen. Außerdem sollen Sie immer nur auf das eingehen, was Andrea jetzt sagt und nicht auf das, was sie früher immer sagte. Überprüfen Sie alles, was Sie an der jetzigen Aussage stört.

Fred:
Meinst Du nicht, daß Du mich auch jetzt gern versorgen würdest?

Andrea:
Irgendwie schon, aber ich würde mich dabei ausgebeutet empfinden. Wenn Du beispielsweise in meine Wohnung kämst, würde ich Dich nicht so viel bekochen, sondern ich würde häufiger mit Dir essen gehen wollen.

Fred:
Ja, das stimmt. Aber es ist doch manchmal viel praktischer, wenn Du zu mir kommst. Ich habe viel mehr Platz, wenn wir die Möbelstücke renovieren und ähnliches. Ich habe das Werkzeug und die alten Bücher als Vorlagen. Meinst Du nicht, daß das praktischer ist?

Andrea:
Ja, das meine ich schon. (Sie denkt nach.) Gut ich werde Dir ein Einigungsangebot machen. Ich werde zu Dir in die Wohnung

kommen, wenn Du mich dann als Gast aufnimmst und Dich selbst als Gastgeber gibst.

FRED:
(plötzlich sehr ungeduldig)
Es tut mir leid Andrea, aber ich finde das alles lächerlich. Das sind alles viel zu willkürlich und starr festgelegte Rollen. (Er ist sehr gereizt.) Das ist lächerlich.

ANDREA:
Ich weiß, daß Du alle Regeln verabscheust. Aber versuch es doch mal. Ich möchte gern bei Dir sein, aber ich kann einfach nicht so weitermachen wie bisher – ich geh dabei kaputt.

FRED:
Ich vermute, mir wird nichts anderes übrigbeiben, als es zu versuchen. Dennoch muß ich sagen, daß mir das alles furchtbar unnatürlich und irgendwie künstlich vorkommt.

ANDREA:
(lächelt)
Aus irgendeinem Grund fühle ich mich nun viel besser. Ich danke Dir, Fred.

Andrea hatte intuitiv genau die Problematik erkannt. Fred war ein kleines Muttersöhnchen. Das zeigte sich daran, daß ihm jede Gelegenheit willkommen war, in der er Frauen herumkommandieren konnte. Er selbst zog sich zurück und entspannte, während die Frauen sich für ihn abrackerten. Auch in späteren Gesprächen zeigte er immer die Tendenz, um Erlaubnis zu bitten, wenn er etwas »Ungezogenes« tun wollte, genau wie in der Zeit, als Andrea im Krankenhaus lag und er bei ihr um Verständnis bat, daß er die Verantwortung eines Erwachsenen nicht übernehmen konnte und zu seiner Mutter in die Ferien fuhr. Außerdem wird ein Muttersöhnchen immer ängstlich und bedrückt, wenn seine Ersatz-Mutter – in diesem Falle Andrea – krank ist, weil er sich durch den Verlust ihrer Fürsorge bedroht fühlt. Deshalb war es ganz bezeichnend für Fred, daß er Weihnachten unbedingt zu seiner Mutter nach Iowa fahren wollte.
Es wäre für Fred unerträglich, Andrea im Krankenhaus so hilfsbedürftig zu sehen.

Als er von Andrea getrennt lebte, erschreckte er sie immer wieder durch verschiedene Telefonanrufe, in denen er sich über seinen bedauernswerten Zustand, seine dürftigen Mahlzeiten und seine viele schmutzige Wäsche beklagte. Zweimal sprach er sogar davon, daß er Selbstmord begehen wollte. Solche Verhaltsweisen entstehen durch ein weitverbreitetes, aber schwerwiegendes Partnerschaftsproblem – die Unfähigkeit, die Rollen zu tauschen. In diesem Falle konnte Fred nicht die Rolle des Versorgers übernehmen. Andrea hatte sich daraufhin von ihm zurückgezogen und setzte ihrer Beziehung damit bedeutsame Grenzen. Seltsamerweise war Andrea in ihrem Verhalten Fred sehr ähnlich. Etwas weniger ausgeprägt als Fred ein Muttersöhnchen, war Andrea immer noch »Papas kleine Tochter«. Ursprünglich wollte sie mit Fred ständig zusammen sein. Sie sorgte eigentlich selbst dafür, daß sie von Fred ausgebeutet und damit immer abhängiger wurde. Auch Andrea war nicht flexibel genug, andere Rollen zu übernehmen, allerdings hatten ihre mütterlichen Reaktionen bewirkt, daß Fred sich an sie gebunden fühlte und so auch von ihr abhängig war.
Psychotherapeuten hätten sicher mit Fred und Andrea bis zu einem gewissen Ausmaß Rollentausch üben können. Die Notwendigkeit eines solchen Trainings für ihre Beziehung hätten beide nie erkannt, wenn Andrea nicht irgendwann ihre Ängste, ausgebeutet zu werden, so deutlich ausgesprochen hätte. Eineinhalb Jahre hatte sie diese Gefühle sorgfältig verborgen und lebte in der Illusion, daß sie und Fred als gute Kameraden das »Häuserspiel« genießen.
Wenn Partner einander gebrauchen, zu Gegenständen verdinglichen, kann die Folge nur Ausbeutung sein. Der Geliebte wird zum Werkzeug, das dem Ausbeuter seine Bedürfnisbefriedigung erleichtert.
Auch in guten Partnerschaften übernimmt man viele Aufgaben für den anderen. Bei Partnern, die sich gegenseitig ausbeuten, ist aber der Schwerpunkt ein anderer; sie sehen den anderen primär als Werkzeug und nicht als Menschen.
Fred sah in Andrea seine Mutter, seine kostenlose Haushälterin, Krankenschwester und Hilfskraft bei seinem Antiquitätengeschäft. Als Andrea ernsthaft krank wurde, konnte sie all diese Rollen nicht mehr ausfüllen. Zu diesem Zeitpunkt gab es für Fred kaum noch etwas an ihr, was für ihn von Bedeutung war. Fred wurde ängstlich und niedergeschlagen, da man ihm seine Arbeitserleichterung genommen hatte. Er war über Andreas Krankheit weniger

bestürzt als über seine Verlorenheit. Er wollte sie nicht sehen. Hätte er es dennoch getan, so hätte er nur seine Ängste und seine Verlorenheit noch stärker erlebt; denn er konnte Andrea im Krankenhaus und ihre sonstige Rolle als Objekt nicht miteinander in Einklang bringen.

Der ausgebeutete Partner erlebt meist das ungute Gefühl, daß irgendetwas nicht stimmt; daß er irgendwie gebraucht wird, aber nicht als Mensch anerkannt ist. Meistens vermeidet er es aber, seine Gefühle zu überprüfen, da er große Angst davor hat, vielleicht nicht wirklich als Mensch geliebt zu werden, und außerdem hat er Angst, die Möglichkeit einer Trennung ins Auge zu fassen. Um seine Angst zu überdecken, schafft oder akzeptiert er dann alle möglichen Illusionen.

Andrea machte sich eine ziemlich allgemein verbreitete Illusion zu eigen; man könnte sie ungefähr so darstellen: »Wenn Fred mich doch so sehr braucht, dann muß er mich auch lieben. Schließlich kann er ja gar nicht mehr ohne mich.«

Um Fred noch stärker an sich zu binden, weitete sie selbst ganz unbewußt ihre Mutterrolle immer weiter aus. Fred war also auch für Andrea eine Art Objekt. Mit 32 Jahren war sie dieser Ängste müde, sie wollte nicht mehr die vielen sinnlosen Verabredungen, sondern einen verläßlichen Partner. Dieses Bedürfnis machte sie ruhiger und half ihr, sich mit der Realität auseinanderzusetzen.

Als Andrea begann, ihre Gefühle zu offenbaren, mußte Fred sich mit ihr als Mensch beschäftigen. Sobald sie ihre Angst, ausgebeutet zu werden, erkannt hatte, konnte sie dies an der Realität überprüfen, indem sie alles unterließ, was sie ängstigte; insbesondere hörte sie damit auf, alle häuslichen Arbeiten in Freds Wohnung zu machen. Als sie Fred sagte, daß sie ihn sehen wollte, ohne alle diese Arbeiten zu machen, bekam Fred Angst und wurde gleichzeitig ärgerlich, denn die meisten seiner bisherigen Erleichterungen wurden ihm nicht mehr abgenommen. Er bekam aber dafür die Bereitschaft eines ganzheitlichen Menschen, den suchte er allerdings gar nicht.

Wir haben diesen Fall so ausführlich dargestellt, um deutlich zu machen, daß es mit Hilfe konstruktiver Aggression gar nicht so schwer ist, immer, wenn man sich ausgebeutet glaubt, wieder zur Realität durchzustoßen. Die meisten Menschen, die einen Ausbeuter zum Partner haben, merken das auch.

Jeder kann die ›Herr-Sklave‹-Übung auch ohne Leiter durchführen, obwohl es besser wäre, wenn man es in Gegenwart eines anderen Paares machte, das die gleiche Übung zur Überprüfung ihrer realen Beziehung auch machen will. Im anderen Falle müssen vorher genau die Grundregeln bestimmt und von beiden akzeptiert werden. Beide Partner müssen beide Rollen spielen. Eine Zeiteinheit sollte nie länger als zwei bis drei Minuten dauern. Falls einer der Partner der Übung besonders skeptisch gegenübersteht, sollte er vorsichtig beginnen, um sich mit ihr vertraut zu machen, dann wird die Übung für beide befriedigender. Beachten Sie dabei bestimmte Regeln »keine Genitalsexualität« oder, falls man die Übung am Strand macht, »nichts, was den anderen naß macht«.
Wenn die Partner ›Herr‹ sind, verlangen sie meist unangenehme Dinge oder stellen Forderungen wie »Tanze und singe für mich, unterhalte mich!«, »Gehe auf und ab und grüße mich!« oder »Pflücke mir ein paar Blumen!«.
Kein Sklave muß einen Befehl des ›Herrn‹ durchführen, selbst wenn er vernünftig ist. Er kann jeden Befehl verweigern, aber nur dann, wenn der Sklave bereit ist, noch weitere zwei bis drei Minuten seiner ›Sklaven-Zeit‹ anzuhängen.
Wahrscheinlich haben alle Partner ebenso wie Fred und Andrea Angst davor, ausgebeutet zu werden. Und wahrscheinlich können alle von dieser Übung, in der sie ihre Realität überprüfen, einen Nutzen haben und eventuell vorhandene Ausbeutung aufdecken und abschaffen, denn sie haben ja nun die Wurzeln dieses Verhaltens kennengelernt - die Verdinglichung eines anderen Menschen. Sind dann ihre Zweifel beseitigt, trauen sie auch den Früchten, denn dann wird sich ihnen der Weg zur Intimität weit öffnen.

16. Der Mut sich sexuell auszudrücken

Es gibt nichts Deutlicheres und Dramatischeres in der Partnerbeziehung als den Beischlaf zwischen Mann und Frau. Jeder Sexualakt ist ein Mikrokosmos der Gesamtbeziehung. Wenn Mann und Frau die Kunst beherrschen, sich emotional echt zu geben, werden sie sich auch sexuell echt und eigen verhalten. Sexualität als Ausdrucksform einer intensiven Beziehung wird von beiden Partnern besonders befriedigend erlebt. Aber es wäre naiv zu glauben, daß Sexualität das Alleinseligmachende ist. Da wir wissen, wie selten wirklich befriedigende intime Beziehungen sind, müßten wir sonst den Umgang der meisten Menschen als unbefriedigend oder als gerade noch akzeptabel bezeichnen.
Tatsächlich aber sind die Möglichkeiten sexueller Aktivität in allen Befriedigungsformen und Bedeutungsinhalten unbegrenzt. Mit unseren Kursteilnehmern sind wir der Ansicht - da wir voraussetzen, daß unser Training sie vor neurotischem und illusionistischem Sexualverhalten bewahrt -, daß man eine klare Unterscheidung zwischen Sexualität als Selbstzweck und Sexualität als Ausdruck einer realen Intimität machen muß. Diese Unterscheidung ist keineswegs neu. Schon vor Jahren wiesen so renommierte Psychologen wie Rollo May, Erich Fromm und in seinen späteren Publikationen auch Abraham Maslow ausdrücklich darauf hin, daß die Aufnahme sexuellen Kontakts aufgrund einer reifen Wahl möglich ist. Obwohl es völlig klar ist, daß eine auf Intimität gegründete Sexualität eine tiefreichende und bedeutungsvolle Rolle im Leben der Partner spielt, mußten Wissenschaftler doch immer wieder das alte Vorurteil bekämpfen, daß Sexualität eben keinen Wert in sich selbst hat und ohne Intimität unbefriedigend ist. Der Grund dieser Unterscheidung liegt nicht darin, das eine als gut und das andere als schlecht bezeichnen zu wollen. Wir brauchen die Unter-

scheidung, um unsere Kursteilnehmer lernen zu lassen, unrealistische Erwartungen abzubauen. Trotz traditionell sexfeindlicher Moral wird einfache Sexualität ohne Intimität immer selbstverständlicher und üblicher, besonders zwischen jungen Menschen, die ihre Erfahrungen machen wollen. Zeitweilig können Partner davon voll gefangengenommen werden. Vom psychologischen Standpunkt aus gesehen ist das auch keineswegs schädlich, vorausgesetzt allerdings, daß das Bedürfnis echt ist und keiner der Partner versucht, den anderen nur durch geheuchelte Gefühle zu diesem Erlebnis zu verleiten. Wieder einmal sind nur reale, selbst erkannte und dem anderen offenbarte Wünsche der beste Schutz vor Schuldgefühlen, Angst und Ärger.

Andererseits haben unsere klinischen Untersuchungen ergeben, daß pure Sexualität nicht beliebig wiederholbar ist, wenn sie befriedigen soll. Männer wie Frauen bestätigen uns immer wieder, daß die Wiederholung des Beischlafs mit einem Partner, zu dem sie keine weitere intime Beziehung haben, für sie uninteressant ist. Sexuell reife Menschen meinen, daß die Sexualität ohne Intimität sehr schnell verblaßt, routinemäßig und mechanisch abläuft und ihnen auch keinen wirklichen Auftrieb nach der nur kurzen Erregungsdauer gibt. Zwar kann anfänglich Sexualität gerade für junge Menschen sehr wichtig und bedeutsam sein, dennoch verliert sie ihren Einfluß mit jedem neuen Erlebnis.

Eine der Realitäten, die man bei der Sexualität ohne Intimität akzeptieren muß, ist der begrenzte Einfluß auf den anderen. Eine weitere Realität ist die, daß Sex nun mal nicht Intimität ist. Tatsächlich ist der Effekt bei beiden grundverschieden. Bloße Sexualität verzögert oder verhindert in den meisten Fällen die Entwicklung zur Intimität. Da erste Eindrücke und zuerst erlebtes Verhalten meist einen größeren Einfluß haben als spätere, führt die bloße Sexualität im allgemeinen zu gegenseitiger Verdinglichung und zur Aufteilung des anderen in ganz bestimmte Funktionen. So können beide leicht Opfer einer Gelegenheitssexualität werden. Vom psychologischen Standpunkt aus gesehen ist es sehr schwer, Ersteindrücke von Verhalten, Einstellungen und Erwartungen wieder zu verändern. Sie bleiben stark eingeprägt. Und es wäre nicht sehr sinnvoll, sich durch eine Beziehungsform stark prägen zu lassen, wenn man sie später nicht weiterleben will. Falls die Hoffnungen eines Menschen auf Intimität gerichtet sind, wäre es am sinnvoll-

sten, zunächst Intimität zu üben, um sich und den Partner nicht zu Sexualobjekten werden zu lassen.
Dennoch sind die Auswirkungen der Sexualität letztlich nicht vorhersagbar. Wir haben schon häufig erlebt, daß auch kurze Sexualbegegnungen zu einer wahren intimen Beziehung reiften. Wir unterstellen hierbei jedoch, daß dabei andere sehr starke Einflußvariablen eine Rolle gespielt haben müssen, die die Partner davor bewahren, sich als Objekt zu sehen.
Immer wenn unsere Kursteilnehmer in heiße Diskussionen über sexuelle Verwirrungen und deren Gründe geraten, lassen wir sie die Fragen mal unter einem anderen Aspekt betrachten. Wir fragen sie: »Wann sollte man miteinander schlafen? Wann bereichert und verbindet Sexualität - und wann entzieht sie Kräfte und entfremdet die Partner?«
Es ist selbstverständlich, daß jedes Paar sich seine eigene einzigartige sexuelle Beziehung schafft. Aber diese Fragen lösen eine Flut konfuser Vorstellungen über Konventionen, Tabus und fragwürdigen Emotionen aus, die geklärt werden müssen. Nachdem unsere Kursmitglieder anonym ihre eigenen befriedigenden und unbefriedigenden sexuellen Erlebnisse aufgeschrieben haben, nimmt dies Durcheinander langsam Gestalt an, vieles wird nun klar und ergibt Richtlinien für zukünftige Partnerwahl.
In einer solchen Diskussion erzählte Beverly: »Vor einer Woche hatte ich ein merkwürdiges Erlebnis. Es ist mir etwas peinlich, es zu erzählen, aber ich möchte es gern verstehen. Ich treffe Ed nun schon seit Monaten. Ich mochte ihn sehr, aber es war nichts Leidenschaftliches dabei. Er stellte auch keine weiteren Ansprüche an mich, obwohl er mich vor kurzem darum bat, mit ihm ein Wochenende zu verbringen. Dann bat er mich, mit zu einer Party auf ein Wochenendhaus zu kommen. Es klang sehr vielversprechend, es sollten sechs Paare kommen, von denen ich einige kannte.
Als wir dann dort waren, wurde Ed und mir ein Zimmer mit einem Doppelbett zugewiesen. Ich war drauf und dran, davonzulaufen. Aber - nun, ich weiß nicht recht. Wir hatten schon einiges getrunken und waren sehr entspannt. Ich wollte unter all diesen liberalen Menschen keine Szene machen, und ich wollte Ed nicht vor den Kopf stoßen und so weiter. Plötzlich sagte er, daß er das vorher nicht gewußt habe, und ich glaubte es ihm. Er sagte, daß er keinen Druck auf mich ausüben wollte. Als wir dann schlafen gin-

gen, fiel es mir sehr schwer, ihm zu widerstehen. Ich fühlte mich plötzlich niedergeschlagen und einsam durch die Trennung von meinem Mann und wünschte mir viel Zuneigung.
Ed war sehr zärtlich und freundlich. Er versuchte nicht, mich zu verführen, ich ging einfach immer weiter. Das war Freitagnacht. Als ich Samstagmorgen aufwachte, lag er da neben mir. Wir sahen uns gegenseitig an, und ich hatte ein richtiges Ekelgefühl ihm gegenüber, und er strahlte mich auch nicht gerade an. Dabei war unser sexuelles Erlebnis phantastisch. Aber ich glaube, wir beide hatten das Gefühl, daß wir eigentlich gar nicht da sein sollten, und ich hatte das Gefühl, daß wir uns gegenseitig vorwarfen, daß wir uns nicht wohl fühlten. Das, was mich am meisten erstaunte war, daß all die Zuneigung, die ich für ihn empfunden hatte, einfach weg war - ganz einfach so.
Ich begann mich nach unseren Prinzipien zu verhalten und wollte ganz einfach sagen, was ich empfand. Aber es war nicht der richtige Zeitpunkt. Ed wollte nicht sprechen. Ich denke, daß er mir nicht sagen wollte, daß er sich genauso erbärmlich fühlte wie ich. Wir waren eigentlich noch eine Nacht länger auf das Wochenendhaus eingeladen, aber wir fuhren schon am frühen Nachmittag nach Hause.«
An dieser Stelle unterbrach Dr. Bach: »Das ist sicher nicht alles. Als Sie den ›falschen Zeitpunkt‹ erwähnten, haben Sie damit gesagt, daß Sie sich von einem manipulierten Programm einfangen ließen. Sie sind nicht unserem Prinzip der Konfrontation und Darstellung dessen gefolgt, was Sie störte, als Ed mit Ihnen schlafen wollte.«
»Ich hatte geglaubt, zu sagen, was ich fühlte«, sagte Beverly.
Dr. Bach fragte: »Haben Sie auch gemerkt, daß Sie stillschweigend Ihr Einverständnis gaben, als Sie alles mitmachten? Und waren nicht Sie es, der ihn schon monatelang so hinhielt?«
»Ja, ich brauchte einfach Zärtlichkeit und Gesellschaft«, sagte Beverly.
Dr. Bach sagte: »Ja, das ist gut, nur ist für Sie dabei nichts herausgekommen. Denn Ihre Anpassung im Bett führte in eine Sackgasse. Dadurch, daß Sie mit ihm sexuell umgingen, haben Sie eine nette menschliche Freundschaft beendet, von der Sie sich eigentlich erhofft hatten, daß es bei dieser Art Freundschaft bleibt. Vielleicht hätte es in Zukunft eine mögliche intime Beziehung zu Ed gegeben.«

Beverly fuhr fort: »Ja, ich dachte, ich hätte alles ruiniert, als Ed überhaupt nicht reden wollte. Am nächsten Tag war Sonntag, und ich fuhr zum Strand, um mit mir allein zu sein, und ich wollte herausbekommen, warum dieser alte Freund mir plötzlich so unattraktiv vorkam. Ich saß im Sand und schaute auf das Meer, als Tom kam. Da wußte ich allerdings noch nicht seinen Namen. Er setzte sich ganz nah zu mir, und nach einer kurzen Zeit begannen wir miteinander zu sprechen.
In kürzester Zeit vertraute er mir so viel an. Er sagte, daß seine Frau vor wenigen Monaten gestorben sei, und erzählte mir, was er nun alles vermisse und wie er sich jetzt fühlt. Und ich begann über meine Scheidung zu sprechen und daß ich dabei auch so etwas wie Trauer erlebt hätte. Wir luden unsere ganze Last ab, ich glaube wir saßen da drei bis vier Stunden. Dann gingen wir schwimmen und berührten uns viel dabei. Als wir aus dem Wasser kamen, fragte er mich, ob ich nicht Lust hätte, mit auf sein Hotelzimmer zu kommen, ganz einfach so. Er war aus Boston und nur auf einer Geschäftsreise hier in Kalifornien.
Es war nicht notwendig, die Sache zu rechtfertigen, es bestand für uns auch nicht die Frage des ›sollen wir oder nicht‹. Ich zögerte keinen Augenblick. Wir liebten uns Stunden und Stunden, und ich habe nie etwas so Wunderbares erlebt. Dann ging ich weg, und er fuhr wieder nach Boston. Ich weiß nicht einmal, ob ich ihn je wiedersehen werde.
Mein Problem ist folgendes. Mir wird ganz übel, wenn ich an die Nacht mit Ed denke, der doch schon so lange mein Freund war. Ich fühle, daß da irgend etwas nicht stimmte, und ich bedaure es aufrichtig. Aber ich werde sicher immer noch an Tom denken, und ich fühle mich dabei zufrieden und glücklich, obwohl er doch ein völlig unbekannter Mensch für mich war, der mich am Strand auflas. Ich frage mich wirklich, ob ich eine, ja, irgendeine Hure bin?«
Die Kursusmitglieder fanden schnell die wichtigsten Unterschiede zwischen den beiden Erlebnissen heraus. Die Beziehung zu Ed war, obwohl sie schon länger dauerte, ohne Intimität. Durch den gegenseitigen Austausch tiefer Empfindungen, der ja für den aufrichtigen Kontakt von Menschen so wichtig und erwünscht ist, hatten Beverly und Tom dagegen Intimität in kürzester Zeit miteinander bewußt erlebt.

Dieses sexuelle Erlebnis auf dem Hintergrund von Intimität muß genauso natürlich, einfach und angemessen erlebt werden wie das offene verbale Ausdrucksverhalten. Und es war in diesem Fall ganz selbstverständlich, daß beides in gleicher Weise befriedigend war.
Unglücklicherweise betrachten viele Menschen den Sex als eine abgesonderte Einheit von ihrem übrigen Leben. Sexualität aber ist *eine* Ausdrucksform, *eine* mögliche Art, einem anderen Menschen näherzukommen und Gefühle gemeinsam zu erleben. Wenn Sexualität in einer Partnerschaft, die im übrigen eine tiefe intime Beziehung ist, offen gelebt und ausgedrückt wird, dann ist dies ein aufrichtiges Bedürfnis mit all den angenehmen, bestätigenden Befriedigungen, wie andere Formen der Intimität auch. Intime Sexualität ist ein Teil des Pairing-Systems, erregend, aber nicht angstbesetzt. Die Partner können einander vertrauen. Gefühle und Motive werden offen ausgesprochen. So kann das Gefühl der Ausbeutung, daß man nur als Körper, Funktion oder Sexualobjekt ausgenutzt wird, gar nicht erst entstehen.
Die immer wieder von unseren Kursteilnehmern gestellte Frage: »Ins Bett gehen oder nicht?« ist dadurch wohl hinreichend beantwortet. Wird Sexualität aufrichtig, den Pairing-Prinzipien entsprechend, gelebt, so ist sie sehr befriedigend und hinterläßt am nächsten Morgen keinen psychischen Katzenjammer. Das in einer alten Tradition verhaftete Werbe- und Liebesverhalten birgt für ein Paar unüberschaubare Risiken.
Es verlangt von ihnen, sich in eine Phantasiewelt vorzuwagen, in der Realitäten wie Haut, Geruch und Lust mit den illusionären Erwartungen, die sich die Partner voneinander gemacht haben, notwendig gegeneinanderprallen müssen.
Wenn ein Paar durch sein Verhalten eine unrealistische illusionäre Beziehung anstrebt, so benötigen und verlangen sie auch zumeist perfekte Bedingungen, in denen sie ihrer Phantasie gerecht werden können. Aber egal, wie gut die Bedingungen auch sein mögen, die sie vorfinden, immer gibt es eine störende Kleinigkeit, die den Zauber durchbricht und damit ihre Befriedigung verhindert. Es reicht schon, wenn nur ein Hund bellt, ein Kind schreit oder eine Matratze quietscht. Diese simplen störenden, aber realen Kleinigkeiten erinnern uns daran: »Alles, was wir tun, ist nie völlig aufrichtig. Wir sind keine Traummänner oder -frauen, wenn wir lieben, sondern es ist ganz einfach eine Rolle, die wir spielen.«

Eine weitere zunehmend übliche Form der sexuellen Phantasie ist die des wachsenden Autonomie- oder Unabhängigkeitskults. Diese Beziehungsform erstrebt physisch befriedigende Sexualität, wobei tatsächlich die Möglichkeit einer Partnerbeziehung geleugnet wird. Das eigene sexuelle Gleichgewicht ist dabei wichtig, nicht der Partner. Sie leben nach der Prämisse: »Du lebst Dein Leben, ich lebe meins.«

Psychologisch betrachtet ist dies eine Form der Masturbation, eine isolierte sexuelle Betätigung. Hierbei wird eigentlich nur gelernt, wie man eine komplexe Maschine am besten benutzt, um eigene sexuelle Befriedigung zu erlangen.

Aber der Genuß ist schnell vorbei, es ist fast wie nach starkem Alkoholgenuß. Zunächst verursachen auch Cocktails einen angenehmen Rausch und decken ein ganz bestimmtes Bedürfnis, aber danach bedeutet es gar nichts mehr.

Anpassung, Illusionen und Betrug, Merkmale des veralteten Werbe- und Liebesverhaltens, lassen sich besonders gut im sexuellen Kampffeld beobachten. Denn Männer wie Frauen haben Angst vor Sexualität. Die Bedrohung, die sie erleben, ist klar. Beide müssen sich selbst darstellen, müssen beweisen, ob sie sich auch angemessen genug verhalten können und ob sie auch potent genug sind. Die Frauen müssen zulassen, daß man in sie eindringt, die Männer, daß man sie verschlingt. Die Ängste, ausgebeutet oder zurückgewiesen zu werden, erhöhen sich.

Die Versuchung, sich oder den anderen zu täuschen, ist groß. Nur ein offener Gedankenaustausch aller Gefühle kann zwischen Partnern das Vertrauen herstellen, das so notwendig ist, um die Angst dieser verletzenden Situation zu mindern. Für den Partner ist es viel befriedigender, wenn er weiß, wann er sich sexuell nähern darf und wenn sie sagen kann, wie sie mit ihm schlafen möchte. (»Bitte sei heute nacht sehr zärtlich zu mir.« Oder: »Nach diesem Film fühle ich mich richtig erdhaft, sei ganz hart und schnell.«)

Vorbehaltlose Offenheit der Kommunikation ist psychologisch gesehen die bestmögliche Voraussetzung für eine befriedigende Sexualität. Pairing-Partner können sich gegenseitig genau erzählen, was gut ist und was sie empfinden. Und sie können es offen aussprechen, wenn sie anfangen, sich unwohl zu fühlen. So beginnen sie, sich frei zu fühlen und reifen, da sie jetzt eher neue Risiken wagen; denn sie können sicher sein, daß der Partner es sagen wird,

wenn ihm die sexuellen Höhenflüge nicht gefallen. Außerdem haben diese Partner die Möglichkeit, unvermeidbare Konflikte verschiedener Wünsche, Einstellungen und Geschmacksrichtungen miteinander zu lösen.
In diesem Zusammenhang ist es bemerkenswert, daß fast alle Sexualkundler der Meinung sind, daß Sexualität die Hauptquelle aller Konflikte in Partnerbeziehungen ist. Diese Feststellung, die sicher noch aus der puritanischen Epoche stammt, ist nicht vertretbar. Konflikte - nicht aufgearbeitet oder geleugnet - entstehen nur durch Konflikte.
Die Sexualität ist lediglich ein besonders ergiebiges Feld, um Konflikte zu enthüllen, die bisher verborgen oder geleugnet wurden, jedenfalls ungelöst blieben. Partner mögen beispielsweise von der Illusion überzeugt sein, daß alles ja eigentlich sehr gut läuft. Im Bereich der Sexualität aber kommt die Wahrheit sehr viel eher ans Licht. Die üblichen Anstrengungen, so zu tun, als sei alles harmonisch, solange man noch miteinander schläft, sind bald erschöpft. Selbst wenn der Sexualkontakt noch erfolgreich besteht, läßt sich der menschliche Sinn für Realität auf lange Sicht nicht durch physische Zuneigung täuschen oder einlullen. Außerdem wird Sexualität höchstwahrscheinlich an unterschwellig vorhandenen Ärgernissen dahinsterben.
Deshalb lernen Partner bei uns, daß sie gar nicht erst versuchen, sich genitaler Lust hinzugeben, wenn sie sie vor ihrem realen Lebensbezug verbergen müssen. Und sie lernen, mit Konflikten insbesondere im Bereich der Sexualität konfrontiert zu werden und sich damit sinnvoll auseinanderzusetzen.
Zum Beispiel der häufige und oft lästige Konflikt »sollen wir oder sollen wir nicht?« Oft ist ein Partner in einem bestimmten Augenblick sehnsüchtiger nach Sexualität als der andere. Da sexuelle Verweigerung so viel Verstimmung mit sich bringen kann, ist einer oder sind beide Partner versucht, sich anzupassen und Lust vorzutäuschen.
Tony hatte im Büro ernsthaften Ärger gehabt und kam nun zum Mittagessen in Janets Wohnung und war verstimmt und erschöpft. Janet hatte gerade ihren freien Tag und war entspannt und liebebedürftig. Als Tony eintrat umarmte sie ihn innig.
In einer althergebrachten Beziehung hätte Tony jetzt wahrscheinlich Angst, abweisend zu erscheinen und hätte wohl einem Wunsch

zugestimmt, den er gefühlsmäßig gar nicht teilen kann. Er ist hungrig, braucht einen Drink und eine halbe Stunde Mittagspause. Aber er geht auf und ab, um zu zeigen, wie ärgerlich er ist.

Irgendwann läßt er seinen Ärger an Janet über »gar nichts« aus oder er zeigt seine Verärgerung erst während des Beischlafs selbst, indem er aus »unerklärlichen Gründen« seine Potenz verliert.

Aber im Pairing weiß Tony, daß er alle Empfindungen offen aussprechen kann. Janet wird sie akzeptieren und ihre eigenen Gefühle ebenfalls ausdrücken. Vielleicht sagt er: »Ich weiß, daß ich wirklich vernagelt sein muß, wenn ich mich nicht einmal von Dir umstimmen lasse. Ich hatte einen schrecklichen Tag, und ich glaube, ich brauche erst etwas Zeit, um darüber hinwegzukommen, dann werde ich Dich erst richtig wahrnehmen und schätzen können.«

Janet mag enttäuscht sein, aber sie wird nicht verletzt oder ärgerlich sein. Da beide immer offen miteinander sind, bekommt Janet auch keine Zweifel an ihren eigenen sexuellen Fähigkeiten oder an ihrer Fähigkeit, sexuellen Einfluß auf ihn auszuüben. So könnte sie halb spöttisch, halb traurig sagen: »Ich werde warten – aber nicht zu lange. Möchtest Du nicht ein erfrischendes und entspannendes Bad, dazu einen Drink, und ich werde Dir den Rücken waschen, während Du mir die ganze Geschichte erzählst?«

Ein weiterer schwieriger sexueller Konflikt ist aggressive Dominanz. Wenn man sich sexuell angesprochen fühlt, so ist es nur natürlich, daß man den Partner dahingehend beeinflussen möchte, daß er ebenfalls sexuell hungrig wird. Manchmal ist gegenseitiger aggressiver Einfluß möglich. Manche Menschen können aber nur ihre gesamte Sexualität entfalten, wenn sie hauptsächlich sich selbst als sexuell aggressiv erleben. Ein Konflikt würde entstehen, wenn sich hier zwei Partner mit demselben Anspruch begegnen würden. Wir nennen das ein Verkehrschaos. Die Liebenden alter Zeiten greifen dann meist zu der Form, daß einer sich dem anderen unterwirft, wenn auch manchmal unwillig. Pairing-Partner können dagegen ihre aggressiven Empfindungen aufdecken und sie gemeinsam durchsprechen, und sie bestätigen uns immer wieder, daß die bei uns geübte Form des Rollenwechsels dabei sehr hilfreich ist. (»Heute nacht darfst Du die Führung übernehmen, aber morgen bin ich dran.«)

Aggressives Dominanzstreben kann von Intimpartnern durch Absprachen aufeinander abgestimmt werden. Pairing-Partner lernen, daß die Stereotype vom aggressiven Mann und der unterwürfigen Frau keine ewig gültigen Wahrheiten sind. Außerdem lernen sie, daß der Wunsch nach eigener Durchsetzung sexueller Aggression oder der des Partners situativ und plötzlich auftreten kann, daß dieser Wunsch allein während eines Beischlafs zwischen den Partnern mehrmals wechseln kann.

Traditionsverhaftete Liebende haben häufig eine so starke Angst vor Konflikten, daß sie gegenüber eigenem sexuellen aggressiven Verhalten übervorsichtig sind oder sogar ganz allgemein vermeiden, Wünsche zu äußern, die mit ihrem Selbstbild nicht übereinstimmen. Diese Angst führt dann meistens dazu, daß ihre sexuellen Verhaltensweisen nach kurzer Zeit so eingefahren und langweilig sind, so daß man bei ihnen nur noch kulturelle Stereotypen der Sexualität wiederfindet.

»Hey!« protestiert er beispielsweise aufgeregt. »Was machst Du denn? Der Mann muß oben liegen.«

»Ja«, sagte sie, »ich hatte letzte Nacht Lust, mit Dir zu schlafen. Ich gab Dir immer wieder bestimmte auffordernde Zeichen. Was sollte eine Frau denn sonst tun, soll sie etwa wirklich sagen, was sie möchte, oder es sogar einfach tun?«

Pairing-Partner sind nicht so rollenverhaftet oder an bestimmte Verhaltensmuster gebunden. Wir lehren keine allgemeinverbindlichen Sex-Techniken, denn was für ein Paar gut ist, ist darum noch lange nicht gut für ein anderes. Aber wir verhelfen jedem Paar dazu, mit Hilfe unserer Techniken herauszufinden, was für sie das Befriedigendste ist, indem wir reine Aggression und spontane Zuneigung integrieren. Am Ende steht ein reiches Sexualleben, das durch uneingeschränkte Möglichkeiten immer lebendig bleibt. Weil Gefühle situativ und offen geäußert werden – im Gegensatz zu der althergebrachten Meinung, daß Diskussionen über die Sexualität ihr die Romantik nehmen – können Partner immer sagen, was sie möchten, was sie erregt und was nicht, und sie können sogar, ohne ein schlechtes Gewissen oder Angst zu haben, »nein« sagen.

Psychotherapeuten wissen von ihren Patienten, mit welchem Geschick immer wieder ein frei geäußertes Interesse an oraler oder analer Sexualität von einem Partner manipulativ zur Demütigung des anderen oder zum eigenen Machtgewinn ausgenutzt wird. Unsere Pairing-Partner wissen aber, daß bei ihnen nichts aus ärgerli-

cher Anpassung geschieht. Sie leugnen den uralten Gemeinplatz des »sich erst mal unterwerfen und später den anderen zur Kasse bitten«.
Eine unserer ersten Übungen mit einem neuen Paar behandelt immer ihr sexuelles Verhalten und dessen mögliche Erweiterung. Richard z. B. glaubte an das Märchen, daß ein Beischlaf dann wirklich gut ist, wenn er mit dem gleichzeitigen Orgasmus beider Partner endet. Er und Eva kamen aber sehr unterschiedlich und zu völlig verschiedenen Zeiten zum Orgasmus. Als sie zu uns kamen, waren beide in eine heftige Diskussion darüber verwickelt.
Einer unserer Grundsätze über Sexualität lautet, daß Partner nie ihre ganze Aufmerksamkeit auf den Orgasmus richten sollen und daß sie ihn nicht wie den heiligen Gral der Sexualität verehren sollten, vor allem aber nicht den so überaus seltenen simultanen Orgasmus. Wir stellen immer wieder fest, daß der Orgasmus am ehesten erreicht wird, wenn die Partner sich nicht ständig um ihn bemühen. Statt dessen ermutigen wir sie, ihre volle Aufmerksamkeit auf die jeweilige Situation mit ihrer wachsenden Spannung und der Vielfalt von Empfindungen zu lenken. Verlangen nach kooperativem Verhalten und aggressivem Einfluß sollten genau signalisiert werden.
Die ständige Beschäftigung mit dem Orgasmus verhindert das geradezu und führt zu vielem sexuellen Mißbrauch. Beispielsweise führte die heutige größere Kenntnis über Sexualität zu den intimitätsfeindlichen und -zerstörenden Testen der Orgasmusbeobachter, die, wie es uns Rollo May aufzeigen konnte, nicht mehr fragen »Will sie oder will sie nicht?«, sondern »Kann sie oder kann sie nicht?« und man könnte genausogut hinzufügen »Und nach wie vielen Kontraktionen?«
Als Richard und Eva schließlich frei über ihre sexuellen Verhaltensweisen sprechen konnten, gestanden schließlich beide, daß sie immer versucht hatten, sein Ideal, den simultanen Orgasmus, zu verwirklichen und deshalb beide einen Orgasmus simuliert hatten.
Unter Anleitung eines Coach kamen beide zu der Übereinstimmung, daß sie sich überhaupt nichts mehr vortäuschen wollten, sondern miteinander das gemeinsam tun wollten, was sie aufrichtig genießen konnten. Sie konnten sich nun nicht nur eingestehen, daß sie einen aufeinanderfolgenden Orgasmus viel mehr genossen, denn sie waren nun fähig, genau wahrzunehmen, wie sie abwech-

selnd gaben und nahmen, sondern sie erweiterten auch ihr Sexualverhalten beträchtlich. Diese größere Vielfalt ihres Erlebens wurde zu einem großen Teil dadurch möglich, daß sie gelernt hatten, ihrem Partner genau zu signalisieren, wann das Sexualverhalten sie von intensiverem Erleben wegführte.

Vielleicht ist es die schönste Belohnung für die Sexualität, die auf Intimität beruht, daß der Sexualakt befriedigender wird, denn jeder der Partner kann ganz fest davon überzeugt sein, daß er eine Einflußmöglichkeit auf den anderen hat. Immer wieder wird einem Pairing-Partner durch die aufrichtige Verbalisierung der Empfindungen vor, während und nach dem Sexualakt bestätigt, daß seine Sexualität angenehm und wirkungsvoll ist. Jeder der Partner wird, als Mann oder Frau, auf diese Weise in seiner Existenz bestätigt und gewürdigt.

Wichtig ist uns, daß die gemeinsam gelebten Gefühle und Sexualität das Pairing bestätigen.

17. Die Spiele heimlicher Ausbeutung

Es gibt bestimmte Arten des Verhaltens zwischen Partnern, die durch intensive Partnertrainings aufgedeckt und verhindert werden können. Einige von ihnen sind hier dargestellt worden. Der Leser mag Ähnlichkeiten in den eigenen Beziehungen oder ähnliche Gefühle bei sich selbst wiederfinden, oder Ähnlichkeiten im Verhalten des Partners, denn die Elemente dieser Beziehungen sind – wenn auch unbewußt – überall gleich. Nur wenigen Lesern wird es gelingen, keine Übereinstimmungen mit den eigenen Beziehungen zu finden. Das Finden solcher Gemeinsamkeiten sollte nicht zu der Besorgnis führen, diese Partnerbeziehung sei unweigerlich zum Scheitern verurteilt. Es sollte vielmehr dazu ermutigen, die Wirklichkeit zu erproben.

Der Trophäensammler und das »präparierte« Partnerverhalten

Dies ist wahrscheinlich die offenkundigste Methode, eine Beziehung zu verdinglichen. Ein Partner staffiert den anderen aus, macht ihn zu irgend etwas, bis hin zu seinem Gesichtsausdruck und stellt ihn dann zur Schau. Das Leichenhausklima einer solchen Beziehung ist kein Zufall, denn ins Psychologische übertragen muß der Trophäensammler sein Opfer erst töten, bevor er es als Trophäe an die Wand hängen kann. Er unterdrückt die Persönlichkeit seines Opfers, so daß sie für die Umgebung nicht mehr sichtbar wird, ja nicht einmal für ihn, es sei denn auf die Weise, die genau den Eindruck hervorruft, den der Jäger haben will. Der Trophäensammler benutzt seinen Partner wie ein Jäger seine Beute, nämlich um sich selbst und vielleicht anderen zu zeigen: »Seht nur, zu was ich fähig bin!«

Ernie, der seine Kindheit in einem Pflegeheim verbracht hatte, kennt die übermäßig schüchterne Harriet seit einem Jahr. Er verlangt sehr wenig von ihr, aber das wenige äußerst energisch. Er behandelt sie ziemlich formal und höflich, und das macht es ihr leicht, seine Art hinzunehmen.

Ernie sagt, daß er die meiste Zeit durch seinen Beruf gebunden ist und auch den größten Teil des Wochenendes arbeiten muß. Deshalb kann er sich nur an einem Abend am Wochenende mit Harriet treffen. Dann führt er sie zum Essen aus oder zu sonst einem Vergnügen und ist dabei ziemlich großzügig. »Niemals in meinem Leben war ich so schön aus«, brüstet sich Harriet vor ihren Freundinnen.

Sie gehen fast nie auf Parties, außer einigen großen Festen seiner Firma und den Treffen mit seinen ehemaligen Studienfreunden. Selten sind sie mit anderen Paaren zusammen. Wenn sie sich doch einmal mit Leuten treffen, die sie ziemlich gut kennen, gibt Ernie ihr im voraus viele Hinweise und Ermahnungen. Aufmerksam hilft er bei der Auswahl ihrer Garderobe, er war sogar schon mit beim Einkauf und erinnert sie daran, vorher zum Friseur zu gehen. Harriet hat keine sehr gute Schulausbildung gehabt und darum schmeichelt es ihr, daß die Gespräche mit Ernie meist auf hohem Niveau sind (meist handeln sie von dem, was er gerade gelesen hat) und daß er oft Einzelheiten aus seinem Beruf mit ihr bespricht. Er sagt, daß er sich vom ersten Augenblick an in sie verliebt hat, dabei ist er nicht sehr leidenschaftlich zu ihr, außer im Bett. Das geschieht einmal in der Woche. Harriet ist eigentlich damit ganz zufrieden, denn sie möchte selbst nicht sehr viel Nähe und Dichte.

Ihr Sexualleben ist nicht sehr intensiv, sie hat auch nie einen Orgasmus. Ernie sagt, er sei darüber enttäuscht, und meint, es liege wohl an ihren Kindheitserlebnissen. Er besorgt ihr Bücher, damit sie Stellungen und Techniken lernt. Manchmal versucht er, sie durch erotische Bilder und Bücher zu erregen, bevor sie miteinander schlafen.

In den letzten Wochen hat Ernie das Thema Heirat angesprochen. Er meint, er sollte allmählich daran denken, Kinder zu haben. Er hat dies alles auf sehr vernünftige Art mit ihr besprochen, z. B. in-

dem er sagt, er erwarte von ihr, daß sie ihren Beruf aufgebe, sobald sie schwanger wird, und daß er ein Haus in einem Vorort kaufen werde, von dem aus er dann zur Arbeit in die Stadt pendeln werde. Er hat ihr versichert, daß er wenige Forderungen an sie stellen werde, sie brauche sich nur ihrer Aufgabe als Frau und Mutter zu widmen. Harriet hat irgendwie ein Gefühl von Panik dabei bekommen, das sie selbst nicht erklären kann, denn sie möchte sehr gern heiraten und eine Familie haben. Und noch niemals hat sie jemand so respektvoll und aufmerksam behandelt wie Ernie. Und darum fragt sie sich, was bloß mit ihr los ist.
Ein Teil dessen, was verkehrt ist, ist, daß Ernie zur schlimmsten Sorte der Funktionalisten gehört, das heißt, daß Ernie sich in Rollen aufteilt und diese, aber nur diese, perfekt ausfüllt. Für ihn ist Harriet ein Symbol. Sie beweist ihm und seiner Umgebung, daß er fähig ist, eine Mann-Frau-Beziehung zu leben. Tatsächlich ist er aber ein emotionaler Krüppel, dem seine Heimeltern niemals erlaubt haben, Liebesfähigkeit zu entwickeln. Aber trotzdem ist Harriet nicht bloß sein Opfer. Sie kommt aus einer Familie, in der es Intimität einfach nicht gab. Deshalb hatte sie Angst vor Intimität, zumindest von einem bestimmten Grad an. Es ist ein bekanntes psychiatrisches Prinzip, daß niemand jemanden zum Opfer machen kann, wenn es das Opfer nicht zuläßt. Harriet akzeptiert, daß Ernie sie zum »Ding« macht, denn umgekehrt macht sie das gleiche mit ihm. Ihr Entgelt für ihr Opfer ist, daß Ernie ihr nicht zu nahe kommt. Andererseits fühlt sie auch, daß Ernie an ihr als Persönlichkeit nicht allzu viel Interesse hat, und ist beunruhigt, daß ihre Beziehung sich nicht so recht entwickelt. Sie persönlich möchte reifer und intensiver werden und kann es wohl auch. Sie stimmt mit Ernies Vorstellungen von Ehe und Familie überein, aber sie möchte keinen Abklatsch von einer Familie, die nur und ausschließlich nach seinen allzu geschäftsmäßigen Regeln funktioniert.
Harriet hätte schon früher zu Beginn ihrer Beziehung darauf bestehen sollen, mehr als ein »Eine-Nacht-in-der-Woche«-Segment in Ernies Leben zu besetzen. Sie hätte ihm niemals erlauben dürfen, sie fernzuhalten von den natürlichen sozialen Beziehungen, die gute Partner einzugehen pflegen. Und sie hätte ihm nicht erlauben sollen, sie zu einem Symbol seiner sexuellen Fähigkeiten zu machen, indem sie gewissermaßen zustimmt, daß er ihr Lehrmeister in diesem Bereich ist.

Ein Partner, der das Gefühl hat, verdinglicht und »ausgestopft« zu werden, sollte dem anderen Partner diese Gefühle offenbaren und mit ihm zusammen untersuchen, wie weit dies Gefühl zu Recht besteht. Da die meisten intimfeindlichen Trophäensammler sich in ihrem Partnerverhalten rigid und formal zeigen, entwickelt ihr Gegenüber meist ein intensives Bedürfnis, »irgend etwas anders zu machen, damit sich etwas ändert«. So war es schließlich auch bei Harriet und sie kam zu uns, um sich helfen zu lassen.

Unter unserer Anleitung war Harriet fähig, Ernies Position ihr gegenüber zu testen. »Ich möchte, daß unsere Beziehung wächst und intensiver wird«, sagte sie zu ihm, »aber ich fürchte, daß Du das nicht willst. Ich möchte das herausbekommen, indem ich einmal anderes als bisher mit Dir tue. Hast Du Lust, einmal einen ganzen Tag mit mir zusammenzusein, statt immer nur einen Abend? Und ich will mich dafür nicht besonders elegant anziehen und zum Friseur gehen. Vielleicht können wir einmal im Wald zusammen spazieren gehen und uns vielleicht dort lieben. Ich glaube, das würde mir vielmehr das Gefühl von Freiheit geben. Bist Du einverstanden, daß ich einmal einige Wochenenden plane?«

Ernie wurde ziemlich nervös, als er das hörte. An diesem Abend trank er eine Menge, und als sie zusammen schliefen, war er überhaupt nicht zärtlich, sondern brüsk und mürrisch. Schließlich stimmte er zu. Er würde ihr Bescheid geben, wenn er Zeit hätte. Dann wurde darüber nicht mehr gesprochen. Er tat so, als hätte er alles vergessen.

Dr. Bach half ihr, sich ihre wirklichen Erwartungen an ihre Beziehung zu Ernie klarzumachen und diese Erwartungen auch vor der Gruppe auszusprechen. Und in der Folge lud Harriet ein anderes Paar zum Abendessen ein und rief Ernie an, um ihm das mitzuteilen. Obgleich sie für diesen Abend verabredet waren, rief er im letzten Augenblick an und entschuldigte sich, daß er bis zum späten Abend zu arbeiten hätte.

Harriet mußte schließlich einsehen, daß Ernie nicht bereit oder fähig war, irgendeine Äußerung ihres wahren Selbst zu akzeptieren. Er würde keine Veränderung der von ihm festgesetzten Rollen hinnehmen, und lehnte es einfach ab, an einem Partnerschaftstraining teilzunehmen, um auch nur irgend etwas in Frage zu stellen.

Harriet ist zu wenig und zu spät aktiv geworden. Statt ihre Vorbehalte aggressiv offenzulegen, hat sie »eingesackt« und darum einen immer größeren »Vorrat« davon bekommen. Bei ihrem letzten Treffen mit Ernie platzte dieser Sack schließlich, und sie warf ihm all ihre Beschwerden an den Kopf. Als sie den Höhepunkt einer echten Wut erreicht hatte, schüttelte Ernie nur ganz ruhig seinen Kopf, blickte sie kühl an und ging. Sie haben nie wieder etwas voneinander gehört.

Bemerkenswert ist, daß Harriet ihn niemals indirekt, also heimlich und unaufrichtig testete. Das, was sie bedrückte, sprach sie offen aus, ihr Bedürfnis nach Veränderung und die Notwendigkeit einer Überprüfung. Manipulation kann auch nicht durch Gegenmanipulation beseitigt werden. Hätte Harriet sich nicht offen ausgesprochen, wäre sie immer weiter Ernies ausgestopfte Jagdtrophäe geblieben.

Ein »Trophäensammler« ist immer ziemlich gefährdet. Einmal mit echten Gefühlen und Wünschen konfrontiert, die offen ausgesprochen werden, kann er nicht reagieren. Er neigt eher dazu, dann die Gefühle des anderen zu überprüfen. Echte Gefühle machen ihn unsicher, denn sie passen nicht zu seinem Bedürfnis, Trophäen und Schaustücke zu schaffen. Wie kann er eine Schaupuppe arrangieren, wenn sie sich bewegt, wie *sie* es will, Dinge sagt, die er nicht hören will und sich von Zeit zu Zeit verändert? Und das heißt, wer sich nicht wie ein Ding verhält, der kann auch nicht wie ein Ding behandelt werden, genauso wenig, wie eine lebendige Puppe nicht in einen Karton gesperrt werden kann. Sie bricht einfach aus.

Der Kult der persönlichen Unabhängigkeit

Es ist nicht einfach, sich mit einer Frau wie Terry auseinanderzusetzen, die sagt: »Eine Beziehung kann nicht gut sein, wenn die Partner nicht frei sind. Wenn sie keine Individuen sind, werden sie langweilig und können sich nichts mehr geben. Das ist der Fehler bei den meisten Paaren heute.«

Mark stimmte ihr zu. Die Folge war, daß es in ihrer Beziehung keine Exklusivität gab, weder im Bett noch sonst wo. Terry wollte keine Verpflichtungen eingehen, sie wollte auf eigenen Füßen stehen. Verabredungen wurden abgesagt, wenn nur einer nicht so rechte Lust hatte, und sei es auf einem kleinen Zettel. Gingen sie in

ein Museum, dann konnte es geschehen, daß Terry sagte: »Du kannst ja weiter die flämische Abteilung anschauen, ich gehe schon in den Raum mit den ägyptischen Stücken.« Und sie wurde gereizt, wenn Mark sagte, er wollte mitgehen.
Sie behauptete, Mark zu lieben. Manchmal zeigte sich das im Sexuellen, da konnte sie von leidenschaftlicher Hingabe sein. Zweimal liebten sie sich jede Nacht. Aber manchmal fühlte sie sich schon durch kleine Zärtlichkeiten abgestoßen und wurde ärgerlich, wenn er sie nur berührte. Mark fühlte sich angeregt durch ihre ungeheure Vergnügungssucht, aber zurückgestoßen, wenn sie auf ihrer Unabhängigkeit bestand.
Sie fing an, von Verabredungen zu erzählen, die sie an diesen Tagen ihrer »Unabhängigkeit« hatte. Eines Abends im Bett erzählte sie irgend etwas Lustiges, das irgendein Freund von ihr beim Frühstück erzählt hatte. Als Mark sich dagegen wehrte, erinnerte sie ihn an ihren obersten Glaubenssatz und an die Tatsache, daß er ebenfalls frei sei.
»Ich kann nur mit jemandem zusammenleben oder ihn lieben«, sagte sie, »wenn keine Fragen gestellt und keine Fragen beantwortet werden.«
Andererseits versicherte sie Mark, daß er der wirkliche Mittelpunkt ihres Lebens ist. Später sagte sie das immer öfter, obwohl sie über seine Zeit mit immer weniger Rücksicht verfügte. Sie rief ihn einfach aus irgendeinem plötzlichen Impuls heraus an, um in einer Stunde einen Film zu sehen oder jetzt gleich Liebe zu machen. Mark wagte es nicht, solche Vorschläge abzulehnen; selbst wenn er eigene Pläne hätte, würde er sie sofort aufgeben. Zwar antwortete Terry auf jede Andeutung einer möglichen Ablehnung so etwas wie: »Natürlich sollst Du tun, was Du jetzt am liebsten möchtest.« Aber ihre Stimme war eiskalt, wenn sie das sagte.
Diese Situation machte Mark allmählich völlig verrückt. Er war eingespannt in eine völlig undisziplinierte Partnerschaft. Die Partner machten keinerlei Versuche, nach ihren wirklichen Wünschen zu leben. Es schien Mark so, als würde er von Terry mißbraucht, als wollte sie ihn nur für ihre Wünsche jederzeit parat haben, und als forderte sie Freiheit für sich, während sie für seine Freiheit nur Lippenbekenntnisse übrig hatte. Gegen eigenes besseres Wissen ließ er dies immer länger zu, aber schließlich kam er zu uns, um unseren Rat einzuholen.

Einige Wochen später konnte er Terry mitteilen, daß er sein nunmehr gestärktes Rückgrat testen wollte. Terry schien das ziemlich zu amüsieren. Als Mark dann einige ihrer üblichen Auf-die-letzte-Minute-Aufforderungen lasch ablehnte, tat sie dies mit einem Achselzucken einfach ab. Wie üblich, behandelte sie Mark äußerst kühl bei solchen Gelegenheiten, und er würde nachgeben aus Angst, sie sonst zu verlieren.

Schließlich machte er einen Versuch, ihr Verlangen nach ihm auf die Probe zu stellen. Wenn er wirklich der Mittelpunkt ihres Lebens war und sie ihn wirklich liebte, dann – so sagte sich Mark – fühlte er sich auch berechtigt, bevorzugt ihre Zeit für sich in Anspruch zu nehmen. Er wollte ein Wochenende mit ihr verbringen. Sie war einverstanden. Mark sagte, er würde jede Entscheidung von Terry akzeptieren, und daß ihm dies die Realität ihrer Beziehung sichtbar machen würde. Terry war dadurch ziemlich irritiert, stimmte aber zu. Sie verabredeten sich für Freitagabend in einer Woche. Das war sehr ungewöhnlich für Terry, denn sie meinte, sie haßte solche Festlegungen, da sie fand, das Leben sei viel reicher, wenn man es impulsiv und überraschend gestaltete.

Freitag um sieben klingelte Mark an ihrer Tür. Nichts rührte sich. Er öffnete mit seinem Schlüssel und fand eine Nachricht: »Ich mußte weg. Tut mir leid, Terry.«

Mark wartete drei Stunden. Dann ging er und sah sie nie wieder. Er hatte seine Antwort.

Terry ist ein typischer »Autonomie-Anbeter«. Dies ist eine besondere, manchmal sehr schwer zu behebende Form von Intimfeindlichkeit. Der Autonomist scheint der Gegentyp oder umgedrehte Trophäensammler zu sein. Aber tatsächlich scheinen diese beiden entgegengesetzten Verhaltensarten das gleiche Ergebnis zu haben: Eine von nur einem bestimmte Beziehung, eine Herr-Diener-Beziehung. Der eine tut immer nur, was er selbst will und geht auf das Objekt seiner Wünsche nur so weit ein, wie es sich vollständig unterwirft.

Auf jeden Fall hat das Opfer in dieser Beziehung beträchtliche Freiheit, außer, wenn der Herrschende nach ihm verlangt oder in seiner Gegenwart. Der Unterschied zwischen Trophäensammler und Autonomist liegt in der Art, wie sie den anderen zum Ding machen. Der Trophäensammler braucht ein vollständig formalisiertes Symbol und entsprechendes Verhalten. Der Autonomist

braucht die Illusion laufender Veränderung. Der Autonomist sagt also letztlich: »Laß uns irgend etwas Wildes und Freies machen, alles, was immer wir wollen – alles, was *mir* gerade einfällt.«
Viele militante Frauenrechtlerinnen haben so einen Zug zum Autonomisten. Die *Women's Lib** wehren sich gegen die Verdinglichung, wo immer sie auftritt. Es ist richtig, daß Leute, die nach der autonomistischen und feindseligen *Playboy*-Philosophie leben, Frauen zu Mutter- und Genital-Symbolen verdinglichen oder zu Mitgliedern einer besonderen Gruppe, die abwechselnd unter einer merkwürdigen und in sich widersprüchlichen Mystik leiden und dann wieder davon profitieren. Und es ist auch richtig, daß viele Männer Frauen verdinglichen, wenn sie von Frauen als Autofahrern, Konsumsüchtigen, Geldgierigen oder Modehörigen sprechen. Unser Partnerschaftssystem unterstützt den Kampf gegen die feindliche Verdinglichung der Frau. Unsere Gende-Club-Übung und auch andere wirken Stereotypen und eingefahrenen Verhaltensstandards entgegen.
Andererseits kann man den Vorwurf der Verdinglichung nicht verallgemeinern. Aber die meisten militanten Feministinnen schreien laut, daß sie *immer* erst als Frauen angesehen und deshalb entmündigt werden. Wir behaupten, daß eine Frau, die sich fortwährend verdinglicht sieht, das deshalb so fühlt, weil sie sich selbst verdinglicht, und damit andere dazu verleitet, sie wie ein Ding zu behandeln.
Autonomisten, und das sind genauso oft auch Männer, suchen intensiv den Schein von Intimität, genauso wie sexuelle Leidenschaft. Das ist oft ein Köder für sie, genau wie für Mark, der Frauen gegenüber passiv war. Er brauchte sich um Sex nicht besonders zu bemühen, und er machte sich selbst vor, daß er Terry erobert hatte.
Ein realistischer Partner kann nicht über längere Zeit von einem Autonomisten ausgebeutet werden, der ja immer auf Kontrolle besteht, während er so tut, als ob er Freiheit zugesteht. Jedes Bestehen auf eigene Ansprüche führt dazu, daß der Autonomist sich zurückzieht, genauso wie Terry es tat, als Mark völlig realistisch eine Änderung verlangte.

* Amerikanische Frauenrechtlerinnenbewegung.

Die »Als-Ob«-Beziehung

In der »Als-ob«-Beziehung verhalten sich beide Partner – oder auch nur einer – so, als beständen genaue Abmachungen zwischen ihnen, die es in Wirklichkeit gar nicht gibt. Das ist ein Weg, die Vorteile einer intimen Beziehung zu nutzen, ohne die Schwierigkeiten auf sich zu nehmen, die sich beim Näherkommen zweier Menschen ergeben. Deshalb existiert diese Intimität auch nur als Illusion. Ein realistischer Partner erkennt die Unangemessenheit des »Als-ob«-Verhaltens auch sehr schnell. Er wertet solches Verhalten als Manipulation und unterbindet es, indem er sich ganz einfach dagegen wehrt.

Sarah, eine unserer Kursteilnehmerinnen, berichtete als Anfangsbeispiel, wie sie Elliot auf einer Party kennenlernte. Er brachte sie nach der Party nach Hause und öffnete höflich die Wohnungstür für sie. Aber statt dann zurückzutreten, ging er in die Wohnung, machte das Licht an und zog seinen Mantel aus.

»Als ich ihn erstaunt anschaute«, sagte sie, »antwortete er: ›Du wolltest mich doch hereinbitten, oder nicht?‹«

»Früher«, fügte Sarah hinzu, »da hätte ich dieser falschen Vorstellung über seine Rechte nicht widersprochen, ich hätte Angst davor gehabt, ihn zu kränken Aber jetzt habe ich nur meinen Kopf geschüttelt und ihm wieder in seinen Mantel geholfen.«

Dieser »Als-ob«-Trick funktioniert manchmal wie ein Perpetuum mobile, wenn die ersten Weichen für dieses Spiel erst einmal gestellt sind.

Edith und Patrick lernten sich in einem Zeichenkursus kennen. Anschließend tranken sie noch einen Kaffee zusammen und aßen ein Sandwich. Schon am nächsten Abend rief er sie an. »Du weißt«, sagte er, »heut abend läuft ein Krimi im Fernsehen, den ich wahnsinnig gern sehen möchte, aber ausgerechnet jetzt ist mein Fernseher kaputtgegangen. Du hast doch nichts dagegen, wenn ich den Krimi bei Dir sehen komme?«

Edith hatte Schwierigkeiten mit ihrem Partnerverhalten. Es war eine große Erleichterung für sie, zu erleben, daß die ersten Einleitungssituationen auf wunderbare Weise vorüber waren. Daß Patrick schon so etwas wie ein intimer Freund war. Ihre Angst, zurückgewiesen zu werden, war um ein ganzes Stück geringer geworden. Deshalb wehrte sie sich nicht dagegen, daß Patrick her-

überkam und es sich bequem machte, einen Arm völlig vertraut um sie legte und ihr später in die Küche folgte, um nach einigen Häppchen Ausschau zu halten.
Anders als Sarah in dem vorigen Fall, läßt Edith dieses Verhalten zu, weil sie glaubt, so die Freundschaft zu intensivieren. Patrick zögerte nicht, sie um Gefälligkeiten zu bitten, etwa beim Tippen seiner Doktorarbeit zu helfen oder ihm Vorhänge zu nähen. Er sprach mit ihr über seine Probleme und benutzte sie als eine Art Therapeut. Er nahm ihre Hilfe in Anspruch beim Kaufen von Lampenschirmen, und eines Abends, er ging dabei mit gleicher Anmaßung vor, schlief er mit ihr.
Edith fand, sie waren jetzt richtige Liebende. Sie machte all seine Probleme zu ihren, machte sich Sorgen um ihn und tat alles für ihn. Patrick war immer guter Dinge und voller Geschichten über alles mögliche – nur nicht über ihre gegenseitige Beziehung und über seine Gefühle ihr gegenüber.
Edith war nicht so gesprächsfreudig. Hatte sie Probleme, dann erzählte sie das nur kurz, und Patrick hörte zu. Aber er äußerte sich nur wenig dazu, gab nur kurz seine Zustimmung oder spiegelte genau die Stimmung wieder, die sie gerade zeigte, Ärger, Sorge oder Empörung. Weil Edith sich sehr schwer tat, über ihre eigenen Gefühle zu sprechen, war sie froh, wenn sie nicht über etwas sprechen mußte, das ihr unangenehm war.
Nach einigen Monaten rief Patrick plötzlich an und sagte, er habe ein glänzendes Angebot bekommen. In zwei Wochen müsse er deshalb in eine andere Stadt ziehen. Edith half ihm beim Bücherpakken und Geschirräumen und packte seine Sachen für den Umzug, und schließlich mußte er weg. Nach einer Woche schrieb er eine Karte, von seiner Arbeit, den Leuten da, dem Wetter. Drei Wochen später schrieb er wieder, diesmal schon sehr viel kürzer. Danach hörte Edith nichts mehr von ihm, außer den Karten zu Weihnachten und zum Geburtstag. Niedergeschmettert und völlig ernüchtert suchte sie Hilfe in einem unserer Kurse, um das alles zu verstehen.
In diesem Kurs kam sie bald zu der Erkenntnis, daß Patrick ein anderer Typ von Segmentalist ist, das heißt ein Opportunist, der bereit war, die Beziehung zu ihr auszunutzen für alles, wofür sie brauchbar war. Er nahm einfach an, er sei berechtigt, alles zu tun, was sie nicht direkt ablehnte. Hätte sie schon früher einen realisti-

schen intimen Austausch zwischen ihnen verlangt, hätte er sich sicherlich schon früher zurückgezogen.
Sie verstand, daß Patrick kein reiner Intimitätsfeind war. Er war möglicherweise durchaus intimitätsfähig, aber er wehrte sich gegen Intimität. Er war einfach zufrieden mit einer oberflächlichen Intimität und verzichtete auf die befriedigendere Intensität einer echten Intimität, wie ein Gärtner, der die zufällig gewachsenen Früchte erntet, statt einen Baum zu pflegen und dann die reifen Früchte einzuholen und zu genießen. Ferner war Edith kein typisches Opfer. Auch sie wollte den einfachsten Weg zu einer irgendwie gearteten Intimität und nichts mit den Realitäten einer wirklich intimen Beziehung zu tun haben. Sie war eine dieser naiven Seelen, die davon träumen, ganz von selbst zu Geld zu kommen und dabei nur Schwindlern zum Opfer fallen. Sie konnte gar nicht in eine dichtere Beziehung zu jemandem kommen, solange sie nicht bereit war, ganz von sich selbst auszugehen und sich selbst anzubieten, mit allen Schwierigkeiten und Vorbehalten. Sie handelte nach der alten Vorstellung, daß, wenn man nur immer »hübsch brav« ist und sich friedfertig verhält, daß dann die Liebe schon wachsen wird.
Als Edith erst einmal die Freude, die wirkliche Intimität geben kann, erlebt hatte, das Vergnügen, sich selbst auszudrücken und einzubringen in eine Beziehung, die Erfüllung, die daraus entsteht, da war sie auch gegen solche »Als-ob«-Beziehungen gefeit. Denn wenn ein Partner realistischen Umgang miteinander fordert, dann bleibt einem »Als-ob«-Partner nichts anderes übrig, als den so gefürchteten Sprung ins Wasser echter Intimität zu tun oder sich zurückzuziehen.

Partnerschafts-Hochstapeleien

Der »Hochstapler« in einer Partnerbeziehung ist dem »Als-ob«-Typ nahe verwandt. Der »Hochstapler« versteht eine Menge von Pseudo-Intimität und beherrscht die Kunst, so zu scheinen, als biete er perfekte Anpassung und gibt seinem Partner das Gefühl »Jetzt habe ich endlich den Menschen gefunden, von dem ich immer schon geträumt habe«. Er kann sich einem Traum verblüffend anpassen. Aber man sollte einigermaßen skeptisch werden, wenn vieles ohne jede Anstrengung geschieht.

Wie der »Als-ob«-Partner sucht der »Hochstapler« die Vorteile einer Intimität, ohne sich selbst in die Beziehung einzubringen oder sich selbst auf die Suche nach der Realität einer Beziehung zu machen. Aber der »Hochstapler« versucht sein Ziel nicht auf einer breiten Skala von Möglichkeiten zu erreichen. Er will lieber ganz bestimmte Dinge. Und während der »Als-ob«-Partner die Illusion einer umfassenden Beziehung vorspiegelt, ist der »Hochstapler« normalerweise viel rationeller. Er paßt genau auf und beobachtet scharf, um die Träume seines Partners herauszubekommen, seine völlig unrealistischen Erwartungen. Und dann tut er so, als würde er diese Illusionen Wirklichkeit werden lassen. Die Folge ist das angenehme Gefühl, auf einen Traum hin zu leben, und das ist dann auch das einzige, was wirklich geschieht.

Obwohl der »Hochstapler« ein bösartiger Mensch zu sein scheint, ist er es in Wirklichkeit nicht. Er ist nur intimitätsscheu und befriedigt seine eigenen Partnerbedürfnisse auf diesem besonderen Weg. Häufig sucht er sich mehrere verschiedene Partner, um seine Bedürfnisse zu befriedigen, zum Beispiel einen für Sex, einen anderen für Kameradschaft, einen dritten für sozialen Kontakt. Jeden einzelnen sieht er nicht als volle Persönlichkeit an, sondern nur unter dem einen Teilaspekt. Wie andere Typen, die sich gegen Intimität wehren, hat er Angst, die eigene Unfähigkeit könnte sichtbar und er dann zurückgewiesen werden.

Jeder Mann, der Cindy auf einer Party kennenlernte, fand sie einfach hinreißend. Und wenn sie dann nach Hause gingen, waren sie alle irgendwie enttäuscht über ihre eigene Frau oder Freundin. Und die Männer, die sie besser kannten, waren noch mehr von ihr verzaubert und entsprechend mehr frustriert.

Carl kannte sie als eine perfekte Sexpartnerin. Sie mochte alles genau so, wie er es mochte, und all seine kleinen Eigenheiten schienen ihr besonders Spaß zu machen. Außerdem schien es ihr überhaupt nichts auszumachen, daß er ein ganz normaler kleiner Student war und ihr praktisch überhaupt keine sonstigen Vergnügen bieten konnte. Aber Carl sah glänzend aus und war ein phantastischer Liebhaber. Er war unerschöpflich im Erfinden immer neuer Sexspiele. Aber was ihn an ihr wirklich begeisterte, war, daß sie von der Astronomie genauso fasziniert war wie er. Sie pflegte immer zu sagen, daß sie mit ihm zu astronomischen Abendkursen gehen wollte und daß sie ihm bei seiner Examensarbeit helfen und sie auch für ihn tippen wollte und sehr viel noch von ihm lernen möchte in diesem Bereich. Aber leider, ihre Schwierigkeiten als Malerin weiterzukommen, ihre viele Arbeit und ihre zusätzlichen Geldjobs hatten es noch nicht dazu kommenlassen. Aber jetzt bald ...

Zur selben Zeit war Larry, der Eigner der größten Kunstgalerie in der Stadt, begeistert von Cindys Fähigkeit, bei der Vorbereitung von Ausstellungen zu helfen und mit Kunden umzugehen.

Sie war die einzige Angestellte, der er Halbtagsarbeit erlaubte und deren Arbeiten er verkaufen würde. Aber das arme Mädchen hatte nie Zeit, an Larrys großer Leidenschaft, der Musik, teilzuhaben. Jedenfalls zur Zeit nicht. Es war eine seltene Sache, einen bildenden Künstler zu finden, der seine Gefühle für Musik verstand. Sie hatten viele Pläne, miteinander ins Konzert zu gehen, Wagners Ring-Zyklus an einem langen Winterwochenende auf Schallplatten zu hören. Aber diese Pläne blieben alle Pläne.

Gleichzeitig freute sich Greg auf den Tag, an dem Cindy und er einige ihrer Pläne verwirklichen konnten – im Winter Ski zu laufen, Skiwandern, Eislaufen, alles, was sie beide so liebten. Cindy war die einzige, die seinen Spaß an solchen Sachen wirklich verstand. Und sie war eine ausgezeichnete Gastgeberin für die vielen Gesellschaften, die er für die bessere Gesellschaft der Stadt gab, und eine genau so gute Begleiterin, wenn er irgendwo eingeladen war.

Richtig betrogen hat Cindy keinen dieser drei Männer, die ihre Bedürfnisse so optimal befriedigten. Der Hochstapler, Männer wie Frauen, handelt selten mit dem Vorsatz, anderen zu schaden, vielmehr scheint er das Opfer seiner eigenen Träume zu sein. Jeder dieser Männer hätte dieses Spiel beenden können, indem er ganz genaue Wünsche anmeldete.

»Wann genau gehen wir heute ...« wäre die einzig realistische Frage, die sie hätten stellen müssen. Möglicherweise haben sie das gefühlt, aber verzichteten darauf aus Angst, eine angenehme Illusion würde dann zerbrechen. Letztlich benutzten sie also Cindy, um ihre Wunschträume weiterzuträumen.

Es gibt viele Arten der Hochstapelei. Alle kann man beschreiben durch eines oder mehrere der folgenden Symptome:

1. Der Fehler, Versprechungen und angenehmen Phantasien über

die Zukunft zu folgen. Die einzig richtige Antwort auf dieses »Eines-Tages«-Syndrom ist eine harte Konfrontation mit der Jetztsituation und genaues Nachfragen.

2. Einseitiges Führen und entsprechend einseitiges Folgen. In einer echten Partnerschaft wechselt die Führungsrolle. Nur in illusionären Beziehungen besteht die Tendenz, die Führung zu fixieren. Cindys Partner fühlten sich alle in der Rolle des Lehrers gegenüber seinem Schüler. Die Konsistenz, mit der Cindy ihre Rolle als Schüler bei all ihren Partnern durchhielt, ist eine Folge ihrer unrealistischen Erwartung an ihren Partner.

3. Der Fehler, keinerlei Widerstand oder Vorbehalt deutlich werden zu lassen. Die Männer liebten Cindy, weil sie niemals klagte, Forderungen stellte oder unangenehm fragte. Hier lautete die Illusion tatsächlich: »Du bist ideal für mich.«

4. Der Unwille, über die gemeinsame Zukunft zu sprechen.

5. Das Vermeiden von Feedback bei wichtigen Forderungen. Cindy zog sich immer aus der Affäre, wenn die Phantasie eines ihrer Begleiter zu einer realen Forderung zu werden drohte. Sie antwortete niemals direkt oder bekannte sich wirklich zu dem, was er sagte.

6. Rot-Kreuz-Schwester spielen. Die Begeisterung für eine einseitige Abhängigkeit, nach dem Motto: Laß mich Dir doch helfen!

7. Offenheit der Beziehung nur nach einer Seite. »Erzähl Du mir all Deine Hoffnungen, Träume, Ängste und Gefühle. Aber meine werde ich Dir nicht erzählen.«

Ich will Dich auf Rosen betten

Dies ist wohl die am einfachsten zu durchschauende unerwünschte Beziehung, und sicherlich die traurigste. Denn die Partner in dieser Beziehung sind liebevolle und liebenswerte Menschen. Aber niemals würden sie Kummer bereiten durch irgendwelche Kritik oder gar das Risiko eingehen, den anderen durch Forderungen zu überfordern.

Die Philosophie, die dahintersteckt, lautet, daß Liebende niemals böse oder auch nur ärgerlich aufeinander sein können, und daß sich jedes Problem bei gutem Willen von selbst löst – nämlich durch Anpassung –, und daß einer dem anderen nachgeben muß –, und daß, wenn nur die Liebe groß genug ist, die Bereitschaft und die Fähigkeit zum Nachgeben unbegrenzt sind. Und infolge dieser völlig falschen Voraussetzung muß deshalb jeder den anderen aus liebender Fürsorge davor bewahren, auch nur einen seiner Fehler zu erkennen.

Dieses Rosenbett ist ein unseliges Erbstück aus dem Viktorianismus, als Liebende sich noch mit Sie anredeten, über sorgfältig geschriebene Billets miteinander verkehrten, die an zarten Blumen und süßem Konfekt hingen und sorgfältig aus Handbüchern über die Liebe abgeschrieben waren – und was dann noch unausgesprochen war, das sagten heimliche Blicke und Winke. So schön eine solche Beziehung auch sein mag, sie hat den Fehler, absolut blutleer zu sein und auch nur die geringste Chance für Intimität vermissen zu lassen.

Denn von der simpelsten Zelle bis zum kompliziertesten Organismus – und das Paarwerden von Mann und Frau zählt sicher zum letzteren – ist ein Gesetz unumstößlich: Es gibt kein Leben ohne Konflikt. Und wo der Konflikt geleugnet oder verhindert wird, da weicht mit dem Konflikt auch das Leben.

Und wenn in irgendeiner Beziehung heute noch dieses endlose Nachgeben und Anpassen versucht wird, dann kann das nur dahin führen, daß jede Verstimmung, jeder Vorwurf »in den Sack gestopft wird.« Und dann bleibt natürlich kein anderer Ausweg, als daß irgendwann die Sicherheitsventile platzen, mit allen Konsequenzen, oder als einzige Alternative, daß das ständige Lecken aus diesem vollgestopften Sack das Rosenbett allmählich mit Heuchelei und Scheinheiligkeit vergiftet.

Die Isolierzelle

Sie kommt sehr oft vor, und Elemente davon findet man wohl in jeder Beziehung, die auf Illusionen aufgebaut ist. Aber in der Geschichte von Gene und Molly spielt Isolation die Hauptrolle.

Sie waren beide siebenundzwanzig, hatten beide das Junior College abgeschlossen, arbeiteten beide als Programmierer in derselben Firma. Sie hatten noch viele Gemeinsamkeiten mehr, aber nur zwei erwähnenswerte Unterschiede. Gene war ein ausgesprochen gutaussehender Mann, während Molly eher gewöhnlich aussah. Und Molly war Weiße und Gene ein Schwarzer.

Monatelang unterhielten sie sich miteinander wie gute Freunde, während der Arbeit, in der Kantine und in den Kaffeepausen. Allmählich konnten sie ihr gegenseitiges Interesse für einander nicht mehr verbergen, und als Gene eines Tages sein Herz ausschüttete über seinen Kummer, ein Schwarzer zu sein, da schien auch die letzte Hürde, die noch zwischen ihnen stand, zu fallen. Molly nahm seine Hand, und sie wollten sich beide nicht mehr loslassen.

Sie fingen an, sich auch außerhalb des Berufs zu sehen, an Abenden und Wochenenden. Molly wohnte bei ihren Eltern und Gene in dem Negerviertel der kleinen Stadt in New Jersey, nahe bei ihrer Firma. Gene beschwor sie, ihren Eltern nichts zu sagen. Er war sicher, sie würden völlig entsetzt sein. Darum fuhren sie mit dem Bus den langen Weg nach Greenwich Village in Manhattan, wo verschiedenfarbige Paare nichts Ungewöhnliches sind.

Schon nach zwei Monaten waren sie ein bekanntes Paar in den kleinen Kneipen und Cafés im Village. Als dann plötzlich ein Freund von Gene einen Job bekam, bei dem er viel auf weiten Reisen war, da bot er ihnen sein Apartment im Village zum vorübergehenden Wohnen an.

Hier verbrachten Gene und Molly lange Stunden mit wunderschönen Träumen: Kannst Du Dir ihre Gesichter in der Firma vorstellen, wenn ich hereinkäme mit Deinem Ring am Finger? Ich würde gern wissen, ob die beiden Puertoricaner aus der Buchhaltung nicht Spaß daran hätten, mal mit uns auszugehen. Oder vielleicht könnten wir auch hier in dieser Wohnung eine kleine Party machen, an einem Samstagabend vielleicht. Ich meine – ein bißchen was zu essen und ein paar Drinks, und jeder lädt ein paar von seinen Freunden ein, die nicht so voller Vorurteile stecken. Meinst Du nicht, daß die kommen würden? Ich meine, die Welt ist doch nicht mehr wie früher. Es ist doch schließlich nicht jeder völlig beschränkt.

Aber sie machten nie etwas aus diesen Phantasien. Molly überlegte lange, wie sie ihre Verbindung in irgendeiner Weise auch öffentlich bekanntgeben könnte. Es ist nicht schön, das Gefühl zu haben, etwas so Schönes wie unsere Liebe versteckt zu halten, würde sie etwa sagen.

Aber Gene würde immer praktische Einwände dagegen finden, obgleich er theoretisch nichts dagegen zu haben behauptete. Dann trafen sie eines Abends auf der Sixth Avenue ein weißes Paar, das Molly noch vom College kannte. Keiner schien geschockt oder auch nur verwundert zu sein. Und sie beschlossen, zusammen zu Abend zu essen.

Der Abend fing vergnügt an, aber das hörte schnell auf. Gene und Molly erwischten sich dabei, wie sie einander schweigend anstarrten. Sie wurden immer stiller. Schon dieses kleine Erlebnis ihrer Realität, das erste, das ihre Isolierung durchbrach, hatte kolossale Auswirkungen. Beide bemerkten im gleichen Augenblick, daß keiner von ihnen den Mut aufbrachte, sich den langfristigen Problemen einer Partnerschaft zwischen Angehörigen unterschiedlicher Rassen zu stellen. Danach war alles nicht mehr dasselbe. Zwei Monate später ging Gene verbittert nach Kalifornien und ließ eine ernüchterte und erschütterte Molly zurück.

Isolation ist wahrscheinlich der fruchtbarste Nährboden für Illusionen jeder Art. Genau wie ein Individuum, das durch Isolierung von der Umwelt keinen Bezug zur Realität hat, neurotisch wird, so ist es auch bei einem Paar.

Das erklärt auch manches bei den ewigen Tragödien außerehelicher Beziehungen. Oft würde so eine Beziehung eigentlich voller Möglichkeiten für eine dichte und beide befriedigende intime Partnerschaft sein. Die Partner selbst können offen und aufrichtig und voll echtem Engagement miteinander umgehen. Aber die aufgezwungene Heimlichkeit treibt sie in die Isolation, und diese Isolation läßt die Tage dieser Beziehung von vornherein gezählt sein.

Außereheliche Liebende mögen selbst das Versteckspiel ihrer Isolierung eine Zeitlang befriedigend finden. Aber für eine außereheliche Partnerschaft ist es fast unmöglich, die Beziehung länger aufrechtzuerhalten, wenn man nicht ganz intensiv den Destruktionskräften, die aus sozialer Isolation erwachsen, entgegenwirkt.

Vollständige Isolierung ist für keine Beziehung unumgänglich, auch nicht für außereheliche Partnerschaften. Es gibt viel mehr soziale Möglichkeiten, als die meisten glauben. Aber die meisten neigen dazu, gefürchtete Reaktionen ihrer Umwelt schon vorwegzunehmen und sich deshalb mehr in Isolation zu begeben, als es der Takt eigentlich verlangte. Die meisten Paare könnten wohl diskrete Freunde finden und damit angenehme Gesellschaft. Und viele andere haben die Möglichkeit, eine Partnerschaft über ihren Beruf zu begründen, so daß nur die sexuelle Seite verheimlicht werden müßte.

Andererseits sollten nicht miteinander Verheiratete Konflikte mit Leuten, die sich gegen die Beziehung wehren, zu vermeiden suchen. So erweist man sich z. B. keinen guten Dienst, wenn man seinen Liebhaber oder die Geliebte den eigenen erwachsenen Kindern vorstellt, denn das kann erhebliche Loyalitätskonflikte bei den Kindern heraufbeschwören.

Manchmal wird Isolation als Mittel gebraucht, um die Illusionen der Beziehung gefahrlos fortzuführen. Das ist ein typisches Verhalten z. B. des »Präparators« und all derjenigen, die zwar eine bindende, aber nicht intime Beziehung suchen. Das falsche Etikett »unsere Beziehung ist in Ordnung« kann nur in der Isolation bestehen. Wenn ein Paar, das sich dauernd etwas vormacht, mehr Einblick in andere gute Beziehungen erhält, dann fallen ihnen schon durch den Vergleich mit den anderen ihre eigenen unrealistischen Elemente auf. In der Isolation dagegen können die Partner einer Beziehung einfach behaupten, Gehalt und Tiefe zu leben.

Noch soviel Selbstbehauptung oder offenes Ausdrücken von Gefühlen können die negative Wirkung der Isolation nicht aufheben. Selbst wenn die Gefühle echt und tief sind, ist die Situation, in der die Partner leben, doch so verkrampft und erstarrt, daß das Empfindungsvermögen der Gefühle verzerrt wird.

Wie kann nun ein realistischer Partner sich der Gefahr der Isolation gegenüber verhalten? Nur, indem er sie aufbricht. So wie jeder, der das Bedürfnis nach Intimität hat, die Beachtung und Anerkennung anderer braucht, genauso braucht auch ein Paar Beachtung und Anerkennung durch andere. Es braucht nur eine kleine Aufmerksamkeit zu sein, und oft nur eine freundliche Oberflächlichkeit, irgend etwas Gemeinsames, vielleicht nur »Hallo, John! Wie geht's Mary?«

Die Intensität einer Partnerschaft kann nur durch ihre Umwelt bestätigt werden. Die sprichwörtlichen Liebenden, die ihre Liebe vom höchsten Turm herabschreien wollen, brauchen einfach jemanden, der sie hört. Liebende, die ihre Liebe verstecken, die sich vor der Wirklichkeit drücken, sind still und fallen in Depression.

Als Molly und Gene, unser verschiedenfarbiges Paar aus dem letzten Beispiel, ihre Freunde in Greenwich Village trafen, las jeder

sofort im Gesicht und Benehmen des anderen: »Dieser Mann da ist schwarz, und diese Frau weiß. Es wird eine schlimme Zeit für sie werden.« Von diesem Augenblick an konnten weder Gene noch Molly ihre Augen vor der Wirklichkeit verschließen.
Deshalb bestehen vernünftige Partner nicht nur auf realem Kontakt zwischen ihnen beiden, sondern bestehen auch auf der Prüfung, ob ihre Partnerschaft an sich reale Möglichkeiten hat. Sie zeigen sich als Paar auch vor Freunden, vor der Familie, Geschäftsfreunden – und echte und wahre Antworten werden auf sie zurückkommen. Ein an der Realität orientierter Partner wünscht das, denn diese Antworten entsprechen der Realität. Nur einer, der in Illusionen lebt, versteckt sich davor in stille, heimliche Ecken.

Partner, weil die anderen es fordern

Jeder auf dem College fand, daß sie das ideale Paar waren. Er, der hochgewachsene und starke Fußballstar, sie, blond und mit toller Figur. Und ganz nebenbei gewann sie noch die Wahl zur Schönheitskönigin des Abschlußsemesters. Beide hatten das gleiche scharfgeschnittene und immer lächelnde und vor Gesundheit strahlende Gesicht, daß jeder fand, sie seien wie füreinander geschaffen. Sie waren wie Königskinder, in Purpur geboren.
Beide Elternpaare konnten die Tränen nicht verbergen, als sie sahen, wen ihr Kind zum Partner gewählt hatte. Besonders für beide Mütter wurden die schönsten und kühnsten Träume wahr. Wo immer sich die beiden zeigten, guckte ihnen jeder nach und lächelte versunken. Und wenn sie allein waren, dann schauten sie mit Reklamelächeln in den Spiegel und sagten »Wir sind schon ein blitzsauberes Paar zusammen, ist es nicht wahr?«
Es gibt viele Sorten solcher Königskinder – aus Reichtum, Wissen, Können oder Macht. Es sieht so aus, als hätten sie wenig gemein mit denen hinter der Isolationsmauer. Aber das Ergebnis sieht bei beiden gleich aus.
Ein Paar sind die Königskinder durch ihre Wirkung in der Öffentlichkeit, nicht durch die Intimität ihrer Beziehung. Wenn sie Hof halten, sich in der Öffentlichkeit zeigen, als Gesangsduo oder Ar-

beitsteam, als Tanzpartner oder Sportskanonen, dann fühlen sie sich als Paar bestätigt. Aber wenn sie allein sind, dann sind sie nicht vollwertige Partner füreinander. Denn sie haben sich selbst in eine Situation gebracht, in der sie sich als zwei Teile ein und derselben Sache empfinden: nämlich der Sache, die ihnen beiden allgemein Beifall oder Anerkennung bringt. Und es ist nur unter großen Anstrengungen möglich, daß sich jemand privat seine Identität bewahren kann, wenn er von so viel öffentlicher Wirkung abhängig ist.

»Königskinder« sind mit besonderen Problemen konfrontiert. Imageabweichungen irgendwelcher Art sind unvereinbar mit ihrer öffentlichen Wirkung. Deshalb haben solche Paare vor nichts anderem soviel Angst. Deshalb haben fast alle diese Paare sexuelle Schwierigkeiten. Denn Sexualität erfährt keine öffentliche Billigung. Sie ist privat und real.

Paare, die sich finden, weil »jeder« findet, »sie sind für einander geschaffen«, leiten ihre Intimität daher zum Teil auch von dem von außen kommenden sozialen Einfluß ab. Die Befriedigung, die sie infolge ihrer Popularität durch öffentliche Schaustellung bekommen, ist verpufft, wenn sich abends die Schlafzimmertür hinter ihnen schließt und sich beide mit ihrer vollständig inhaltslosen privaten Beziehung konfrontiert sehen. So etwas kommt nicht nur überall in Hollywood vor, wenn ein Idol sich mit einem anderen verbindet, sondern überall da, wo öffentliche Bestätigung an die Stelle von echter Intimität tritt.

Die Diskrepanz zwischen öffentlicher Bestätigung und privater Intimität war in einem Bereich so groß, daß das »optimale« Paar eine Reihe von Illusionen aufbaute, um sich von sexueller Intimität gänzlich zu befreien. Sie behauptete, die Pille mache sie dick und damit häßlich. Er wies einen Zeitungsartikel vor, der unterstellte, intrauterinale Verhütungsmittel wie die Spirale und ähnliches könnten zu vielerlei Krankheiten führen. Sie wies Pessare als schmutzig und mechanisch zurück, und beide waren sich einig, daß Kondome und Anti-Baby-Schaum so unnatürlich seien, daß sie beide dadurch völlig erlebnisunfähig würden. Im Ergebnis führte das Ablehnen jeder Schwangerschaftsverhütung als unakzeptabel zum Ablehnen jeden genitalsexuellen Kontakts. Sexualität schied also völlig aus dem Partnerleben dieses »Königskinder-Paares« aus. Wenn solche Paare Pairing-Techniken kennen und sie früh genug anwenden, dann können sie solche Fehlschläge vermeiden. Sie können auf ihrer Individualität bestehen und können ihre eigenen Konflikte, die durch die Illusionen, die von außen an sie herangetragen werden, realistisch angehen. Auf diese Weise würden solche Paare lernen, Unterschiedlichkeiten zwischen ihnen zu erkennen, und auf wirkliche Gegensätze zu achten.

Ed und Irene waren beide First-Class-Athleten. Ihre Freunde nannten sie nur »Die Champs«. Ihr sozialer Kontakt drehte sich fast ausschließlich um den Sportclub. Sie kamen in unser Institut, weil ihre Liebe, die vielversprechend begonnen hatte, sich zunehmend konfliktreicher gestaltete.

Als sie schon ein gut Teil gelernt hatten, ihre Beziehung laufend an der Realität zu messen, entdeckten sie ihre gemeinsame Liebe für Kunst und gingen viel ins Museum. Er mochte besonders moderne Malerei, sie zog klassische Skulpturen vor. Sie beteiligten sich an einer kleinen Theatertruppe im Ort, wobei Irene sich als Schauspielerin versuchte, während Ed sein Organisationstalent nutzte, und sich um die Kasse und den Kartenverkauf kümmerte. Von ihren Freunden wurden sie immer noch als Paar angesehen, aber in dem Maße, wie ihr Image als siamesische Zwillinge abnahm, wuchs die Intimität zwischen ihnen.

Eine andere Störungsquelle ist die von den Eltern gestiftete und geförderte Beziehung, etwa nach dem Motto: »Würden unsere Kinder nicht im Club ein tolles Paar abgeben?« Und nicht anders verhält es sich bei den Partnerschaften, bei denen Freunde Pate standen: »Sie war das hübscheste Mädchen in meiner Klasse, und ich weiß, daß Du Dich in sie verlieben wirst!«

Zum Glück besteht ein erheblicher Widerstand gegen solcherart gutgemeinte Manipulation von Freunden und Familienmitgliedern. Die beiden wissen meist, daß sie dadurch nur »verdingt« werden, und jeder verbindet den anderen mit dieser »Verdingung«. Aggressive Selbstbehauptung ist die einzige Rettung aus dieser Situation, und das braucht keineswegs zur Ablehnung durch den anderen zu führen. Beide können die Vorbehalte, die sie spüren, gleichermaßen miteinander besprechen und sich dann gemeinsam dagegen wehren.

Roy hat Jean in ihrem Apartment abgeholt und nahm sie dann mit zu einem Tagesausflug auf das Boot ihres gemeinsamen Freundes, der sie auch miteinander bekannt gemacht hatte. Die

Fahrt zum Bootshafen war lang. Nach fünfzehn Minuten merkte er, wie langsam ein merkwürdiges Gefühl in ihm aufkam. Roy hatte an einem Pairing-Kurs bei uns teilgenommen. Er stoppte plötzlich den Wagen und sagte:
»Sieh mal, Jean. Ich habe einen Vorbehalt Dir gegenüber. Ich würde gern mit Dir darüber sprechen. Ist Dir das recht?«
»Was meinst Du damit, Vorbehalt?« fragte sie unwillig.
»Ein negatives, ungutes Gefühl.«
»Ich finde es ziemlich merkwürdig, mit einem Mädchen über Vorbehalte ihr gegenüber zu sprechen, wenn man sich mit ihr trifft. Aber wenn es Dir wichtig ist, will ich Dich nicht hindern.«
»Wenn ich Dich irgendwie anders kennengelernt hätte, wäre ich der glücklichste Mann der Welt. Du bist genau der Typ, den ich mag. Jack hatte also völlig recht, aber ich will das nicht zugeben. Du sieht sehr gut aus, und hast ne unheimlich nette Art, und ich glaube, Du kannst sehr freundlich sein, wenn Du nicht gerade auf irgend so einen Kerl angesetzt wirst. (Jean lächelte unfreiwillig.) Aber wenn wir einen ganzen Tag zuammen verbringen müssen, während Jack und Alice uns aus ihren Augenwinkeln beobachten, um zu sehen, wie es klappt, und uns dauernd einen Stups geben, wenn sie meinen, daß es nötig ist, dann fürchte ich, werden wir uns nie wieder sehen. Wir würden uns wie Pudel fühlen, die zusammengesteckt werden, damit es bei ihnen klappt.«
Und Jean sagte: »Ich glaube, Du hast völlig recht. Ich hab' genau das gleiche Gefühl gehabt.«
»Okay, da ist ein Telefon, genau gegenüber«, sagte Roy. »Ich kann Jack auf dem Boot erreichen. Dann können wir in ein nettes Restaurant gehen, das ich kenne . . . «
»Noch einen Augenblick. Muß ich nicht irgend etwas sagen, warum wir gehen?«
»Ja, mag sein. Aber ich habe Dich gebeten, mit mir dahin zu fahren, wo ich gern hinmöchte. Wie Du Dich entscheidest, ist Deine Sache.«
Die Kunst, authentisch zu sein, sagen die meisten unserer Schüler, formt das Verhalten. Wenn man erst einmal Geschmack daran gefunden hat, fühlt man sich anders unwohl, und man hat plötzlich die Möglichkeit, sich immer so zu verhalten.

Das Versorgungs-Team

Dies ist der subtilste Stil, den Partner entwickeln können, und äußerst vielgestaltig. Hier ein ziemlich simples Beispiel.
Allan hat sich von Barbara völlig den Kopf verdrehen lassen. Und seine Angst, sie wieder zu verlieren, ist groß. Sie ist ein selten hübsches Mädchen und weiß die Aufmerksamkeit, die sie bei Männern erregt, sehr zu schätzen. Sie reagiert dann auch leicht auf deren Verhalten. Andererseits hält sie sich gern in Distanz. Viele Abende verbringt sie alleine zu Hause und hat immer eine Entschuldigung, wenn Allan mit ihr zusammen sein möchte, etwa um in ihrer Gesellschaft ein Buch zu lesen, Briefe zu schreiben oder fernzusehen.
Er ist bei seinen Freunden sehr beliebt und auch in seinem Bekanntenkreis sehr geschätzt, weil er großzügig zupackt, wo immer seine Hilfe gebraucht wird. Das ist für ihn so erfolgreich, daß er schon aufmerksam darauf achtet, ob es nicht irgendwo etwas gibt, wo er helfen könnte. Deshalb ist er auch für seine Fürsorglichkeit anderen gegenüber bekannt.
»Was hätten wir bloß ohne unseren alten Allan gemacht?« Das hat er schon viele Male gehört.
Um nun Barbara an sich zu fesseln, ist er bemüht, sich bei ihr nützlich und schließlich unentbehrlich zu machen. Barbara ist sehr viel jünger als er und etwas sorglos und nachlässig. Eines Abends ruft sie ihn zum Beispiel an und sagt ihm, ihr Auto sei stehengeblieben und fragt, was sie tun solle. Er rast zu ihr hin, stellt fest, daß sie kein Benzin mehr hat und bringt es wieder in Gang. Barbara ist dankbar. Nach und nach nimmt Allan die Attitüde des »Weißen Riesen« an, des persönlichen Beschützers von Barbara.
Aber so viel Schutz braucht Barbara natürlich auch wieder nicht. Darum sorgt Allan für Situationen, in denen sie seiner Hilfe bedarf. Er ist junger Arzt, und deshalb läßt er Bemerkungen fallen wie »Wie lang hast Du schon dieses Mal? Es sieht mir symptomatisch aus! Hast Du Dich in letzter Zeit mal auf Anämie untersuchen lassen?« Er verordnet einen Tag Bettruhe, wenn sie sich leicht erkältet hat, und er plant ihre Diät.
Allan kontrolliert auch die Versicherung, die Barbara für ihren Wagen abgeschlossen hat, die Konditionen des Darlehns, das sie für eine Ferienreise aufgenommen hat, und die Miete für ihr Apart-

ment. Immer ist er mißtrauisch, besorgt, daß sie übervorteilt, betrogen, übers Ohr gehauen wird.
Barbara fürchtet ebenfalls, Allan zu verlieren Und schnell kriegt sie heraus, daß sie nur um seine Hilfe zu bitten braucht, damit sie unweigerlich seine ungeteilte Aufmerksamkeit bekommt. Darum spielt sie mit. Sie hilft Allan dabei, Gefahren für sie zu entdecken. Sie fragt ihn bei allem und jedem um Rat, läßt sich von ihm vor der Welt beschützen.
Langsam wird Barbara natürlich wirklich hilflos. Das läßt sie in ihrem selbst ausgelegten Netz gefangen sein. Jetzt braucht sie ihn wirklich dauernd. Aber dieses Rollenspiel hat einen hohen Preis. Denn jeder von ihnen ist zu einem Symbol geworden, einem Ding, er, der Weiße Ritter, sie, die Lady in Gefahr. Wirkliche Intimität wird unmöglich, und allmählich müssen sich Ressentiments zwischen ihnen entwickeln. Ihre ewige Hilfsbedürftigkeit wird ihm allmählich lästig, und sie wird verbittert darüber, daß er sie so unmündig gemacht hat und sie unter ständiger Kontrolle hält.
Diese Methode, sich gegenseitig Aufgaben zuzuteilen, gibt es in endlosen Variationen. Irene quält sich mit dem Gedanken, Leonard zu verlieren, denn er hatte eine viel bessere Ausbildung als sie und ist viel intellektueller. Deshalb will sie ihm zeigen, daß es ihm an praktischen Fähigkeiten fehlt, die sie recht zahlreich hat. Deshalb versucht sie das bei vielen kleinen Gelegenheiten nachzuweisen, insbesondere bei kleinen Dingen im Haushalt, auf die er im Gegensatz zu ihr nicht viele Gedanken verschwendet.
»Warum bist Du denn zweimal zum Mülleimer gegangen, Du hättest doch all den Dreck aus Deinem Papierkorb auf einmal mitnehmen können«, lautet etwa einer ihrer liebevollen Hinweise.
Oder: »Sieh mal, wieviel Zeit Du vertust, wenn Du jedesmal für eine Zigarettenpackung zum Automaten gehst, statt Dir eine Hunderter-Packung zu kaufen.« Schon bald fühlt sich Leonard wie ein weltfremder, vertrottelter Professor. Andererseits half er selbst mit, solche Situationen zu schaffen, denn er freute sich über Irenes Interesse und Aufmerksamkeit.
Gegen diese Fälle gibt es aber meist ein eingebautes Warnsignal. Es ist das Gefühl aufkommenden Ärgers bei ständigen Verbesserungen und Einmischungen schon bei Kleinigkeiten. Wird das dann gleich ruhig und sachlich diskutiert, wie es zwischen wirklich intimen Partnern üblich sein sollte, dann hört das Bevormunden auf für

den Partner, der damit begonnen hat, eine Belohnung zu sein, und damit erledigt sich das Problem dann von ganz allein.

Der Detektiv

Es fängt damit an, daß jeder über alles zutiefst neugierig ist, was den Menschen, den er liebt, betrifft. Er will eine Antwort auf die Frage: »Was für ein Mensch ist mein Geliebter im Umgang mit anderen Menschen?«

So beobachtet ein engagierter Partner völlig zu Recht hin und wieder, zum Beispiel auf Parties – »Wie ist er anderen Frauen gegenüber?« – oder bei einem Besuch im Büro – »Wie geht er mit seinen Vorgesetzten und Untergebenen um?« – oder bei ihr zu Hause – »Hat sie Schulden? Oder warum sonst dieser Haufen unbezahlter Rechnungen?«

Ganz allgemein ist diese Partnerbeobachtung völlig legitim, ja vielleicht sogar ein notwendiges Verlangen nach Information, ein anstrengender Versuch, möglichst viele Perspektiven von dieser ja so wichtigen Person kennenzulernen.

Aber dieses Fragen kann auch Zeichen ganz anderer Bedürfnisse sein. Der Frager müßte vielleicht richtiger sagen: »Du zeigst mir kein wirklich umfassendes und wahres Bild von Dir und Deinen Gefühlen mir gegenüber, deshalb muß ich es selbst herausbekommen, auf jede mir mögliche Weise.« In vielen herkömmlichen nicht intimen Beziehungen kann dieses Gefühl so quälend werden, daß es zu Gefühlen kommt wie: »Ich habe das Gefühl, daß Du mich darüber täuschst, wie ich mit Dir dran bin.« Oder: »Du hast noch andere Gründe als Du zugibst, weshalb Du mich so behandelst; und weil Du mich mit Deiner Liebe erdrückst, übervorteilst Du mich und beutest mich aus.«

Ein Mensch, der so fühlt, entwickelt manchmal ein ganzes Nachschnüffelsystem, um die Berechtigung seiner Ängste zu überprüfen, oder um Schlußfolgerungen zu verifizieren, die man heimlich gezogen, aber niemals direkt ausgesprochen hat. Wenn natürliche Neugierde völlig unnötig getarnt wird, dann wird aus einem vermeintlich intimen Partner ein Staatsanwalt.

SIE:
Du warst nicht im Büro, als ich um zwei anrief.

ER:
Ich war mit Geschäftsfreunden essen.

SIE:
Deine Sekretärin sagte aber, auf Deinem Kalender wäre kein Geschäftsessen eingetragen. Deshalb habe ich dreimal angerufen. Sie sagte, Du müßtest jeden Augenblick zurück sein.

ER:
Tut mir leid. Ich traf zufällig einen alten Freund von der Webster Company, und wir haben dann zusammen gegessen. Er fand es toll, daß ...

SIE:
Deine Sekretärin sagte, ein Mann von der Webster Company hätte sechsmal versucht, Dich anzurufen. Ich war also nicht die einzige ...

ER:
Das war der Partner von Charlie. Das war vielleicht ein Treffen, einfach der Charlie da auf der Straße, na ja, Zufall eben, und ...

SIE:
Ja, wieso denn? Hat Charlie langes braunes Haar? Ich quäle Dich natürlich nur wieder, aber sieh doch selbst, was auf dem Rücken Deines Jacketts ist.

Der Partner-Detektiv scheint immer Beweise für ein Gerichtsverfahren zu suchen, Fragen zu stellen, als prüfte er einen Fall. Zum Beispiel:

SIE:
Du hast wieder zwei winzige Löcher in dieses schöne neue Hemd gebrannt, Liebling. Streifst Du Deine Asche denn nie ab? Du weißt doch, wie mich das ärgert.

ER:
Natürlich streife ich sie ab!

Sie:
Deine Finger haben richtige Nikotinflecken. In Stress-Situationen scheinst Du eine ganze Menge zu rauchen. Warum gibst Du mir heute abend nicht mal all Deine Zigaretten ab, und wenn Du eine möchtest, fragst Du mich einfach.

Er:
(versucht das leicht hinzunehmen)
Sie sind gar nicht so stark ...

Sie:
Gut, dann gib mir die Streichhölzer. Ich habe einen Artikel gelesen, in dem stand, wenn man ohne Streichhölzer wäre, würde man erst merken, wie oft man sich eine Zigarette nimmt. Ich glaube, Du rauchst viel mehr, als Du selbst merkst. Hier. Ich werde von jetzt an Deine Zigaretten zählen. Das ist jetzt die erste. Mal sehen, wie lang Du ...

Der Fall, der hier wirklich verhandelt wird, meint eigentlich, daß er nicht aufmerksam genug ist und nicht genug Verantwortungsbewußtsein hat. In Wirklichkeit sagt diese junge Frau: »Ich habe kein Vertrauen, weil Du Dich mir nicht genügend offenbarst. Ich will Dir zeigen, daß ich trotzdem Bescheid weiß. Ich will Dir außerdem klarmachen, daß Du Dir eigentlich selbst nicht trauen kannst. Wenn Du das einsiehst, dann habe ich weniger Angst vor der Macht, die Du in unserer Beziehung hast. Ich fühle das so, weil ich merke, daß ich keinen Einfluß auf Dich habe und Du mir deshalb fremd bist.«
In einer offenen Beziehung kann sich so eine Kette von Mißtrauen gar nicht erst bilden. Ist eine Beziehung aber erst einmal verschleiert und nicht mehr offen, und machen die Partner den Eindruck, eine ganze Menge der für die Intimität der Beziehung wichtigen Informationen zu verbergen, dann wird der andere damit antworten, daß er versucht, irgendeine Art von Kontrolle zu bekommen, und das heißt Macht und Einfluß.
Die Frau, die zum Beispiel die Streichhölzer ihres Mannes unter ihrer Kontrolle haben möchte, sagt eigentlich: »He, ich bin eine Person. Du kannst sagen, was Du möchtest. Und weil ich die Streichhölzer habe, kannst Du mich fragen, wenn Du rauchen willst. Und ich werde dann versuchen, Dir das auszureden. Ich

werde dann das Gefühl haben, Anteil an Deinem Leben zu haben. Jedenfalls nicht wie bisher, nur ein Ding zu sein, das Du für irgend etwas nutzt, ohne mit mir darüber zu sprechen.«

Nachspionieren ist also Ausdruck folgender Botschaft: »Ich bin eine Person. Du kannst reden, und ich weiß eine Menge über Dich, vielleicht sogar mehr, als Du selbst weißt. Trotzdem kannst Du mir alles sagen!«

Die Detektivgeschichte hat ihr Ende, wie alle Detektivgeschichten, wenn das Geheimnis gelüftet ist. In intimen Beziehungen ist das Geheimnis: »Wer bist Du, was für eine Person? Was bedeute ich Dir? Wie geht es weiter mit uns? Ich muß das wissen, denn Du bist mir wichtig, und ohne das kann ich Dir nicht vertrauen.«

Nachspionieren ist da überflüssig, wo der Partner aufhört, sich mit Geheimnissen zu umgeben, wo er einsichtig wird und darum vertrauenswürdig.

Das Wecken von Schuld- und Verpflichtungsgefühlen

Schuldgefühle spielen eine besonders wichtige Rolle in zwischenmenschlichen Beziehungen. Und es ist selbst für Therapeuten schwierig, sie zu behandeln. Aber das Pairing-System kann sie oft beseitigen. Warum?

Wenn man sich in einer Partnerbeziehung schuldig fühlt, dann fühlt man sich für das verantwortlich, was mit dem Partner geschieht. Die klassische psychoanalytische Antwort darauf lautet: »Ihr seid beide erwachsene Menschen. Jeder ist für sich selbst verantwortlich. Du hast eine Wahl getroffen, der andere ebenso. Du kannst für keines Menschen Wahl verantwortlich sein, außer für Deine eigene.«

Das scheint eine vernünftige Sichtweise zu sein, aber sie geht an den Tatsachen vorbei. Wenn Partner keine offene Beziehung zueinander haben, dann machen sie sich vieler Verschleierungen schuldig. Und das fühlen sie. Wenn irgend etwas schiefgeht, dann kommt ein Gefühl auf wie - »Ich habe ihn - oder sie - ausgetrickst. Er - oder sie - konnte nicht sagen, worauf er sich da eingelassen hatte, weil ich ihn hinters Licht geführt habe.«

Besonders stark ist dies Gefühl in einer nichtintimen Beziehung, denn es stimmt ja auch. Jeder hat das Gefühl, der andere hätte sich möglicherweise anders verhalten, wenn er alle Tatsachen gekannt hätte. Aber Tatsachen werden verschleiert, und der Partner, der auf Grund des Courting Systems Informationen unterdrückte, fühlt, daß er unzulässig die Entscheidungen des anderen beeinflußt hat. Und dafür fühlt er sich verantwortlich.
Ein Partner, der sich nach dem Pairing-System richtet und seine Gefühle immer sofort ausspricht, ist für diese Schuldgefühle viel weniger anfällig. Wenn etwas schiefgeht, dann ist er vielleicht sehr unglücklich und hat viel Mitgefühl für seinen Partner. Aber er fühlt sich nicht schuldig.
Das Produzieren von Schuldgefühlen, das man bei vielen Paaren findet, kann zu einer perversen Belohnung werden. Es ist leicht, den Partner dahin zu bringen, daß er Schuldgefühle entwickelt. Es ist ein erfolgversprechendes Mittel, um ihn zu manipulieren, zu kontrollieren und ihn an einen selbst zu binden. Die sprichwörtliche »Große Mutter« bei den Juden - die es genauso bei den Katholiken oder Buddhisten gibt — ist ein Monument dieses Stils, wie man das Geschäft mit der Intimität handhabt. Und dieser ist auch heute noch bei jungen Partnern durchaus gang und gäbe.
Paula und Dick kommen von einem Rendezvous zurück, das sich über den ganzen Tag hingezogen hatte.

DICK:
Darf ich mit hochkommen und Dir noch gute Nacht sagen?

PAULA:
Nein, Dick. Nicht heute abend.

DICK:
Aber es ist noch früh am Abend. Was ist denn los? Du brauchst keine Angst zu haben, ich werde mich anständig benehmen. Ich werde Dich nicht ins Bett zerren (er albert), wenn Du nicht ausdrücklich darauf bestehst.

PAULA:
(Der Vorschlag, sie sexuell auszubeuten, läßt ihren mit Vorbehalten vollgestopften Sack platzen)
Interessiert es Dich denn überhaupt nicht, wie ich mich fühle? Du brauchst mal wieder Sex, und alles andere geht Dich nichts an.

Den ganzen Tag hast Du nur das gemacht, was Du wolltest und keinen einzigen Gedanken darauf verschwendet, was ich fühle!

DICK:
(ist geschockt)
Ich dachte, es wäre ein schöner Tag für uns beide. Was meinst Du denn?

PAULA:
Ein rücksichtsvoller Mensch hätte gemerkt, daß ich allein zwei Stunden für meine Frisur gebraucht habe. Der hätte auch nicht einfach die Haarspangen herausgezogen, so daß sie kaputtgingen. Aber was konnte ich sagen, wenn ich nicht als Spielverderber dastehen wollte? Habe ich ein Wort gesagt, als Du als Überraschung darauf bestandest, zu diesem Rennen zu gehen? Du hattest ja schon die Karten. Konnte ich da noch sagen, daß ich diese Rennen hasse und diese widerlichen Holzbänke? Habe ich gesagt, daß mir so eine laute Bar Kopfschmerzen macht? Habe ich mich beschwert über diese scheußlichen Fischbrote auf dieser Party, auf die Du mich unbedingt schleifen mußtest, statt mit mir anständig zum Essen zu gehen?

Armer Dick. Was kann er darauf sagen? Hat er davon irgend etwas gewußt? Sofort nimmt er eine versöhnliche Haltung ein. Er fängt an, Versprechungen zu machen. Er sagt Paula, wieviel sie ihm bedeutet, was er für sie empfindet, übertreibt mehr und mehr, als wollte er all die »Irrtümer« kompensieren, die sie leicht hätte verhindern können, aber lieber hinnahm, so daß er sie sich selbst zuschreiben muß und auf ihr Mitleid angewiesen ist. Und so hat sie ihn dann überzeugt, daß er ein ungeschlachter, unsensitiver Mensch ist, der kein Gefühl für die Bedürfnisse und Wünsche anderer hat.
Paula denkt sich dabei keine Tricks aus. Sie findet das alles wirklich. Aber ein bißchen spät. Sie stellt eine Reihe von Änderungswünschen auf. Aber es sind Forderungen für die Vergangenheit. Und die ist nicht mehr zu ändern. Dick würde das alles gern ändern, aber er kann es nicht, wie Paula es fordert und ist deshalb frustriert und fühlt sich schuldig. Das einzige, was er jetzt noch tun kann, ist eine nachträgliche Kosmetik wegen des Unrechts, das er unwissentlich zugefügt hat. Und jetzt ist die Bühne gezimmert, auf der Paula ihn praktisch alles fragen kann, und es wird schwer

für ihn werden, sich dagegen zu wehren, ohne sich noch schuldiger als ohnehin schon zu fühlen.
Hier sind tiefenpsychologische Komplexe wirksam, denn Paula nimmt masochistisch die Unannehmlichkeiten solcher Situationen hin, ja genießt sie sogar. Während sie leidet, ist sie wie ein Mann, der einen Graben gräbt, elend vor Erschöpfung, aber dabei weiß, daß er Überstunden macht, und daß jede Minute seinen Lohn rapide vergrößert. Während ihres Unbehagens erwarb Paula Kontrolle über Dick.
Wie die Menschen dieses Verhalten in der frühen Kindheit erwerben, ist ein psychoanalytisches Problem. Uns interessiert nur das Hier und Jetzt, und darum kümmern wir uns. Als erstes muß man die Manipulation erkennen, durch die diese Schuldgefühle hervorgerufen werden. Ihr besonderes Merkmal ist das Bestehen auf einer unmöglichen Veränderung, wie zum Beispiel der Vergangenheit.
Dann kann man dieses Produzieren von Schuld und Verpflichtungsgefühlen außer Kraft setzen, nicht indem man es benennt oder durch Gedankenlesen die geheimen Motive des anderen herauszubekommen sucht – die sowieso meist unbewußt sind –, sondern indem man die eigenen wirklichen Gefühle ausspricht, soweit man sie irgend kennt, nachdem man darüber nachgedacht hat.
Dick könnte zum Beispiel sagen: »Paula, es tut mir leid, daß der Tag für Dich so unbefriedigend war, denn ich habe ihn eigentlich schön gefunden. Deinetwegen möchte ich am liebsten den ganzen Tag noch einmal anders anfangen. Aber das ist leider nicht möglich. Das Schlimme ist nur, daß ich mich jetzt schuldig fühle, weil ich etwas bewirkt habe, das ich wirklich nicht wollte – nämlich Ärger bei Dir, weil ich nicht gemerkt habe, daß Du Dich nicht wohl gefühlt hast. Ich mag Dich viel zu gern, als daß ich Dir Ärger bereiten möchte und unsere Beziehung belasten wollte. Und ich möchte, daß Du weißt, daß ich immer versuchen werde, etwas zu ändern, wenn ich kann – wenn Du mir nur immer gleich sagst, wenn irgendwas schief läuft.«
Falls Paula eine umfassende Schuldmanipulatorin ist, mag es ein langer Weg sein, bis bei ihr eine Verhaltensänderung eintritt. Aber Dick hat ihr dann zumindest gezeigt, daß er dieses Spiel, Schuldgefühle zu wecken, nicht mitmacht. Wenn er dann wirklich auf ihre Wünsche eingeht, ohne sich dabei so weit an sie anzupassen,

daß er sich heimlich unwohl dabei fühlt, dann wird sie lernen, daß unmittelbares, direktes Ausdrücken eigener Gefühle lohnender ist als jede Manipulation.
Leute, die versuchen, bei anderen Schuldgefühle zu wecken, haben oft eine starke Ader für nichtintimes Verhalten, so wie alle Manipulatoren. Das ist ein Zeichen ihrer Angst, mißbraucht oder kontrolliert zu werden. Aber das Schaffen echten Vertrauens und die Erfahrung, daß man Gefühle so ausdrücken kann, wie sie wirklich sind, ohne daß man mit Liebesentzug bestraft wird, macht den Versuch, Schuldgefühle zu wecken, schließlich überflüssig.

18. Einige besondere Probleme im Zusammenhang mit Pairing

Die Vielfalt und Unterschiedlichkeit menschlicher Liebe ist praktisch unbegrenzt. Wir können nicht alle Formen erklären. Zum Beispiel sind einige Teilnehmer unseres Partnerschaftstrainings Homosexuelle. Und obgleich wir der Meinung sind, daß auch homosexuelle Partnerschaften zu intimen Beziehungen geführt werden können, können wir doch die Probleme und Methoden hier nicht erklären.

Trotzdem glauben wir, daß sich die Mehrzahl aller Partnerprobleme durch die Anwendung der hier beschriebenen emotionalen und intellektuellen Techniken beheben lassen. So ist zum Beispiel ein Grund für die homosexuellen Beziehungen eigene Tendenz, die Partnerschaft sehr schnell wieder zu beenden, die völlige Isolation, die für solche Beziehungen charakteristisch ist. Hauptursache für die Heimlichkeit einer homosexuellen Beziehung ist die ziemlich intolerante heterosexuell-orientierte Gesellschaft. Wir haben schon angesprochen, warum Isolation schädlich für eine Beziehung ist, und wie man sich in dieser Situation verhalten sollte. Ein verständnisvoller Leser kann von den hier beschriebenen Prinzipien auf seine eigene Situation schließen.

Um dem Leser das Übertragen der hier beschriebenen Methoden auf seine eigene Situation zu erleichtern, werden wir einige besondere Fragen, die an Dr. Bach gestellt worden sind, hier wiederholen, und versuchen zu zeigen, wie sich die allgemeinen Regeln auf den konkreten Fall anwenden lassen.

FRAGE:

Dr. Bach, immer wenn Laura mich in meiner Wohnung besucht, dann fängt sie sofort an, alles schmutzige Geschirr abzuwaschen, meine Sachen zu stopfen und Blumen aufzustellen, die sie mitgebracht hat. Manchmal schleppt sie ganze Torten und Gebäck an, die sie gebacken hat, weil ich so gern Süßes esse. Das alles macht mir ziemlich Unbehagen, denn ich tue nichts wirklich Persönliches für sie. Sie wird richtig böse, wenn ich jedenfalls die Zutaten bezahlen will. Aber was schlimmer ist, ich mache unheimlich gern und viel Sex mit ihr, und sie hat nichts dagegen, weil sie es auch ganz gern mag, aber es ist lange nicht so wichtig für sie. Wie kann ich das, was sie tut, nur irgendwie ausgleichen?

DR. BACH:
Die Tatsache, daß Sie das Ausgleichen zum Kernpunkt Ihrer Frage machen, zeigt, daß Sie einem grundlegenden Fehler über Pairing erliegen. Sie müssen ihre Gefühle respektieren und nicht versuchen, sie einzudämmen. Nicht versuchen, Laura zu zwingen, ihre Gefühle auf Ihre Art auszudrücken. Denn das würde bedeuten, daß Laura sich an Sie anpassen müßte und zum Ausgleich Vorbehalte bilden würde. Es ist eine uralte Tatsache, daß in einer Partnerschaft einer mehr als der andere gibt. Und der Geber und Empfänger können sogar manchmal wechseln. Aber keiner sollte sich dadurch verpflichtet und keiner ausgenutzt fühlen. Jeder gibt auf seine Art, mit seinen eigenen Möglichkeiten, und emotionales Aufrechnen ist dabei unmöglich. Liebesschulden können niemals bezahlt werden.

FRAGE:
Ich sehe Marianne zwei- oder dreimal in der Woche. Und in der Zwischenzeit muß ich immer an sie denken. Ich habe richtige Tagträume, wie sie aussieht, und wie es ist, wenn ich sie anfasse. Ich empfinde eine ganze Menge für sie. Aber dann, wenn ich sie anrufe, dann, das ist so merkwürdig, dann fühle ich mich wie ein Fremder. Marianne sagt, es geht ihr genauso. Es dauert eine Stunde oder noch länger, bis wir uns wieder richtig vertraut sind. Machen wir uns selbst etwas vor über unsere wirkliche Beziehung, oder was ist los?

DR. BACH:
Wirklich, wahrscheinlich ist alles in Ordnung. Sie haben lediglich mit dem Problem des Wiederkommens Schwierigkeiten. Außer den Partnern des »Kontinuitäts-Typus« - die sich dadurch auszeichnen, daß in der Ehe oder dem Zusammenleben ein konstanter Informationsfluß über Aktivitäten und Gefühle des anderen besteht - müssen alle anderen nach jeder Trennung die Schwierigkeiten des

Wiederkommens meistern. Während der Trennung führten beide ein Leben, das völlig unabhängig vom anderen war. Und besonders in den ersten Phasen einer Partnerschaft werden beide Partner tatsächlich wieder Fremde für einander. Je länger die Trennung andauert, desto mehr phantasiert man sich über den anderen zusammen oder idealisiert die eigene Vorstellung von ihm. Man kann es so sagen: Wenn beide wieder in das Leben des anderen eintreten, dann müssen sie sich gegenseitig wieder vorstellen, sich wieder miteinander bekannt machen. Um das möglichst schnell zu erreichen, sollten sich beide um möglichst intensive Intimität bemühen, und sie sollten beide möglichst viel deutlichen Einfluß aufeinander ausüben, um sich möglichst schnell möglichst nahe zu kommen.

FRAGE:
Und wie wird man am schnellsten wieder miteinander bekannt?

DR. BACH:
Im Prinzip genauso wie bei der ersten Begegnung. Nur modifiziert durch die Tatsache, daß Sie schon miteinander bekannt sind. Als erstes sollte man eine Begrüßungszeremonie machen, so daß einer den anderen erinnert. »Mein Gott, ist das wieder heiß heute«, ist zum Beispiel keine Begrüßungszeremonie. »Es ist schön, Dich wiederzusehen«, kommt der Sache schon näher. Das Gefühl, füreinander Fremde zu sein, ist stark von der Trennungsangst abhängig. Wichtig ist es, etwas zu finden, was an das letzte Zusammensein erinnert, und wenn es nur ein Buch ist, das der andere ausleihen wollte, oder die Erinnerung, daß sie gern Erdbeereis aß. Weil Angst außerdem durch das Aussprechen eigener Gefühle vermindert wird – nicht nur der positiven, sondern auch der Vorbehalte –, ist es ratsam, sich an das eigene Maß der Verwicklung in die Beziehung zu erinnern. Halten Sie sich deshalb beim Gespräch an die Partnerbeziehung und reden Sie nicht über das Stadtbudget oder große Politik. Man kann das Näherkommen beim Wiedersehen dadurch beschleunigen und intensivieren, daß man von noch nicht gelösten Schwierigkeiten der letzten Beziehung spricht und sich um eine Lösung bemüht.

FRAGE:
Wenn man nun gleich Liebe machte, würde das das Wiederkommen erleichtern?

DR. BACH:
Unter Umständen ja. So ein Sexerlebnis wird eine starke Bestätigung der emotionalen Beziehung sein, aber wenig Erlebniskraft haben und sicher von kurzer Wirkung sein. Andererseits wird ein Sexualerlebnis, bevor sich die Partner trennen, großen Einfluß auf die Dichte der Beziehung haben und könnte deshalb ein aussichtsreicher Versuch sein, die Bindung zu festigen, bevor man voneinander getrennt wird. Viele Partner berichten, daß Sexverkehr vor der Trennung außerordentlich befriedigend und erfüllend ist. Aber in Fällen von großer Trennungsangst scheint diese Spannung vom Sexualerlebnis abzulenken und die sexuelle Ausdrucksmöglichkeit einzuschränken. Wenn die Trennungsangst sehr groß wird, führt das oft zu Konflikten und zu Feindseligkeit, je näher die Trennung kommt. Der Partner sollte dann nicht zu viel aus so einem Konflikt machen, denn sonst wird aus einer Maus ein Elefant. Manchmal helfen solche Scheingefechte allerdings auch, den Abschiedsschmerz leichter zu ertragen.

FRAGE:
Aus manchen Gründen weiß ich nicht, ob ich es richtig sehe, aber ich scheine mich in zwei Männer zugleich verliebt zu haben. Ich habe das Gefühl, mit beiden Männern zugleich wirkliche Intimität zu erleben. Einer von ihnen ist einverstanden, der andere hält diese Idee für unsinnig und erklärt mich für ein oberflächliches Geschöpf. Viele meiner Freunde sind sehr skeptisch, manche halten mich sogar für promiskuitiv. Kann man denn mit mehr als einer Person eine wirklich intime und echte Partnerschaft eingehen?

DR. BACH:
Wirklich authentische, die ganze Person erfassende Partnerschaft ist durchaus mit mehr als einer Person möglich. Aber das erfordert enorm viel Intensität und Energie. Und das Risiko, daß die Liebe immer komplizierter und letztlich chaotisch und unter Umständen dann oberflächlich wird, ist groß. Die Möglichkeit für vielfältige Partnerschaften ist also ziemlich selten, aber man kann das prüfen:
1. Können Sie mehr als eine sexuelle Partnerbeziehung tragen, mit Befriedigung für Sie selbst und beide verschiedenen Partner?
2. Bewirkt die zweite sexuelle Beziehung auch eine Intensivierung der ersten oder umgekehrt, werden beide Beziehungen dadurch intensiver - oder eine vermindert?

3. Können Sie sich selbst von Eifersucht freimachen, von Konkurrenzgefühlen und Besitzansprüchen? Und können das auch Ihre Partner?
4. Ist es stimulierend – und nicht verwirrend –, unterschiedliche Aspekte Ihrer Persönlichkeit bei jedem der Partner wiederzufinden?
5. Können Sie bei beiden Partnern offen, ohne Schuldgefühle und Irreführung, auf Ihrer Bevorzugung von multipler Partnerschaft bestehen, und zwar ohne ein Schwindler zu werden?
6. Sind Sie sicher, daß Sie die mehrfache Partnerschaft nicht suchen, um jede Partnerschaft zu verwässern und sich vor jeder wirklichen Intimität zu drücken?
7. Sind Sie sicher, daß Sie multiple Partnerschaft nicht mit einem eher primitiven Wunsch nach sexueller Vielfältigkeit verwechseln?
8. Haben Sie die Zeit, das Geld, die Energie, die Geschicklichkeit im Planen und die Unabhängigkeit von gesellschaftlicher Bestätigung, um die multiplen Partnerschaften eigenen Schwierigkeiten zu meistern?
Wenn Sie nicht mindestens sechs dieser acht Fragen ehrlich mit einem uneingeschränkten und tiefempfundenen Ja beantworten können, empfehlen wir Ihnen, Ihr Interesse an multipler Partnerschaft noch einmal zu überdenken. Andererseits, wenn Sie wirklich mit Ja antworten können, steht von seiten unserer Pairing-Prinzipien dem Streben nach multipler Partnerwahl nichts entgegen.

19. Ende – oder Beginn

Volkslieder sind der Meinung, Scheiden tut weh. Wenn man noch liebt, aber durch irgendwelche Umstände oder den Rückzug des Partners getrennt wird, dann mag das schmerzlich sein. Man will weiterleben, und man weiß das, aber der Schmerz wird dadurch nicht kleiner.

Wenn man aber nicht länger verliebt ist oder die Liebe beenden möchte, dann sollte die Trennung viel weniger schmerzlich und bestürzend sein. Unter dem Courting-System ist das oft nicht möglich, aber Partner, die gelernt haben, nach dem Pairing-System miteinander umzugehen, können einen klaren, sauberen Bruch herbeiführen.

Das Ende einer Liebe fängt schon an ihrem Beginn an, genau wie das Leben selbst. Und wie fängt die Liebe an? Wenn man sie mit unrealistischen Erwartungen beginnt, dann kann die Liebe gestorben sein, aber der übermächtige Traum noch fortbestehen. Dann fängt man an, für diesen Traum zu kämpfen, diese Illusion. Es ist nicht leicht, das Haus, die vier wunderschönen Kinder, die Möbel, die das Paar sich anschaffen und immer behalten wollte, aus seinen Träumen zu streichen und damit auch das Versprechen, durch beständige Liebe alle Ängste vor dem Alleinsein für den Rest des Lebens zu bannen.

Auf typische Vertreter des Courting-Systems bricht eine ganze Forsythe Saga herein, wenn ihre Beziehung zu Ende geht. Denn ein Traum stirbt schwer!

Die unrealistischen Erwartungen solcher Leute und ihr typisches Verhalten, Ängste durch Illusionen zu bannen, zwingen sie geradezu, Fehler zu leugnen, die sich in die Liebesbeziehung einschleichen. Dabei sind solche Schwierigkeiten meist kein besonders dramatisches Ereignis. Normalerweise ist es ein graduelles Nachlassen

der Intensität einer Beziehung wie das Welken der Blätter im Herbst.
Wenn dieses Ende langsam und behutsam kommt, dann fällt es Träumern nicht schwer, das einfach zu leugnen, manchmal über Jahre hinaus. Mit der Zeit hören die meisten Liebesbeziehungen, die auf dem Courting-System beruhen, allmählich auf. Der Wille zueinander ist eingeschlafen, und die Liebe ist oft schon vor langer Zeit gestorben. Wenn das Paar dies endlich akzeptieren kann, sind beide enorm erleichtert. Denn vielleicht hängen sie noch sehr an der alten Liebe und können es nicht ertragen, dem Partner das anzutun, was möglicherweise schweres Unrecht ist. Sie können nicht wissen, wie der Schmerz sein wird, denn sie wagen es nicht zu fragen. Und weil sie das Terrain nie richtig erforscht haben, neigen sie zu der Annahme, der andere glaube, es sei noch alles so, wie es einmal war. Das Aussteigen aus der Beziehung erscheint solchen Liebhabern wie ein plötzlicher Schnitt mit dem Messer: »Für ihn schien heute noch alles in Ordnung zu sein, und morgen soll ich ihm sagen, es ist alles vorbei. Das kann ich nicht tun.«
Welche Hilfe bietet uns das Pairing-System bei Schwierigkeiten am Ende einer Liebe?
Als erstes wird ein Pairing-Geschulter jede Beziehung mit der gleichen realistischen Erwartung angehen. »Ich möchte diese Person kennenlernen. Ich hoffe, daß ich eine Beziehung zu ihr aufbauen kann und mich ihr so zeigen kann, daß sie mich kennenlernt. Ich möchte an ihr teilhaben, soweit das möglich ist. Die Möglichkeit dafür besteht. Das einzige, was ich verlange, ist, daß wir beide von uns ausgehen, uns nicht nur aneinander anpassen, sondern sich jeder so in die Beziehung einbringt, wie er sich selbst empfindet.«
Dies ist eine Einstellung, die auch Einschränkungen ertragen kann. Und von Anfang an ist es möglich, eventuelle Vorbehalte deutlich zu machen. Er weiß, daß sie an seiner Stellung als Funktionär der Republikanischen Partei nicht wirklich teilhaben kann. Und sie weiß, daß einige ihrer liberalen Freunde ihn manchmal auf die Palme bringen können.
Die genaue Beschreibung ihrer Situation, ihrer Gefühle und Einstellungen ist ein wichtiger Teil ihrer Beziehung. Jeder weiß, woran er mit dem anderen ist. Wir ermutigen die Teilnehmer unserer Kurse dazu, von Zeit zu Zeit einmal zu fragen: »Wo stehen wir eigentlich?« - und diese Frage aufrichtig zu beantworten. Sol-

che Versuche sind nicht nur anregend und informativ. Sie machen auch allmähliche Meinungsänderungen, die der Partner gar nicht merkt, unmöglich. Unangenehme Überraschungen werden nicht bis in die Zukunft verschoben, die dann meist außerhalb der jetzt erlebten Angst liegt. Diese Situationsanalyse ermöglicht es, daß die Beziehung immer up to date bleibt. Sie ist für die Partnerbeziehung was eine Generaldiagnose im Krankenhaus für die körperliche Gesundheit ist.

»Sieh mal«, könnte er etwa zu ihr sagen, »für einen Abend in der Stadt, oder für eine anspruchsvolle Lektüre, die die meisten Frauen, die ich kenne, sofort einschlafen ließe, bist Du die beste Partnerin, die ich mir überhaupt vorstellen kann. Aber bitte, Liebste, frag mich nie wieder, ob wir zusammen an den Strand fahren wollen. Ich kann so viele fürchterliche Geschichten über Sonnenbrand und über das Salzwasser, das Deinem Haar schadet, und daß wir bereits mittags zurückfahren müssen, um durch den Sonntagsverkehr zu kommen, einfach nicht mehr hören. Ich weiß jetzt, daß es Dir möglich ist, mich nervös zu machen, und das ist genug.«

Das mag grausam klingen. Aber es hilft, einen späteren viel schlimmeren Betrug zu vermeiden. Es beseitigt ihre falsche Erwartung, daß er sie wieder zu seinen häufigen Ausflügen an die See mitnehmen will. Sie wird ihm ihrerseits vielleicht sagen, daß sie ihn nie wieder bitten wird, mit ihr einkaufen zu gehen.

»Ich mag einfach nichts kaufen, bevor ich nicht das ganze Angebot kenne und weiß was wirklich das beste ist, und ich sehe Dir an, daß Dich das verrückt macht. Du willst lieber Dein Geld hinlegen und es hinter Dir haben.«

Um mit der Situationsanalyse der Partnerschaft immer auf dem laufenden zu bleiben, empfiehlt es sich, unter Umständen ein richtiges Logbuch der Beziehung zu führen. Die meisten unserer Kursteilnehmer machen das zumindest in Gedanken, und manche führen sogar ein Tagebuch für die eigene Erinnerung. Jedes Paar hat seine eigene Partnerschaftsgeschichte, und das Verständnis der Beziehung wird um vieles erleichtert, wenn man diese Geschichte fortschreibt und sie sich ab und zu wieder klarmacht, um sich Veränderungen bewußtzumachen, zum Beispiel Häufigkeit der Treffen, Befriedigung am Sexualkontakt u. ä.

Einen guten Einstieg in die Analyse findet man durch Vergleiche mit der Vergangenheit. Zum Beispiel: »Ich war wieder mit B. im

Kino. Eigentlich war es sehr schön. Aber anschließend sagte sie nicht so viel über den Film wie beim letzten Mal. Hindere ich sie am Denken und verhindere ich ihre Beiträge? Ich muß es prüfen.«
Wenn man so vorgeht, kann ein Paar viel über die Grenzen der Beziehung erfahren. Und indem sie jede Beziehung gleich ernst nehmen, genau so wie sie sich zeigt, können beide ihren guten Willen zueinander beibehalten. Und man braucht nicht perfekte Übereinstimmung vorzuspielen. Was beide gern haben und miteinander teilen wollen, ist nicht hinter Illusionen aus Angst vor etwa bestehenden Unterschieden verborgen. Und wenn die Basis für eine tiefe Beziehung wirklich schmal ist, dann hilft die direkte Offenheit des Pairing den Partnern, diese Tatsache so früh wie möglich zu erkennen.
Die meisten, die nach den Regeln des Pairing vorgehen, können das Ende ihrer Beziehung kommen sehen. Und wenn sie das sehen, dann können sie das auch aussprechen, so hart das manchmal zu sein scheint. Wir wollen dem Leser nichts vormachen. Meistens hält der eine die Beziehung für erhaltenswerter als der andere. Und wenn ein Rivale in die Beziehung eingebrochen ist, dann trifft das auch den realistischsten Partner tief. Das ist eine schmerzliche Erfahrung, ein harter Schlag, aber keine Katastrophe.
Man kann den Partner auf diese Zeit des Auseinandergehens auch schonend vorbereiten und ihn freundlich behandeln. Während dieses Anfangs vom Ende sollte man den Konflikt und die Veränderung auch in der Partnerbeziehung deutlich werden lassen. Die Beziehung bringt dann weniger emotionale Stimulans und wird dadurch langsam auch immer weniger wünschenswert für den mehr engagierten Liebenden.
Kann man das Täuschung nennen? Wir glauben nicht. Denn die Gefühle werden immer noch offen ausgedrückt, und das allein hat automatisch die Wirkung, ihnen einen positiven emotionalen Inhalt zu geben. Und Gefühle, die so heftig sind, daß es darüber zu Verärgerungen kommt, werden seltener und weniger. Und das übrige ist eine Frage des Takts.
Takt kann man definieren als Ehrlichkeit ohne unnötige Grausamkeit. Wenn John und Mary schon eine Zeitlang miteinander befreundet sind, dann wird John nicht plötzlich lossprudeln: »Sag

mal, Du fragst mich nie wo ich das Wochenende verbringe! Ich habe gerade die tollste Frau der Welt kennengelernt, und in einer Stunde werden wir uns unheimlich lieben!«

Takt zu lehren ist wohl unmöglich, aber es kann ohne Taktgefühl wohl keine befriedigende Beziehung geben. Gesprächsbeiträge kann man so fassen, daß sie nicht unhöflich klingen und doch ihren vollen Informationswert behalten. Vernünftige Diskretion und Freundlichkeit sollten Maßstab dafür sein, was man sagt und was nicht.

Um unseren Kursteilnehmern zu helfen, wie sie lernen können, ohne Grausamkeit eine Beziehung zu beenden, machen wir ihnen von Anfang an klar, warum es so wichtig ist, einander gleich bei der ersten Begegnung offen und ohne Angst entgegenzutreten. Dahinter steht der Gedanke: »Wenn ich Deine Gefühle während der Zeit unseres Zusammenseins immer respektiert habe, ist es nicht einzusehen, warum Du mich bestrafen solltest, wenn wir uns trennen.«

In diesem Buch steht viel vom Beginn einer Beziehung, wenig von ihrem Ende. Der Leser könnte fragen: Was ist mit der Zeit dazwischen?

Dazwischen gibt es nichts.

Das Schöne an einer Partnerschaft und die größte Belohnung ist, daß immer alles Beginn, alles Werden ist. Es gibt allerdings auch Entscheidungen, die für eine längere Dauer Geltung haben, eigene oder auch durch äußere Umstände diktierte, von verschiedenem Ausmaß, aber veränderbar sind auch sie. Studenten werden Professoren, Herren werden zu Sklaven, Abhängige werden zu Unabhängigen, Geldverdiener verlieren ihren Job, der Einsame wird populär, Frauen werden Mütter, verhinderte Intimpartner werden leidenschaftliche Partner. Die Liste könnte ewig weitergehen. Sie zeigt das Werden und die Veränderbarkeit des Lebens.

Pairing bereitet Männer und Frauen darauf vor, Unsicherheiten zu akzeptieren, ja sie sogar zu begrüßen, denn Unsicherheit ist ein Teil des Lebens selbst. Viele unserer Bemühungen bezwecken, dies zu lehren. Wir wollen die Menschen aus ihrer selbstgefälligen monotonen Illusionswelt befreien, so daß sie die Fülle und die Farbigkeit der Veränderung genießen können. Und das nicht allein, ohne Partner.

Anhang
Erklärungen zum Pairing

Anmerkungen zu Kap. 1

Die Notwendigkeit einer intimen Revolution

Es läßt sich nicht leugnen, daß eine immer größer werdende Zahl einsichtiger und intelligenter junger wie alter Erwachsener sich in einer wahren Flucht aus der Isolation unserer psychologischen Eiszeit befindet und sich rückhaltlos an der Bewegung zur Vermenschlichung dieser Welt beteiligt. Wir arbeiten an dieser Bewegung seit ihren organisierten Anfängen im Esalen Groth Center in Big Sur Hot Springs an der kalifornischen Küste. Wir haben viele der Encounter Gruppen-Programme für Esalen und andere Trainings-Center entwickelt. So haben wir z. B. mit dem späten Dr. Fred Stoller das Marathon eingeführt, das zum Standardprogramm vieler Trainings-Center gehört.

Die New York Times glaubt, daß diese Trainings Millionen Menschen erreichen und beeinflussen werden noch vor Ende dieses Jahrhunderts. Unsere Erfahrungen an dem Institut für Gruppentherapie in Beverly Hills Kalifornien, als Berater und Programmleiter an vielen anderen Trainingscentern und als Lehrer am U. C. L. A. in Berkely, Michigan Staats-Universität und anderswo, haben ein aktives Bedürfnis vieler Menschen nach neuen Lebensinhalten und -formen ermittelt, die im Gegensatz zu dem festgelegten Rollenverhalten von gestern stehen. Wir haben dieses Verlangen nach einer neuen Ethik und der Befreiung von den alten Sitten, die die Emotionalität unterdrücken, *Die Revolution der intimen Beziehungen* genannt, denn immer mehr Menschen wollen aus ihrer Vereinsamung fliehen und statt dessen Intimität schaffen.

Partnerverhalten in der Öffentlichkeit

Stillschweigend akzeptierte und tatsächlich – in wohl allen Gesellschaftsstrukturen – gelebte Höflichkeitsanforderungen erschweren eher das von uns angestrebte und empfohlene Partnerverhalten als daß sie es erleichtern. Erving Goffmans Beobachtungen, die er in seinem Buch »Behavior in Public Places« beschreibt, zeigen, daß die sozialen Regulationen wechselseitiger Abhängigkeiten eine echte Partnerschaft verhindern. Wir stellen den Sinn, diesen traditionellen gesellschaftlichen Regeln zu folgen, die den Kontakt zwischen Menschen unterschiedlichen Geschlechts verhindern, in Frage.
Eine verhältnismäßig extreme Form der Revolte gegen unterdrückende gesellschaftliche Konventionen zeigt sich im Anstieg der Teilnehmerzahl von Erwachsenen an Großveranstaltungen, die eine Teilnehmerkontrolle sogar im Sexualbereich gestatten (z. B. finanzierte Veranstaltungen der ›Swingers‹, die Gruppensex usw. betreiben). Partner, die halböffentlich Geschlechtsverkehr miteinander haben, lernen dabei keineswegs, wie sie bessere Partner werden (vgl. *Bach* und *Pratt*, Swinging versus Multiple Pairing, in Journal of Sex Research, to be published in 1971). Unser Ansatz ist vielmehr, daß die Etikette, die Intimität verbietet, gründlich überprüft und überwunden werden muß – aber nicht, um Sexorgien zu ermöglichen, sondern um die Hindernisse und Schwierigkeiten zu beseitigen, die das Einander-Näherkommen von Fremden in der Öffentlichkeit erschweren oder gar unmöglich machen. Denn wo sonst treffen Fremde aufeinander? Der einzelne Erwachsene braucht Verhaltensformen, die den Wunsch, andere kennenzulernen und sich gegenseitig anzufassen, nicht diskriminiert, wo immer man auf andere trifft.

Anmerkungen zu Kap. 2

Die Hypothesen, auf denen Pairing aufbaut

Vom psychologischen Standpunkt aus ist der Mensch kein Einzelgänger. Er lebt und entwickelt sich am besten in Gemeinschaft mit anderen, wo eine gegenseitige Förderung und damit für jeden einzelnen eine bessere Entwicklung möglich wird. Selbstgenügsamkeit und die Fähigkeit, Sinn und Erfüllung allein aus der eigenen Autonomie zu entwickeln, ist ein lebenswichtiger Schutz gegen entwicklungshemmende Faktoren und Zustände wie Ausbeutung, starke Abhängigkeit, Isolation oder gefährdende pathogene Umgebungen und Menschen, die andere verrückt machen. Die besten und wirksamsten Momente einer autonomen Persönlichkeit sind die, in denen sie sich freiwillig von alten Kontakten zurückzieht, um erst einmal wieder aufzutanken, Vergangenes zu reflektieren und Zukünftiges zu planen, sich durch Schlaf zu regenerieren, zu lesen oder sonstige selbstunterhaltende Funktionen auszuüben. Dennoch ist die Autonomie nicht der erstrebenswerteste Zustand – das ist vielmehr die Interdependenz mit einem Partner oder mehreren Menschen, die sich immer wieder gegenseitig anregen und ihre Entwicklung fördern. Den erlebnisreichsten, Entwicklung förderndsten Zustand nennen wir Intimität. Wertvolle Erfahrungen aufrichtiger interpersonaler Intimität beinhalten: vorbehaltloses Vertrauen, Wirksamkeit der Beeinflussung der Umwelt; immerwährende Anregung, um neue Erfahrungen zu machen (Veränderung); die Erfahrung, daß man selbst für das Leben und die Entwicklung anderer von großer Bedeutung ist; die Fähigkeit, sich zeitweilig selbst zurückzuziehen, um für andere zu sorgen (agape) oder ihnen das Leben zu erleichtern, physische und emotionale Wärme und Nähe, die sich mit dem Gefühl der Zugehörigkeit verbinden, Freiheit von rollengebundenen Funktionen; abgeleitete Freude durch das Miterleben geteilter Freude anderer; Vertiefung des eigenen Verständnisses für menschliches Leid durch mit-leiden (mitschwingen). Das Pairing-System wurde entwickelt, um Menschen bei ihrem Verlangen nach Intimität zu unterstützen. Denn – wie in allen anderen Bereichen menschlicher Bedürfnisse – gibt es konstruktive Möglichkeiten, um Erfüllung zu finden. Viele Faktoren, die der Kontrolle eines Menschen unterstehen, hindern sie, ihr Verlangen nach Intimität zu verwirklichen: kulturelle, ökonomische, soziologische und psychologische. Häufig jedoch erschwert sich der Mensch, der auf der Suche nach Intimität ist, unnötig selbst den Weg, um sie zu erlangen.

Er könnte sich beispielsweise selbst betrügen, indem er sich Illusionen von Intimität mit oder ohne Drogen schafft; er könnte seines

eigenen heißen Verlangens nach Intimität müde werden und sich einer Pseudointimität hingeben, oder er wird möglicherweise ein Unabhängigkeits-Reformator. Die Schwierigkeiten, wahre Intimität zu erreichen, wurden auch durch irreleitende und unvernünftige Richtlinien für die Liebe durch alte konventionelle Etikette einer romantischen Gesellschaftsform aufgebaut.
Unsere Kursmitglieder lernen, die Aufgaben zu akzeptieren, die notwendig sind, um Intimität zu erlangen und hören auf, sie zu vermeiden. So sehr die Intimität auch gewünscht wird, sie ist nicht naturgegeben, man muß sie ein Leben lang erlernen und immer weiter erwerben. Intimität besteht nicht nur aus einer bestimmten Anordnung von Gefühlen, die die Menschen so stark miteinander verbinden können, sondern sie ist ein viel komplexeres Diagramm der Gesamtbeziehung. Dieser Stand der Intimität, diese »Wir«-Dimension enthält Werte und Qualitäten, die die Gefühle des Ich und des Du weit übertreffen. Kurt Lewin nannte sie »Wir-Gefühle«, die Inhalte wie Verbundenheit, Nähe, Distanz sowie Übersättigung, Entfremdung, gute oder schlechte Kommunikation, hohe oder niedrige Spannung etc. einschließen. Sie alle ergeben sich aus dem »Innenverhältnis« der Partner. Das Pairing-System beschäftigt sich mit der Regulierung solcher Innenverhältnisse.
Das theoretische Bezugssystem des Pairing sind die Persönlichkeitspsychologie und die Feldtheorie von Kurt Lewin. Die praktische, erzieherisch-therapeutische Funktion des Pairing verhilft den Menschen, ihren hohen Anspruch nach Intimität zu erfüllen und gleichzeitig zu entmythologisieren. Dies geschieht dadurch, daß wir kontakt-erleichternde Kommunikationsformen anbieten, die es leichter machen, sich mit Konflikten und Spannungen auseinanderzusetzen.
Die Konzeption des Pairing-Systems geht davon aus, daß die Aggression konstruktiv für Liebe und Intimität genutzt werden kann. (Ref.: Bach & Wyden)
Diese Grundhypothesen sind statistisch nachweisbar. Viele solcher relevanten Untersuchungen sind abgeschlossen (z. B. eine Längsschnittstudie über die Entwicklung von Familien als potentielle Intimpartner). Eine dringende Aufgabe zukünftiger Forschung wird eine Untersuchung sein, die entwicklungsfördernden Variablen der Intimität von entwicklungshemmenden Variablen genau zu unterscheiden. Vor uns liegt ein weitreichendes, schwieriges For-

schungsprogramm, das wir hauptsächlich von objektiven Forschern behandeln lassen, da sie nicht so sehr in die Materie verwikkelt sind wie die klinisch arbeitenden Psychologen.

Kann man Intimität lehren?

Der Wunsch, Intimität zu lernen ist groß, wer aber kann sie lehren? Übereinstimmend mit Margaret Mead glauben auch wir, daß Psychologen nicht neue Lebensnormen setzen sollten, die von den meisten Menschen nicht erreicht werden können. Auch Eric Berne meinte, daß nur eine kleine Elite von Psychologen wahrscheinlich die wahre Bedeutung von Intimität erfassen und leben kann.
Wir aber sind der Meinung, daß nicht alle Menschen mit ihren intimitätsfeindlichen Spielen leben müssen. Vielmehr können wir diese feindlichen Spiele durch Übungen ersetzen, die sie trainieren, über sich hinauszugehen, andere Menschen anzufassen, sich selbst zu öffnen und anderen zu geben. Diese Übungen sind keine manipulierenden Tricks, sie bieten einfach neue Möglichkeiten, mit anderen Menschen in Beziehung zu treten. Am besten werden diese Möglichkeiten über neue Verhaltens- und Kommunikationsmuster erlernt, die in Erfahrungsgruppen praktisch vorgeführt und geübt werden können. Es ist möglich, diese Verhaltensstile in einem objektiven Lernprogramm auch außerhalb unserer Kurse anzubieten. Das entspricht auch der Leitidee dieses Buches, in dem wir unseren Lesern verschiedene Interaktionsübungen zur praktischen Nachübung aufgezeichnet haben. Sicherlich besteht dabei immer die Gefahr, daß diese neuen Verhaltensmuster von Studenten (vielleicht sogar Trainern) als manipulative Taktiken benutzt werden.
Leider ließ es sich aber noch nie verhindern, daß Opportunisten sich eine neue Bewegung zunutze machten; dennoch können wir Menschen lehren, wie sie auch jene erkennen und sie sich dadurch vor ihnen schützen können.

Die Ausbildung eines Pairing-Coach

Ein Coach muß sehr gut über die Verhaltensformen verschiedener Kulturen unterrichtet sein. Dadurch bleiben sie frei von Chauvinismus und z. B. dem Rollen-Stereotyp von Mann und Frau. Weiterhin halten wir ein abgeschlossenes Studium und eine Spezialisierung in einem oder mehreren der folgenden Fächer für eine notwendige Voraussetzung: Gruppendynamik, klinische Psychologie, Sozialpsychologie, Psychodrama, Gruppentherapie, Sensitivity Training, Ehe- und Familienberatung, Sexualkunde, Sozialarbeit, Semantik, verbale und nonverbale Ausdrucksübungen. Im Idealfall beherrscht ein Coach viele dieser Bereiche.

Anmerkungen zu Kap. 3

Das Pairing-Village

Mit diesem Terminus »Pairing-Village« ist das gemeint, was von Karl Marx viel nüchterner als sozialer Nexus bezeichnet wurde, und was auch Sartre und kürzlich Laing übernahmen. Dazu gehören auch Kurt Lewins »Lebensraum« oder J. L. Morenos Konzept des subjektiven Soziogramms. Die psychologische Basis all dieser Konzepte ist das Verständnis des Menschen als ein soziales Wesen, das für seine Entwicklung und seine Existenzmöglichkeit eine mehr oder weniger konstante Interaktion mit dem jeweilig emotionalen-intellektuellen und ökonomisch Anderen notwendig braucht.

Anmerkungen zu Kap. 4

»Wer paßt zu wem«

Wenn wir darauf verweisen, daß es Computer-Ehevermittlungen an einem theoretischen Konzept mangelt, so meinen wir nicht, daß ein solches Unternehmen deshalb untragbar ist.
Im Gegenteil, eine der wichtigsten Aufgaben psychologischer Forschung ist es, die unterschiedlichen Variablen herauszufinden, die die Vielfältigkeit der Partnerwahl bedingen. Anstatt mit der Pseudotheoretisiererei über Ähnlichkeiten, Geschlechterrollen, Bezugsgruppen, Mitgliedschaften etc., muß sich die wissenschaftliche Fra-

gestellung mit der Problematik von Anziehungskraft und den davon abhängigen Variablen beschäftigen: Übereinstimmung oder Abweichung von Selbstwahrnehmung und Fremdwahrnehmung; welche Bedingungen sind dafür ausschlaggebend, daß eine getroffene Wahl oder Bevorzugung auch positiv beantwortet wird; die Effekte der Harmonisierung (Anpassung und Verschleierung) auf die Entwicklung zur Intimität. Ein gutes Beispiel theoretischer und methodischer Forschung ist die Untersuchung von Ellen Berscheid und Elain Walster (s. Bibliographie) über die Merkmale der Anziehungskraft zwischen den Geschlechtern.

Zum Thema der Partner-Vermittlung durch Computer
Aus einem Brief von Professor Jürgens, Kiel, an den Verfasser

»In der Bundesrepublik wird kaum ein Vermittler, der die wissenschaftliche Arbeit auf dem Gebiet der empirischen Sozialwissenschaften verfolgt, auf den Gedanken kommen, eine Gleichheitswahl im Bereich psychischer Merkmale anzustreben. Mir ist ohnehin praktisch kein Vermittler bekannt, der überhaupt ernsthaft behauptet, unter Berücksichtigung dieser Bereiche der Persönlichkeit zu vermitteln. Das wäre auch auf der Basis der in den Fragebogen erhobenen Daten praktisch nicht möglich.
Seit über vier Jahren führen wir in Zusammenarbeit mit dem Bundesministerium für Jugend, Familie und Gesundheit eine Untersuchung über Planung und Realisierung der Familienbildung durch. Es handelt sich dabei um eine Studie an 3000 Ehepaaren, die in drei Bundesländern nach Zufallsgesichtspunkten (entsprechend dem Mikrozensus) ausgewählt wurden. Diese Ehepaare wurden gerade kürzlich zum zweiten Male über ihre Einstellungen und Verhaltensweisen befragt.
Parallel zu dieser großen Studie, die ein Team von Soziologen und Psychologen und über 300 Interviewerinnen unter meiner Leitung durchführen, haben wir eine Stichprobe von 50 Ehepaaren, die durch das Computer-Institut Altmann vermittelt wurden, in ganz gleicher Weise longitudinal untersucht. Ebenso wie bei der großen Studie liegen auch hier noch nicht die endgültigen Ergebnisse vor. Wir haben im Verlauf der Aufbereitungsarbeiten feststellen kön-

nen, daß sich die computervermittelten Ehepaare von den übrigen (hierbei wurde eine von Hand ausgewertete Unterstichprobe benutzt) in verschiedener Hinsicht unterscheiden.
Es zeigte sich, daß nach ein- bzw. dreijähriger Ehedauer die »Computer-Paare« auf die meisten Fragen sehr viel differenziertere Antworten gaben als die Paare der Vergleichsgruppe. Wir fanden unter den Computer-Paaren z. B. durchaus Einzelfälle, die auf die Frage: »Treten bei Ihnen hin und wieder Spannungen in der Ehe auf?« mit »Sehr häufig« antworteten. Diese Antwort erfolgte bei der Vergleichsgruppe fast nicht. Auf der anderen Seite fanden sich unter den Computer-Paaren immerhin 20%, die auf die gleiche Frage antworteten: »Bei uns sind noch nie Spannungen aufgetreten.« Diese Antwort trat bei den Paaren der Vergleichsgruppe praktisch nicht auf.
Auf die sehr allgemein gehaltene Frage »Sind Sie im allgemeinen in Ihrer Ehe glücklich?« ergab sich bei 44 % der Computer-Paare die Antwort »sehr glücklich« gegenüber 16 % bei denen der Vergleichsgruppe. Die Antwort »unglücklich« oder »sehr unglücklich« trat bei den Computer-Paaren nicht auf, bei den Paaren der Vergleichsgruppe immerhin zu 8 %.
Diese Befunde, die noch keineswegs als endgültige Ergebnisse anzusehen sind, können jedoch eine Tendenz erkennen lassen, die darauf hindeutet, daß Ehen, die auf der Basis einer sorgfältigen Planung der äußeren Vorbedingungen entstehen (=Computer-Ehen), gleichzeitig auch dazu führen, daß die Partner dieser Ehen in der Beurteilung ihrer Situation ein differenzierteres Urteil haben und gleichzeitig von einem geringeren Anteil von Spannungen und einem wesentlich größeren Anteil von individuellem Glück in ihrer Ehe berichten als das bei der Vergleichsgruppe der Fall ist. Diese Befunde sind – soweit sie als vorläufige Ergebnisse charakterisiert werden – durchaus zitierbar.
Der Text des 4. Kapitels in der amerikanischen Originalausgabe von »Pairing« geht sehr weitgehend von Verhältnissen aus, die für die USA möglicherweise charakteristisch, für die Verhältnisse in der Bundesrepublik jedoch nicht zutreffend sind. In Deutschland hat das Prinzip einer Partnervermittlung auf der Basis des Computers (der Computer ist dabei nur ein Hilfsmittel, das den Vergleich der umfangreichen Datenmassen einer größeren Zahl von Personen erleichtert) im wesentlichen das Ziel, Personen einander

zu vermitteln, die hinsichtlich der objektiv meßbaren und reproduzierbaren sozialen, konfessionellen, regionalen, Bildungs- und biologischen Faktoren zueinander passen. Eine solche Vermittlung kann keineswegs die Absicht haben, *den* Ehepartner für ein Individuum zu finden; die Vermittlung kann aber sehr wohl begründet von sich sagen, daß sie einem Individuum nur eine Auswahl von Partnern vorschlägt, die unter Berücksichtigung einer ganzen Reihe von wesentlichen Kriterien für ihn ausgewählt sind. Es bestünde durchaus die Möglichkeit, unter diesen Partnern (die z. B. bei dem Hause Altmann bis zu 99 Vorschlägen gehen können) in einer zweiten Stufe des Auswahlverfahrens eine weitergehende Auswahl auf psychische Faktoren des Zusammenpassens zu treffen. Das ist jedoch bei dem gegenwärtigen System der Partnervermittlung – solange keine exakten Methoden hierfür zur Verfügung stehen – noch den Individuen überlassen. Die von einem solchen Institut Vermittelten können sich jedoch darauf verlassen, daß – sofern das Institut seine übernommene Aufgabe pflichtgemäß erfüllt – nur Partner vorgeschlagen werden, die unter rationalen Aspekten geeignet sind, so daß der Klient eines solchen Instituts sich ausschließlich und ohne Besorgnis hinsichtlich anderer Faktoren dem emotionalen Bereich hingeben kann.

Da der Öffentlichkeit und der Gesellschaft daran gelegen sein muß, stabile Ehen zu haben, die den Kindern, die aus einer solchen Ehe hervorgehen, eine soziale und wirtschaftliche Sicherheit geben, erscheint uns eine Vermittlung, die hierfür eine Reihe von Voraussetzungen schafft, erstrebenswert. Es wäre zu begrüßen, wenn diese Vermittlung um einiges erweitert werden könnte.

Das in diesem Buch beschriebene Pairing-System kann hier angewandt werden, um die Illusionen einer idealen Partnervermittlung auszuschließen.«

Anmerkungen zu Kap. 5

»Fassen Sie sich an. Berühren Sie sich«

Jane Howard schreibt in ihrem Buch »Please Touch« ihre eigenen Beobachtungen über die verschiedenen Befreiungsbewegungen

der Menschen in verschiedenen Trainings-Zentren. Ihre Wiedergabe von Dutzenden von Marathon-Erfahrungen, die sie bei Dr. Bach begann, ist eine wichtige Reportage.
(Ref.: Jane Howard, Kap. »Die Enthüllung um Mitternacht«, in dem sie ein Wochenende von ledigen Pairing-Mitgliedern – geleitet vom Institut in Kairo – in lebhaften Farben, autobiographisch getönt, beschreibt.

Verdinglichung

Dieses Konzept wurde von uns zunächst als ein Erklärungsprinzip für den radikalen Umschlag von Zuneigung hin zu Mord und Totschlag entwickelt. Dreiundsiebzig Gatten(innen)-mörder wurden von uns auf drei verschiedenen Kontinenten in sechs Ländern in den Gefängnissen interviewt . . .Unsere bisher leider noch nicht veröffentlichten Ergebnisse zeigten, daß die kognitive Veränderung, den Menschen nicht mehr als Menschen, sondern als »Ding« zu sehen, die notwendige (obwohl noch nicht ausreichende) kognitive Bedingung für einen Gattenmord ist. Die ethische Bedeutung dieses Ergebnisses besteht darin – gerade im Gegensatz zu Konrad Lorenz's pessimistischer Leugnung –, daß der Mensch einen starken Hemmfaktor vor dem Gruppenmord in sich hat: Das menschliche Opfer muß erst in ein »Ding« umfunktioniert werden, bevor es getötet werden kann. Ein vorbeugendes Mittel, Mord zu verhindern, bestünde also in der Vermeidung von Symbolisierung und der Bemühung, Vorurteile gegenüber Fremden abzubauen, Mitgliedschaft-Liebe und Außenseiter-Haß zu reduzieren und politisch Spitzfindigen entgegenzuwirken, darüber hinaus ein deutlicher Hinweis an die unmenschliche Arbeitsweise unter Streß, die den Menschen depersonalisiert.

Rollentausch

Konzept und Methode des Rollentauschs wurden nach der Ursprungsform von Moreno in das Pairing übernommen. Moreno ist der Begründer des Psychodramas und der Darstellung sozio-dramatischer Prozesse.

Nonverbale Ausdrucksformen

In unserer Kultur, in der die verbalen Kommunikationsmedien überwiegen, ist der Wunsch nach nonverbalen Ausdrucksformen sehr groß; denn durch sie besteht eine große Chance, sich authentisch ausdrücken zu können. Dr. David Wessel arbeitete in Zusammenarbeit mit Dr. Bach an der Michigan Universität daran, wie man eine »Symphonie aggressiv-intimer Lautäußerungen« schaffen kann. Die Uraufführung war im Mai 1970 im East Lansing Campus, wo über dreihundert Menschen einen Chor solcher Lautäußerungen bildeten. Diese Komposition ist eine Kombination aus Elementen des Pairing-Systems und des sogenannten »foeing« Systems (konstruktive Aggression in drei Stufen; s. Ref.: Bach, 1970). Pairing-Training beinhaltet auch das Verstehen von Vermittlungsfunktionen aufnehmender oder abweisender Signale, sei es durch Körperhaltungen oder Lautäußerungen. Die beste Untersuchung auf diesem Gebiet wurde von Prof. Birdwhistell und seinen Mitarbeitern an der Universität in Pensylvania gemacht. Die Darstellung in seinem Buch über den Gegensatz von offen-aufgeschlossenen und verschlossen-ausschließlich lebenden Paaren ist ein bedeutsamer Anfang für die Anwendung eines immer größer werdenden Wissens um die Entwicklung und Erreichung wahrer Intimität.

Meditation

Der Nutzen der Meditation besteht in der Überwindung der Angst, die in einer Situation plötzlich ausgelöst wird. Ein grober Vergleich hierzu wären vielleicht die Desensitivierungsübungen von Dr. Wolpe und anderen Verhaltenstherapeuten.
Die Meditation bedingt das Empfinden größerer Entspannung, wodurch es ermöglicht wird, sich in Ruhe die Wünsche und Entscheidungen zu überlegen, die man in einer bestimmten Situation treffen möchte. Meditation bei den Hinduisten, Buddhisten und Zen-Buddhisten bedeutet Inspiration und ihr Nutzen wird in der Stärkung der Autonomie des einzelnen gesehen. Hierin unterscheidet sie sich von unserer Form der Meditation erheblich, denn wir benutzen sie, um die Realitäten interpersonaler Beziehungen besser bestimmen zu

können. Praktisch wollen wir damit unseren Kursmitgliedern zeigen, daß sie ihre Handlungen besser bestimmen können, wenn sie ihre eigenen Wünsche kennen, und daß sie sie auch einem anderen besser vermitteln können, wenn sie ihre eigenen Wünsche klar formulieren.

Beratung mit dem Coach

Die beratende Funktion eines beruflich tätigen Coach beinhaltet auch – das ist aber nicht die einzige Aufgabe – das Lehren und die Beaufsichtigung beim Einüben neuer Verhaltensmuster, die die Offenheit der Kommunikation der Partner verbessern. Eine zusätzliche Aufgabe ist die, dem zukünftigen Pairing-Partner dabei zu helfen, sich darüber klar zu werden, was er sich in einer Partnerschaft wirklich wünscht und was nicht. In der »Beratung« werden alle möglichen Entscheidungen mit dem Coach besprochen. Viele Äußerungen eines Coach, wie Sie sie im Text dieses Buches häufig finden, sind hilfreich, um eine Möglichkeit zu finden, sich dem Menschen zu nähern, den man begehrt.

Anmerkungen zu Kap. 10

Ablehnung ohne Furcht

Seitdem wir erkannt haben, daß Ablehnung und Ausbeutung zwei fundamentale Ängste lediger und alleinstehender Menschen sind, haben wir für das Pairing-System eine Übung entwickelt, um diese Ängste abzubauen. Auch das umgekehrte Verhalten, selbst einen anderen Menschen abzulehnen, wird meist unangenehm erlebt oder aber weckt die Angst, auch vom anderen abgelehnt zu werden, ruft in ihm selbst Schuldgefühle hervor, einen anderen verletzt zu haben. In unserer Übung zu Ablehnungsannahme und Äußern von Ablehnung zeigt sich immer wieder, daß sich die Toleranzgrenze für Ablehnungen erweitert und auch die Gewissensbisse bei selbst geäußerter Ablehnung reduziert werden. Partner werden aufmerksamer füreinander, da sie bemerken lernen, wie ihre

Partner auf Ablehnung bezüglich Personen, Ideen oder Sexualwünschen reagieren. Wird er die Ablehnung wie ein erwachsener, reifer Mensch oder wie ein Säugling aufnehmen? Erstaunlicherweise wirken bestimmte Formen, eine Ablehnung anzunehmen, auf andere anziehend, da sie die Möglichkeit geben, anfängliche, negative Eindrücke zu verändern. Deshalb lehrt unser Training auch, wie man mit möglichst geringer Verletzung eine konstruktive Ablehnung übt. Die Überwindung der Ablehnung bewirkt sogar häufig ein Engagement der Personen füreinander.
Ein anderes Ziel sehen wir darin, Ledige davon abzuhalten, ablehnende Äußerungen zu vermeiden, aus Angst vor dem Risiko, selbst abgelehnt zu werden, und sich so in der weiteren Kontaktaufnahme mit vielen Menschen selbst zu beschränken. Außerdem lassen wir unsere Mitglieder ihre Ablehnungsängste gegenüber bestimmten Personen durchspielen, indem sie sich selbst eine Situation ausdenken, die sie aber mit einem anderen Kursmitglied real durchführen und auf ihre Realität hin überprüfen und so auch gleichzeitig eine realitätsbezogene Therapie bekommen (s. Ref. Glasser).

Anmerkungen zu Kap. 11

Zwei Aggressionsformen

Diese Unterscheidung zwischen feindlicher H-Typ-Aggression und Impakt-Aggression ist entscheidend. Feindliche Aggression kann dadurch kontrolliert werden, daß man sie durch Rituale wie Mann/Frau und Geschlechterkampf kanalisiert, in denen sich die gegengeschlechtlichen Personen dann gegenseitig mit den Waffen der Stereotypen bekämpfen können. Nachdem die Partner diese ritualisierten Feindlichkeiten wiederholt erlebt haben, verschwinden sie meist ganz von selbst aus der intimen Kommunikation zwischen den Partnern. Von da an kann die Aggression für den konstruktiven Impakt genutzt werden.

Polarisierung

Polarisierung, Konflikt und Aggression. Diese drei Kernbegriffe des Pairing-Systems werden durch die Spannungs- und Konflikttheorien wissenschaftlich validiert. Diese Theorien wurden von Kurt Lewin und der ihm verwandten »Balance Theorie« von Heider und der »Dissonanz-Theorie« von Festinger entwickelt. Verhaltensforscher wie z. B. Konrad Lorenz betonen in ihrer Theorie – und fanden es in ihren Beobachtungen bestätigt –, daß der energetisierende Wert von Konflikt und Aggression auch beim Paarungsverhalten spezifischer Tierarten nachweisbar ist.
Die starke Anziehungskraft, die sich aus Polarität ergibt, bildet wahrscheinlich zugleich die Herausforderung, konfliktbedingende Unterschiede auflösen zu wollen oder/und reizt zum Wetteifer, sich mit einem Unbekannten zu messen. Die Polarität ist ein effektives Gegenmittel zur narzißtischen Selbstgefälligkeit. Die Möglichkeit, sich durch Differenzierung von Andersartigem abzuheben, hilft uns, ein Individuum verhältnismäßig genau zu beschreiben. Das Pairing-System unterstützt die offene Darlegung von Gegensätzen – z. B. zwischen Mitgliedern verschiedener Kulturen –, um die Ängste vor Unbekanntem, nicht Familiärem zu überwinden. Jeder Partner muß sich über seinen Standort klar sein, damit der andere sich von ihm abheben kann. Somit wäre die Identität eines jeden Menschen herstellbar und klärbar. Offen ausgesprochene Gegensätze erhöhen auch die Möglichkeit, die Toleranz für Unterschiede zu erweitern, Zugeständnisse zu machen oder Handicaps zu gewähren, genauso wie es auch in einer intimen Beziehung zwischen einer Mutter und ihrem Kind ist.
Unsere Grundthese lautet, daß das Pairing ursprünglich aus den Spannungen heraus entstanden ist, die durch Polaritäten geschaffen wurden. Die höchste Freude des Pairing entsteht, wenn zwei Liebende intensiv damit beschäftigt sind, ein kreatives Gleichgewicht (nicht einen armseligen, drittklassigen Kompromiß) trotz ihrer gegensätzlichen Strebungen, die bei der Unabhängigkeit von Intimpartnern notwendig vorhanden sind, aufrechtzuerhalten. Eine zu starke Gegensätzlichkeit zwischen dem, was *er* möchte, ist, tut, denkt, fühlt, erwartet oder darstellt und *ihren* Wünschen wä-

re eine untragbare Ungleichgewichtigkeit oder Dissonanz. Ausgewogene Gegensätzlichkeit bei Partnern aber ist nie langweilig, weil immer ein gewisser Kampf darum besteht, welcher der Pole gerade vorherrschend ist. Das wird häufig wechseln, da beide Pole unterschiedlich dominant sein werden. Das deutlichste Symptom dafür, daß die polare Spannung zwischen zwei Partnern verloren ist, ist die Langeweile. Langeweile entsteht, wenn die Partner sich ohne Kampf jeden Wunsch und jede Laune zugestehen. Die wichtigste Polarität ist das unterschiedliche Geschlecht (»Will sie, oder will sie nicht?«). Dies erklärt auch, warum situativer Geschlechtsverkehr ohne einen Kampf zwischen den Partnern befriedigend sein kann, allerdings nur für kurze Zeit – denn auf längere Zeit wäre es langweilig. Pairing-Partner werden sowohl einen Widerstand – auch ein »Nein« – als auch die starke Hingebung akzeptieren.

Geschlechtsunterschiede

Heutzutage stellen viele Menschen die Frage nach dem Sinn, warum die sogenannten Geschlechtsunterschiede andauernd so dramatisiert werden. Unsere klinische Erfahrung und Forschung hat gezeigt, daß Menschen, die so viel Wert auf die biologischen Unterschiede zwischen Mann und Frau legen, meist stark um ihre eigene Identität kämpfen und sich dann meist einer kulturell vorbestimmten sexuellen Menschenklasse zuordnen. Die stereotypen sexuellen Rollen, die immer wieder durch Werbung und andere Unterhaltungsmedien aufrechterhalten werden, sind zu einem großen Teil für die Übertreibungen der sexuellen Unterschiede verantwortlich. Aus der Sicht des Pairing bedeutet dies eine Verstärkung sexueller Konflikte, die überflüssig wären. Unter diesem Gesichtspunkt ist der Einfluß der Frauen-Befreiungsbewegung (ausgenommen gewisser antimännlicher Gruppenphobien) zu begrüßen, die vielleicht das Konzept des Menschen als Gesamtpersönlichkeit fördern kann.

Die Bedeutung von Konflikten

Es ist offensichtlich, daß Konflikte zu jeder interdependenten Beziehung gehören. Immer dann, wenn Konflikte belastend und schmerzlich werden, neigte man im alten Courting-System dazu, sie zu leugnen oder sie zu umgehen. Im Gegensatz dazu lehrt das Pairing-System nicht nur, diese Konflikte als real und normal zu akzeptieren, sondern steigert die Freude an der Interdependenz dadurch, daß Partner lernen, wie sie mit Konflikten umgehen und wie sie sie verarbeiten können. Daß Konflikte ein Gefühl starker Niedergeschlagenheit bewirken und/oder begeistern und inspirieren können, zeigt sich im sportlichen Wettkampf. Unser konfliktorientiertes Pairing bleibt bei seiner fundamentalen Annahme, daß gesunde Männer und Frauen Konflikte suchen, um sie auch zu meistern. Wenn es Partnern gelingt, ihre Konflikte miteinander aufzuarbeiten, so schafft ihnen das Intensität und Verbundenheit.

Abstimmung von Gefühlsinhalten

Das Konzept hierzu wurde von dem späten Dr. Fred Stoller entwickelt. Für Marathongruppen ist die Abstimmung von Gefühlsinhalten das Wesentliche (s. Glossarium). Die erste Marathon-Gruppe wurde mitunter von George Bach und Fred Stoller 1963 in Palm Springs, Kalifornien geleitet.

Bildhauern

In der Psychiatrie und der Psychotherapie wurde die semantische Unterscheidung von verbalen und nonverbalen Methoden getroffen. Wir stimmen mit Birdswhistell überein, daß der Begriff »nonverbal« ungeeignet ist. Wir würden eine Differenzierung wie körperliches, verbales, vokales und geltendes Ausdrucksverhalten vorziehen.

Bildhauern ist das Puppenspiel für Erwachsene. Es ist das erwachsene Äquivalent zu den Beziehungen eines Kindes zu seiner Um-

welt mit Hilfe von Lehmerde und/oder Puppen (s. Bachs Untersuchungen zum Puppenspiel, Bibl.).
Zeitweilig fördert unser Pairing-System die Regression zu kindähnlichem Spiel als therapeutischem Mittel. Das Spielen von Erwachsenen, das Eric Berne in seiner Transaktions-Theorie als »das Kind« beschreibt (s. Bibliografie) kann von großer Bedeutung sein. Das Bildhauern ist nur eine unter vielen Übungen, die das Pairing nutzt, um solche kreativen Regressionen hervorzurufen. »Fettball« und das »Bacata-schlagen« sind Beispiele für die Spiele, in denen Erwachsene sich wie aggressiv-wetteifernde Kinder betätigen können.
Zusätzlich zu diesen entspannenden, aber auch kontrollierten kindähnlichen Erfahrungen erlaubt das Bildhauern auch künstlerisches Ausdrucksverhalten. Wichtig daran ist, daß auch ruhige und verbal nicht so geübte Menschen eine starke Erleichterung erleben, wenn sie sich nonverbal ausdrücken können. Ebenso ist die ungewöhnliche Erfahrung, sich passiv modellieren zu lassen, von großem Wert. Es fördert totales Vertrauen und ein Sich-dem-anderen-Überlassen, sowie eine Versagung, selbst mitzubestimmen, da man sich dem Modellierenden ganz unterstellen muß.

Anmerkungen zu Kap. 16

Das Spiel der Scheingefechte

Das Bacata-Spiel hat, wie psychoanalytisch orientierte Forscher herausgefunden haben, eine Parallele zu den erotischen Phantasien der Flagellanten.
Unsere Untersuchungen, die es zum Ziel haben, die notwendigen oder ausreichenden Bedingungen herauszufinden, die bei dem spielerischen Schlagspiel – ob als Schlagender oder Geschlagener – sexuelle Befriedigung erhöhen und/oder verzögern, sind noch nicht abgeschlossen.

Beziehungen nach Vertrag

Viele Menschen unterstellen, daß vertragsmäßige Arrangements der Intimität feindlich sein müssen. Im allgemeinen ist das richtig; dennoch muß es auch bei den besten Intimpartnern gewisse Abmachungen geben, die sich beide erarbeitet haben und an die sie sich halten; gemeint ist damit der große Rahmen von Toleranzgrenzen und die von den Partnern bestimmten eigenen Gürtellinien, unterhalb derer sie keine Schläge ertragen können. Psychologen, die forschend tätig sind, widmen diesem Aufgabengebiet – der vertragsmäßigen Beziehungen – große Aufmerksamkeit. Wir hoffen sehr, daß diese vertragsmäßigen Abmachungen etwas von ihrem kulturellen Prestige verlieren, im Augenblick sorgen diese Verträge meist für gegenseitige sexuelle und/oder andere Ausbeutung.

Das Pro und Kontra von Affären

Die überzeugendste Schrift über das Pro und Kontra außerehelicher Affären wurde von dem Psychiater Dr. Spurgon Englisch veröffentlicht, der den schlechten sozialen Ruf dieser Affären seinen bestehenden ureigenen Werten gegenüberstellt.

Organisierte Imagebildung

Diese Methode wandten wir zunächst in psychotherapeutischen Gruppen an. (Bach »Intensive Gruppentherapie«, 1954). Immer wieder konnten wir feststellen, daß Gruppenmitglieder sich ein bestimmtes Image verleihen (als Sexualobjekt, Mutterfigur, weiser alter Mann, Baby etc.) und daß sie auch von den anderen Mitgliedern nach diesem Image gewertet wurden.
Unsere Übung läßt die Teilnehmer intuitiv handeln und verstärkt dann alle Imagewertungen, die ausgesprochen werden, positiv, Image-leugnende Reaktionen werden ignoriert oder nur geringfügig beachtet.

Die Irrelevanz von Gegenseitigkeitsklauseln und höchstmöglicher Gleichheit bei Intimpartnern

Ein wichtiges Kriterium bei aufrichtigen Intimpartnern ist, daß sie sich gegenseitig, einem Geschenk ähnlich, den Teil von sich selbst geben, der vom empfangenden Partner jeweils als einzigartiger Beitrag des anderen erlebt werden kann. Solche Beiträge entsprechen in ihrem Betrag und ihrer Qualität dem Charakter des Gebenden: die Art »Impakt« auszuüben, den anderen anzuregen oder zu beeinflussen. Diese Form des Gebens kann nie ein Wettstreit sein, da nichts in derselben Art oder demselben Wert zurückgegeben werden kann. Daraus folgt, daß das Pairing-System kein Ausgleichssystem sein kann, im Gegenteil; Kennzeichen wahrer Intimität ist vielmehr das Ungleichgewichtige – im Geben und Nehmen eines jeden in seiner ihm eigenen und damit einzigartigen Form. Pairing-Intimität ist das Gegenteil von einem ökonomischen oder rechtlichen System, wie sie im allgemeinen bei Kooperationen im Alltagsleben unter (intimitätsfeindichen) Menschen üblich sind. In guten Partnerschaften entwickeln beide eine große Toleranz (und Freude) gegenüber ihren Unähnlichkeiten; während diejenigen, die ein ausgeglichenes Partnersystem bevorzugen, zwar meist in einem zuverlässigen aber langweiligen, rollengebundenen ordentlichen Vertragssystem enden.

Die Freiheit von Verträgen zur Gleichmacherei verleiht Intimpartnern große Freude (und Sorge). Das, was in einer Partnerschaft wirklich zählt, ist die Wirksamkeit der Partnerbeiträge auf ihre Beziehung. Paarspezifisch ist das sehr unterschiedlich. Bei sehr vielen Partnerschaften, die intensiv miteinander leben, haben wir festgestellt, daß der eine Partner vom anderen etwas nimmt, was er selbst nicht zu geben vermöchte.

Nur dann, wenn wirklich einmal die aufrichtigen Wünsche und Bedürfnisse von Partnern dieselben sein sollten, wäre das gleichförmige Geben und Nehmen von Bedeutung.

Das alte Verhaltensmuster des Courting, das bei Partnern Ähnlichkeiten befürwortet, fühlt sich im »Recht«, da »ähnliche« Partner nicht miteinander die Mühe aufbringen müssen, gegenseitige Toleranz gegenüber unterschiedlichen Bedürfnissen aufzubauen.

Alle Partnersysteme, die damit übereinstimmen, können keine dichten und intensiven Beziehungen ermöglichen. Künstliche, vertragsgebundene Beziehungen sind immer in Gefahr, an einem Konflikt zu zerbrechen und sich darüber auseinanderzusetzen, wer nun mehr gibt und wer weniger. Falls sich Menschen darüber streiten, ist das das deutlichste Zeichen für eine Beziehung, in der sich die Partner vertragsgesichert ausbeuten und es ist keineswegs Zeichen von Intimität.

Anmerkungen zu Kap. 19

Diskontinuierliches Pairing

Diskontinuität, typisch für Beziehungen von Alleinstehenden, hat den Vorteil eines größeren individuellen Freiraumes gegenüber dauerhaften Beziehungen — wie bei Verheirateten oder solchen Partnern, die unverheiratet zusammen leben —; sie schafft aber auch Spannungen, da Geschiedene oder Wiederverheiratete Angst hervorrufen. Wird die Realität der Diskontinuierlichkeit – das in einer intimen Beziehung sein und dann wieder außerhalb davon – schlecht verarbeitet oder hinterläßt ungelöste Probleme, und wird das gleiche in einer neuen Beziehung wieder verleugnet oder ignoriert (weil man sich ja ausschließlich auf »die Süße des Liebens« bezieht), dann wird die Diskontinuität einen entfremdenden Charakter haben und eventuell ein Pairing verhindern.
Die Abwesenheit eines Partners verleitet zu projektiven Phantasien. Abwesende Partner neigen stark zu Tagträumen. Sie »denken« über den anderen abwesenden Partner nach: Was wird er tun, denken, fühlen? Diese Vorstellungsbilder lassen meist ein sehr verzerrtes Bild vom abwesenden Anderen entstehen. Partner mit einem hohen Selbstwertgefühl entwickeln Phantasien über einen wunderschönen Zustand in rosaroten Farben, diejenigen mit einem geringen Selbstwertgefühl sehen alles trostlos, entfremdet oder sie werden mißtrauisch gegenüber der »Treue« des anderen. In beiden Fällen führen die Gedanken zu einer zufälligen Rollenbestimmung und eventuell zur Verdinglichung des anderen. Wenn dann die Rückkehr des Partners naht, sind aus diesen Vorstellungsinhalten schon ganz

bestimmte Erwartungen entstanden; entweder »wie wunderbar und voller Liebe« und/oder »wie fürchterlich ablehnend« das Zusammensein verlaufen wird. Da diese Erwartungen einseitig und unüberprüft sind, sind sie auch völlig irreal und bedingen meist schon im voraus die ganz sicher eintretende Frustration und Enttäuschung. Dadurch wird die Rückkehr des Partners unter Spannung und Ängsten anstatt mit Freude erlebt. Schlimmer noch, die Erwartungen rufen ein starres Verhalten hervor. Wie auch bei allen anderen narzißtischen und einseitigen Phantasien, zwingen die Partner sich gegenseitig, diese Erwartungen auch zu erfüllen, die dann zu weiteren Komplikationen führen. Sie können sogar richtig ärgerlich werden, wenn der andere ihren Erwartungen nicht entspricht.

Zur Theorie der Trennung

Rasch und andere psychiatrisch orientierte Kriminologen haben eine »Trennungs«-Theorie von Mördern aufgestellt: Das Motiv, einen geliebten Menschen zu töten, sei die Unfähigkeit, zu ertragen, von ihm oder ihr zurückgelassen zu werden. (Ref.: Bach und Hurley.) Dies sind extreme Beispiele für normale Trennungsangst, die bei Partnern besteht, die sich trennen.

Glossar

Abstimmung von Gefühlsinhalten

Es werden die Gefühle offen und deutlich geäußert, die ausdrücken, wie man sich in der Beziehung wirklich gerade empfindet, insbesondere die, die die konfliktreichen und empfindlichen Bereiche der Beziehung betreffen, wobei sich beide Partner bemühen, »ihre Unebenheiten« in einem Dialog zu klären, der für die Lokalisierung des Konfliktbereichs wesentlich ist.

Aggression, I-Typ

(impact-aggression):
Die leidenschaftliche Durchsetzung des Wunsches, die Partnerschaft zu verbessern. Durch wirksamen Impakt besteht die Möglichkeit, vom Partner zu erfahren, welche Bedeutung man für ihn hat. Die Impakt-Aggression enthält hauptsächlich rational verstehbare, für die Beziehung wichtige Informationen.

Aggression, H-Typ

(hostile aggression):
Feindliche Aggression; eine hilflose Reaktion auf Frustrationen, infolge ungelöster Beziehungsprobleme. Diese Aggression will verletzen, beleidigen und herabsetzen.

Anpassung

Das eigene Verhalten wird den Vorstellungen des Partners angepaßt, während die eigenen Gefühle und Wünsche unterdrückt werden, so entsteht für längere Zeit der fälschliche Eindruck von Harmonie.

Bilder entwerfen

Eine Selbstdarstellung, mit Hilfe bestimmter Symbole und fertiger Bilder (Typen), die dazu dienen soll, gegen eine mögliche Ablehnung gewappnet zu sein. Diese Vorstellungsbilder basieren auf einseitigen, selbstproduzierten Projektionen oder aber auf angenommenen Attributen, die sich meist als unrealistisch und falsch erweisen, wenn sie zusammen mit dem Partner überprüft werden.

Dissonanz

Die Diskrepanz zwischen aktuellen Werten oder aktuellem Verhaltensstil und den erwarteten Verhaltensmustern des geliebten Partners.

Distanzsuche

Das Sich-Nähern oder Zurückweichen vom Partner, um den gewünschten Grad der Intimität zu erreichen. Hierbei soll zweierlei vermieden werden: den Partner zu überwältigen oder ihn zu isolieren. Dies nennen wir »optimale Distanz«.

Entsprechungen schaffen

Ein von Mythen getragenes ungeeignetes Mittel, die Angst im Pairing dadurch zu reduzieren, daß man besonderen Wert auf die Ähnlichkeiten eines Paares bezüglich ihres sozialen Hintergrundes, Lebensstils und ihrer Interessen legt.

Feed-back

(Rückantwort)
Die Forderungen des Partners bezüglich einer Verhaltensänderung werden aufgenommen und wiederholt; oder dem Partner wird bestätigt, daß seine Bemühungen Einfluß auf den Zuhörenden haben.

Gedankenlesen

Wenn man Vermutungen über Gedanken und Gefühle eines anderen Menschen anstellt, ohne sie durch Befragen der betreffenden Person zu überprüfen.

Gleichgewicht, Ausgewogenheit

Trotz häufig bestehender Konflikte oder gegensätzlicher Interessen wird unterstellt, daß sich Partner immer um den Zustand eines optimalen Gleichgewichts bemühen. Dieses Bemühen, Konflikte – die eine aufrichtige Partnerschaft ja geradezu charakterisieren – zu überwinden, verbindet die Partner gefühlsmäßig, fordert ihre Kreativität und erleichtert ihre Entwicklung zu Intimpartnern. Prototyp für das Bemühen um eine ausgewogene Beziehung ist die optimale Distanz (s. Distanzsuche).

Gürtellinie

Die Toleranzgrenze, unterhalb derer der Partner keine Schläge oder Verletzungen ertragen kann, ohne die Beziehung ersthaft zu belasten. Das Pairing-System lehrt zwar, daß die Intimpartner sich gegenseitig deutlich und offen erklären sollen (statt etwas voreinander zu verbergen) aber sie sollen auch die »Achillesfersen« oder »Gürtellinien« des Partners beachten und Rücksicht auf sie nehmen. Es ist wichtig, daß jeder der Partner deutlich signalisiert, ob seine Gürtellinie schon erreicht ist oder nicht. Falls von einem der Partner die Gürtellinie bewußt überschritten wird, so zeigt er sich damit als Prototyp für feindliche Aggression.

Harmonisierungstendenz

Die ängstliche Unterdrückung aller Konflikte und Gegensätze zwischen den Partnern, um die Illusion von Frieden und Glück aufrechtzuerhalten; im allgemeinen ist diese Tendenz mit Anpassung und Verdunklung verbunden (s. ebda.)

Illusion

Falsche und verzerrte Wahrnehmung der Realität.

Impact

Impact nennen wir den Wunsch, auf jemanden einzuwirken, Kontakt mit ihm herzustellen, sich persönlich zu zeigen und den anderen dazu zu bringen, sich zu stellen.

Intime Revolution

Eine Auflehnung gegen Entfremdung und intimitätsfeindliches Verhalten des traditionellen Werbens. Eine aktive Suche nach neuen Möglichkeiten, befriedigende Liebesbeziehungen zu entwikkeln.

Intimität

Eine Beziehung, die durch Offenheit, eigenes aufrichtiges Verhalten und direkte Interaktion zwischen den Partnern charakterisiert ist. Eine solche Beziehung bedingt, daß sich beide Partner Erfahrungen und Äußerung sämtlicher Gefühle zugestehen, woraus sich gegenseitiges Vertrauen und Teilnahme am anderen ergibt, ohne daß eine Angst bestünde, Konflikte offen miteinander auszutragen.

Konflikt

Mehr oder weniger konstant bleibender realistischer Spannungszustand im Pairing. Wenn diese Lebensform von beiden Partnern akzeptiert ist, können sie mit Hilfe der konstruktiven Aggression ihre Intimität ständig erweitern.

Liebe auf den ersten Blick

Stark wirksame aber zufällige Einflußnahme zweier Partner aufeinander (meist nonverbal), wenn sie sich kennenlernen, wobei eine spontane körperliche Zuwendung erfolgt.

Narzißmus

Die übliche Rationalisierung von Menschen mit intimitätsfeindlichen Einstellungen, die die Ansicht vertreten, daß man sich durch die Beziehung zu einem Menschen nicht so sehr verändern oder gar beherrschen lassen sollte; jeder solle sich »um seine eigenen Angelegenheiten kümmern«.

Pairing-System

Grundregeln personaler Kommunikation, die es Männern und Frauen erleichtern, realistische eigene Möglichkeiten zu finden, um intime Beziehungen zu schaffen.

Parzellierung

Das Wahrnehmen eines anderen Menschen lediglich unter einem bestimmten Aspekt oder in einer spezifischen Rolle. Beispielsweise eher als Sexualpartner oder Beschützer denn als Gesamtpersönlichkeit (s. Festgelegtes Rollenverhalten).

Polarität

Unterschiedlichkeiten bei Partnern, die entweder anziehend oder abstoßend wirken, und die das Interesse der jeweiligen Partner aneinander steigern können. Z. B. Mann – Frau; stark – schwach; jung – alt; und alle kulturellen Unterschiede.

Quadrilog

Ein vierstimmiger Dialog, der die Unterschiede zwischen gedachten und ausgesprochenen Gefühlen eines Paares offenbart.

Rollentausch

Eine wünschenswerte Fähigkeit, sich selbst in die Situation des Partners einzufühlen, besonders dann, wenn ein Konflikt zwischen den Partnern besteht.

Spannung

Das Gefühl der emotionalen Unabhängigkeit, das bei Intimpartnern besteht, ruft bei jeder Handlung des einen Partners auch eine Reaktion beim anderen hervor, die entweder Übereinstimmung oder Ablehnung oder auch eine Mischung aus beidem ist. Und das bewirkt Spannung. Pairing-Partner können den Grad der emotionalen Spannung – angenehmer wie unangenehmer Art – wirksam beeinflussen. Prototyp dafür sind der Anstieg und der Abfall einer orgastischen Spannung während des Geschlechtsverkehrs. Das Pairing-System ermutigt zur Entdeckung des optimalen Spannungsfeldes.

Verdinglichung

Erfolgt immer dann, wenn man einen anderen Menschen (oder sich selbst) so behandelt, als wäre er nur ein Objekt, eine Funktion, Maschine, Rolle oder ein Symbol. Dies ist ein menschenentwürdigendes Ergebnis der Parzellierung (s. ebda.) eines Menschen.

Verdunkelung

Stillschweigende Übereinstimmung, sich im Rahmen der Illusionen zu bewegen, die einer der Partner signalisiert. Es besteht eine beidseitige Leugnung einer bedrohlichen Realität. Man lebt ständig etwas, an das man selbst nicht recht glaubt.

Vorbehalte

Die offene Mitteilung der negativen Empfindungen gegenüber dem Partner oder aber auch der deutliche Hinweis darauf, von welcher Stufe an die Grenzen ihrer möglichen Intimität erreicht zu sein scheinen.

Werbung im herkömmlichen Sinn

Eine durch Tradition bestimmte typische Mann-Frau-Beziehung; ein Mythos formaler Etikette, der aus Anpassung und Bildern besteht, die wiederum von Illusionen getragen sind. Diese Lebensform hat ein verlogenes Ideal zum Ziel; sie propagiert eine intime Partnerschaft ohne Konflikte. Durch diese kulturell vorgegebenen Verhaltensbestimmungen entstehen ganz allgemein die Ängste in einer Liebesbeziehung.

Bibliographie

BACH, GEORGE R., *Young Children's Aggressive Play Fantasies.* Psychological Monographs, Vol. 59, Nr. 272. Washington 1945

– »Father Fantasies and Father Typing in Father-Separated Children«, *Child Development*, Bd. 17 (1946), S. 63–80

– *Intensive Group Psychotherapy.* Ronald Press, New York 1954

– und Peter Wyden, *The Intimate Enemy.* William Morrow, New York 1969 (dt. Ausgabe: *Streiten verbindet.* Formeln für faire Partnerschaft in Liebe und Ehe. Bertelsmann, Gütersloh 1970)

BERNE, ERIC, *Spiele der Erwachsenen.* Psychologie der menschlichen Beziehungen. Rowohlt, Reinbek 1967

– *Spielarten und Spielregeln der Liebe.* Psychologische Analyse der Partnerbeziehung. Rowohlt, Reinbek 1971

– *Sprechstunden für die Seele.* Psychiatrie und Psychoanalyse verständlich gemacht. Rowohlt, Reinbek 1970

BERSCHEID, ELLEN, und ELAINE HATFIELD WALSTER, *Interpersonal Attraction.* Addison Wesley, Reading, Mass. 1969

BIRDWHISTELL, RAY, *Kinesis and Context.* University of Pennsylvania Press, Philadelphia 1969

DAVIS, FLORA, »The Way We Speak ›Body-Language‹. A Kineticist Demonstrates Body Talk«. *New York Times Magazine*, Mai 31, 1970

DEUTSCH, RONALD M., *The Key to Feminine Response in Marriage.* Random House, New York 1968

ELLIS, ALBERT, und ROGER O. CONWAY, *The Art of Erotic Seduction.* Lyle Stuart Inc., New York 1967

ENGLISH, O. SPURGEON, A Note on the Psychotherapeutic value of an Affair, *Voices*, Bd. 3 (1967), S. 9–13

ERIKSON, ERIC H., Kindheit und Gesellschaft. Klett, Stuttgart 1970

FAST, JULIUS, *Body Language.* M. Evans, New York 1970

FESTINGER, LEON, *Theorie of Cognitive Dissonance*, Stanford: Stanford University Press 1957

FROMM, ERICH, Die Kunst des Liebens, Ullstein, Berlin 1970

Glasser, William, *Reality Therapy: A New Approach to Psychiatry.* Harper & Row, New York 1965

Goffman, Erving, *Behavior in Public Places, Notes on the Social Organizations of Gatherings.* Free Press, Glencoe 1963

Heider, Fritz, »On Lewin's Methods and Theory«, *Journal of Social Issues,* Nr. 13, 1959

Howard, Jane, *Please Touch – A Guided Tour of the Human Potential Movement.* McGraw-Hill Book Company, New York 1970

Jones, Edward E., *Integration, A Social Psychological Analysis.* Appleton-Century-Crofts Inc., New York 1964

Laing, Ronald D., *Phänomenologie der Erfahrung.* Suhrkamp, Frankfurt 1970

Lewin, Kurt, *Feldtheorie in den Sozialwissenschaften.* Ausgew. theoret. Schriften. Hrsg. von D. Cartwright, Bern 1963

– *Resolving Social Conflicts,* Harper & Brothers, New York 1948 (s. auch: Marrow 1969)

– »The Background of Conflict in Marriage«. In *Modern Marriage,* herausg. von M. Jung, S. 52–69. Cross, New York 1940

Lorenz, Konrad, *Das sogenannte Böse.* Zur Naturgeschichte der Aggression. Borotha-Schoeler, Wien 1971

– *Er redete mit dem Vieh, den Vögeln und den Fischen.* Borotha-Schoeler, Wien 1970

– *So kam der Mensch auf den Hund.* Borotha-Schoeler, Wien 1966

– *Über tierisches und menschliches Verhalten.* Aus dem Werdegang der Verhaltenslehre. Gesammelte Abhandlungen Bd. I, Piper, München 1970

– Gesammelte Abhandlungen Bd. II, Piper, München 1970

Marrow, A. J., *The Practical Theorist: The Life and Works of Kurt Lewin.* Basic Books, New York 1969

Maslow, Abraham H., *Towards a Psychology of Being.* 2. Ausgabe, Van Nostrand Reinhold, New York 1968

Masters, William H., und Virginia E. Johnson, *Human Sexual Inadequacy.* Little, Brown & Co., Boston 1970

– *Die sexuelle Reaktion.* Akademische Verlagsgesellschaft, Frankfurt 1967

May, Rollo, *Love and Will.* W. W. Norton, New York 1969

Mead, Margaret, *Culture and Commitment.* Doubleday & Co., New York 1970

Moreno, J. L., *Who Shall Survive: Foundations of Sociometry, Group Psychotherapy and Sociodrama. Beacon House,* New York 1934

Packard, Vance, *Die sexuelle Verwirrung.* Der Wandel in den Beziehungen der Geschlechter. Econ, Düsseldorf 1969

Plato, *The Portable Plato.* Viking Press, New York 1948

REUBEN, DAVID, *Everything You Always Wanted to Know About Sex but Were Afraid to Ask*. Mc Kay, New York 1969

SCHUTZ, WILLIAM C., *Joy. Expanding Human Awareness*. Grove Press, New York 1967

STOLLER, FREDERICK H., »A Memorial Bibliography«, zusammengestellt von William Fawcett Hill. *Comparative Group Studies*. Beverly Hills 1970

SYMONDS, CAROLYN, *Sexual Mate Swappers*. Unpublished thesis in sociology. University of California at Riverside, 1970

STORR, ANTHONY, *Human Aggression. Atheneum*, New York 1968

WOLLE, JOSEPH, The Practice of Behaviour Therapy. Pergamon Press, New York 1969

Begabungstests
Wo liegen Ihre Fähigkeiten und Talente?
Mit Diagnosekarte (6844)

Berufstest
Die wichtigste Entscheidung im Leben richtig treffen (6961)

Lassen Sie sich nichts gefallen
Mut zum Ich durch Abkehr von falschen Leitbildern (7176)

Lassen Sie der Seele Flügel wachsen
Wege aus der Lebensangst
(7361)

Die Liebe
Psychologie eines Phänomens
(7677)

Lebenskunst
Wege zur inneren Freiheit
(7860)

sachbuch rororo

C 2128/1

Lernprogramme

Eine Auswahl

Kurt Werner Peukert
Sprachspiele für Kinder
Programm für Sprachförderung in Vorschule, Kindergarten, Grundschule und Elternhaus (6919)

L. Schwäbisch/M. Siems
Anleitung zum sozialen Lernen für Paare, Gruppen und Erzieher
Kommunikations- und Verhaltenstraining (6846)

Manuel D. Smith
Sage nein ohne Skrupel
Techniken zur Stärkung der Selbstsicherheit (7262)

Friedemann Schulz v. Thun
Miteinander reden
Störungen und Klärungen. Psychologie der zwischenmenschlichen Kommunikation (7489)

F. Teegen/A. Grundmann/A. Röhrs
Sich ändern lernen
Anleitung zu Selbsterfahrung und Verhaltensmodifikation (6931)

Christof Vieweg
Achtung Anfänger
Tips für Führerscheinbesitzer und solche, die es werden wollen (7810)

Bernd Weidenmann
Diskussionstraining
Überzeugen statt überreden. Argumentieren statt attackieren (6922)

C 2177/1 a

Alexander Lowen

Der Verrat am Körper
rororo sachbuch 7660
Das Buch hilft, die verlorene Harmonie von Körper und Psyche wiederzugewinnen.

Bio Energetik
Therapie der Seele durch Arbeit mit dem Körper
rororo sachbuch 7233

C 2126/1

Körpererfahrung

Sri Aurobindo
Der intregrale Yoga (rk 24)

Gisela Eberlein
Gesund durch autogenes Training
(6875)

Julius Fast
Das Körper-Programm (7786)

Julius Fast/Meredith Bernstein
Körpersignale der Liebe (7826)

Dietlinde Karkutli
Das Bauchtanz-Buch (7762)

Frédérick Leboyer
Weg des Lichts
Yoga für Schwangere – Texte und Übungen (7855)

Else Müller
Hilfe gegen Schulstreß
Übungsanleitungen zu Autogenem Training. Atemgymnastik und Meditation für Kinder und Jugendliche (7877)
Bewußter Leben durch Autogenes Training und richtiges Atmen
Übungsanleitungen zu AT, Atemtraining und meditative Übungen durch gelenkte Phantasien (7753)

R. Scholz/P. Schubert (Hg.)
Körpererfahrung
Die Wiederentdeckung des Körpers: Theater, Therapie und Unterricht (7480)

Deenbandhu Yogi (Detlef Uhle)
Das rororo Yoga-Buch für Anfänger
(7871)
Das rororo Yoga-Buch für Fortgeschrittene (7887)

C 2163/1